Diverso

Básico

Diverso
Básico

Curso de español para jóvenes

Encina Alonso
Jaime Corpas
Carina Gambluch

Primera edición, 2015
Tercera edición, 2018

Produce: SGEL – Educación
Avda. Valdelaparra, 29
28108 Alcobendas (Madrid)

© Encina Alonso, Jaime Corpas, Carina Gambluch
© Sociedad General Española de Librería, S. A., 2015
Avda. Valdelaparra, 29, 28108 Alcobendas (Madrid)

Dirección editorial: Javier Lahuerta
Edición: Yolanda Prieto
Corrección: Jaime Garcimartín

Diseño de cubierta: Thomas Hoermann
Fotografías de cubierta: Shutterstock
Diseño de interior y maquetación: Leticia Delgado

Ilustraciones: Pablo Torrecilla: pág. 17 (Saludos / Despedidas), pág. 19 (Personas), pág. 20 (viñetas), pág. 24 (viñeta), pág. 25 (viñeta), pág. 35 (viñetas), pág. 39 (clase), pág. 44 (plano Salamanca), pág. 46 (mapa Antigua), pág. 49 (salón), pág. 54 (viñetas), pág. 58 (viñetas), pág. 78 (viñetas), pág. 86 (viñetas), pág. 88 (viñeta), pág. 98 (viñeta), pág. 104 (viñeta y paisaje), pág. 105 (viñeta y dibujos), pág. 106 (plano México D. F.), pág. 118 (viñeta), pág. 127 (viñetas), pág. 129 (viñeta), pág. 138 (viñetas), pág. 146 (viñetas), pág. 156 (viñeta), pág. 169 (dibujos), pág. 171 (mapa Casiquiare), pág. 176 (dibujo), pág. 197 (dibujo); y Shutterstock (resto de ilustraciones, cartografía y banderas)

Fotografías: CORDON PRESS: pág. 30 foto huemul; pág 31 fotos Michelle Bachelet, Machuca, Pablo Neruda y Víctor Jara; pág. 61: fotos Juan Die¬go López, Gastón Acurio y Mario Vargas Llosa; pág. 65: foto Claudia Poll; pág. 69 foto Karina Ramos; pág. 70 foto 4; pág. 121 foto 5; pág. 140 foto tereré; pág. 141 foto Augusto Roa Bastos; pág. 150 foto C; pág. 151 fotos G y Rubén Darío; pág. 155 foto chikunguña; pág. 167 foto conferencia; pág. 170 fotos Carolina Herrera y Pastor Maldonado; pág. 176 foto Uruguay; pág. 181 fotos Eduardo Galeano y Daniel Viglietti; pág. 183 fotos Quino, Julieta Venegas, Fernando Botero y Gustavo Dudamel; pág. 184 fotos 1 y 2; pág. 192 foto 5; pág. 198 fotos A, B, C y D. DREAMSTIME: pág. 98: fotos Mar del Plata y Pinamar; pág. 140 foto Ciudad del Este; pág. 93 foto Canal (© Picturemakersllc - Dreamstime.com). ENCINA ALONSO: pág. 160 fotos C, D y E. JAIME CORPAS: pág. 170 foto superior; pág. 173 foto Barcelona; pág. 177 foto El Raval. MISERICORDIA GARCÍA: pág. 192 foto 4. INGIMAGE: pág. 169 foto reciclar. GUILLERMO SALGADO: pág. 31 foto carnaval de Putre. SHUTTERSTOCK: Resto de fotografías, de las cuales, solo para uso de contenido editorial: pág. 18 foto La Habana (Richard Cavalleri / Shutterstock.com); pág. 27 foto c (KKulikov / Shutters¬tock.com), foto d (thelefty / Shutterstock.com), foto e (Iakov Filimonov / Shutterstock.com) y foto Marcelo Ríos (Paul Cowan / Shutterstock.com); pág. 30 foto Alexis Sánchez (Natursports / Shutterstock.com); pág. 40 foto etnias en mensaje de Oswaldo (Ksenia Ragozina / Shutterstock.com); pág. 41 foto 6 (Ksenia Ragozina / Shutterstock.com); pág. 44 foto 8 (Radu Bercan / Shutterstock.com) y foto 9 (Popova Valeriya / Shutterstock.com); pág. 47 (Iakov Filimonov / Shutterstock.com); pág. 48 foto La Barceloneta (Mark52 / Shutterstock.com); pág. 52 foto 3 (Tupungato / Shut¬terstock.com) y foto 4 (1000 Words / Shutterstock.com); pág. 56 foto a (Pavel L Photo and Video / Shutterstock.coms) y foto c (Natursports / Shut¬terstock.com); pág. 60 foto Fiesta del Inti Raymi (Chris Howey / Shutterstock.com) y foto incas (Goran Bogicevic / Shutterstock.com); pág. 61 fotos de Mario Testino (Featureflash / Shutterstock.com), Susana Baca (Helga Esteb / Shutterstock.com), Claudio Pizarro (Maxisport / Shutterstock.com), Sofía Mulanovich (Pedro Monteiro / Shutterstock.com); pág. 63 foto 1 (Igor Shootov / Shutterstock.com) y foto 2 (Leonard Zhukovsky / Shutters¬tock.com); pág. 66 foto Daniel (ChameleonsEye / Shutterstock.com); pág. 71 foto surf (Marco Govel / Shutterstock.com); pág. 72 foto 2 (CHEN WS / Shutterstock.com); pág. 82 foto 1 (Maisna / Shutterstock.com), foto 2 (Ildi Papp / Shutterstock.com) y foto 3 (paul prescott / Shutterstock.com); pág. 83 foto exposición (Adriano Castelli / Shutterstock.com); pág. 84 foto La Habana (Kamira / Shutterstock.com); pág. 85 foto catedral de Santo Domingo (Victoria Lipov / Shutterstock.com), pág. 90 foto mujer (Anna Jedynak / Shutterstock.com), foto carnaval (Danny Alvarez / Shutterstock.com), foto capitolio (Anna Jedynak / Shutterstock.com), foto músicos (Kamira / Shutterstock.com), foto carabiné (bumihills / Shutterstock.com); pág. 92 foto 4 (IR Stone / Shutterstock.com); pág. 93 foto 4 (Lucian Milasan / Shutterstock.com); pág. 111 foto 4 (Takamex / Shutterstock.com), foto 9 (tipograffias / Shutterstock.com) y foto 10 (ChameleonsEye / Shutterstock.com); pág. 112 foto 3 (cesc_assawin / Shutterstock.com); pág 113 foto 4 (Jamie Roach / Shutterstock.com); pág. 117 (Vlad Galenko / Shutterstock.com); pág. 119 cine (Joe Seer / Shutterstock.com); pág. 120 foto 1 (Vlad Karavaev / Shutterstock.com), foto 2 (Dmitry Burlakov / Shutterstock.com), foto 3 (Elzbieta Sekowska / Shutterstock.com) y foto 8 (Vlad Galenko / Shutterstock.com); pág. 121 foto 4 (jjspring / Shutterstock.com) y foto 6 (Vlad Karavaev / Shutterstock.com); pág. 124 icono Twitter (Rose Carson / Shutterstock.com) e iconos Facebook e Instagram (tanuha2001 / Shutterstock.com); pág. 130 foto la cumbia (max blain / Shutterstock.com); pág. 131 foto Fernando Botero (Prometheus72 / Shutterstock.com), foto taxis de Medellín (Michaelpuche / Shutterstock.com) y foto Shakira (DFree / Shutterstock.com); pág. 132 foto 1 (catwalker / Shutterstock.com), foto 3 (Oliver Hoffmann / Shutterstock.com), foto 4 (paul prescott / Shutterstock.com) y foto 5 (S-F / Shutterstock.com); pág. 133 foto 3 (withGod / Shutterstock.com); pág. 150 foto A (Anton_Ivanov / Shutterstock.com); pág. 157 foto Benicio del Toro (Featureflash / Shutterstock.com); pág. 161 foto Michelle Rodríguez (s_bukley / Shutterstock.com), foto Calle 13 (Helga Esteb / Shutterstock.com), foto Héctor Elizondo (Helga Esteb / Shutterstock.com), foto Jennifer López (Helga Esteb / Shutterstock.com) y foto Ricky Martin (DFree / Shutterstock.com); pág. 162 foto 3 (Kekyalyaynen / Shutterstock.com); pág. 166 foto D (Thomas La Mela / Shutterstock.com); pág. 172 foto transporte ecológico (mikecphoto / Shutterstock.com), foto ropa reciclada (Paolo Bona / Shutterstock.com) y foto coche eléctrico (d13 / Shutterstock.com); pág. 173 foto São Paulo (Vitoriano Junior / Shutterstock.com) y foto Nueva York (pio3 / Shutterstock.com); pág. 177 foto Barrio Sur (Kobby Dagan / Shutterstock.com) y foto Liberdade (T photography / Shutterstock.com); pág. 178 foto Lavapiés (Tupungato / Shutterstock.com); pág. 180 foto gaucho (Kobby Dagan / Shutterstock.com) y foto el candombe (Kobby Dagan / Shutterstock.com); pág. 182 foto 5 (IgorGolovniov / Shutterstock.com); pág. 184 foto 4 (Leonard Zhukovsky / Shutterstock.com); pág. 185 foto museo (Dmitro2009 / Shutterstock.com); pág.186 foto biblioteca (sunsinger / Shutterstock.com); pág. 189 foto 2 (posztos / Shutterstock.com); pág. 190 foto pupusa (rj lerich / Shutterstock.com) y foto transporte a Juayúa (Milosz_M / Shutterstock.com); pág. 192 foto 1 (csp / Shutterstock.com) y foto 3 (Arseniy Krasnevsky / Shutterstock.com)

Para cumplir con la función educativa del libro se han empleado algunas imágenes procedentes de internet
Agradecemos a Guillermo Salgado (carnaval de Putre, pág. 31) y a Benjamin Straub (Bitácora viajes, págs. 200-201), que nos hayan cedido las imágenes

Audio: Bendito Sonido. **Locutores:** Gregorio Tavío, Olga Hernangómez, Mamen Delgado, Carlos Domínguez, María Sánchez, Mario Núñez, Claudia Lahuerta, Bernardino León, Fabio Cobos, Daiana Bertucci, Pablo Sainz, Julián Caraca, Roberto González, Joaquín Mulén, Dilma Albán, Luisa Ezquerra, Susana Pardo, Borja Fernández, Carlos Pérez, Mark Gómez, Eva Mackey, Frankie Mackey, Andrés Calero, Greighton Torres, Nancy Sánchez, Natalia de la Cruz. **Música pista 81**: Apple Loops (jazz, rock, clásica, hip hop) y Bendito Sonido (tango, salsa)

ISBN: 978-84-9778-823-6

Depósito legal: M-25779-2015
Printed in Spain – Impreso en España
Impresión: Gómez Aparicio Grupo Gráfico

Cualquier forma de reproducción, distribución, comunicación pública o transformación de esta obra solo puede ser realizada con la autorización de sus titulares, salvo excepción prevista por la ley. Diríjase a CEDRO (Centro Español de Derechos Reprográficos) si necesita fotocopiar o escanear algún fragmento de esta obra (www.conlicencia.com; 91 702 19 70 / 93 272 04 47)

Índice

¿Cómo es *Diverso*?

DIVERSO es un curso para aprender español en un contexto global e intercultural. Ofrece un enfoque que atiende los valores y actitudes, la diversidad, la indagación, la acción y la reflexión sobre el mundo que nos rodea y sobre el propio aprendizaje. Cada unidad se plantea alrededor de un concepto (identidad, competición, hábitat, etc.).

Las unidades están divididas en cuatro partes:

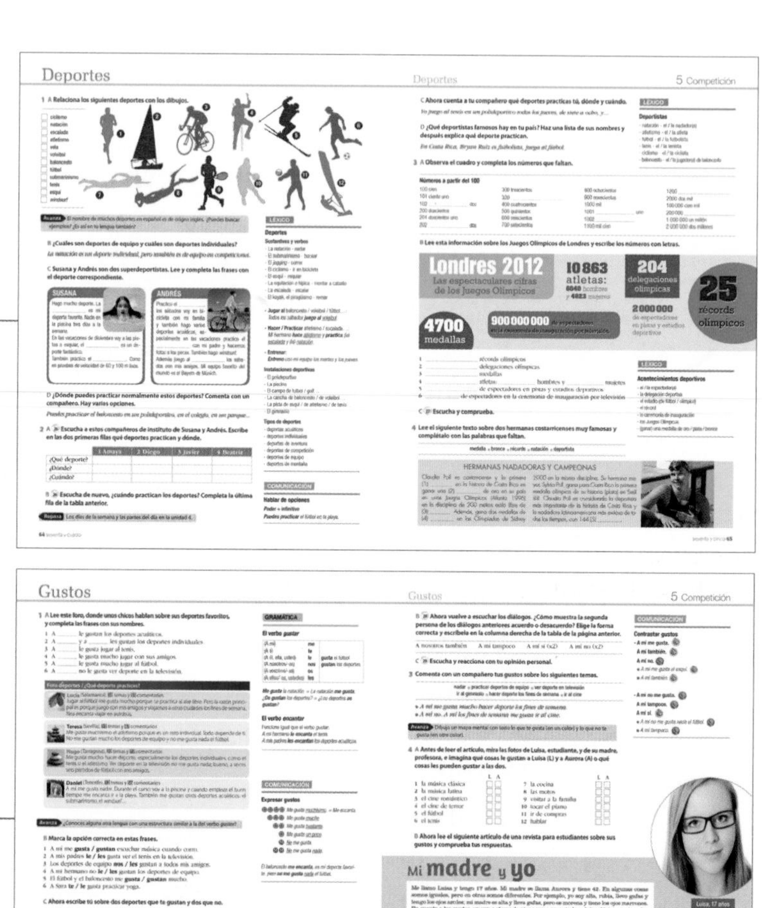

1

Una portadilla para:

- presentar los contenidos de la unidad
- activar el conocimiento previo
- introducir y contextualizar los temas
- motivar a los alumnos

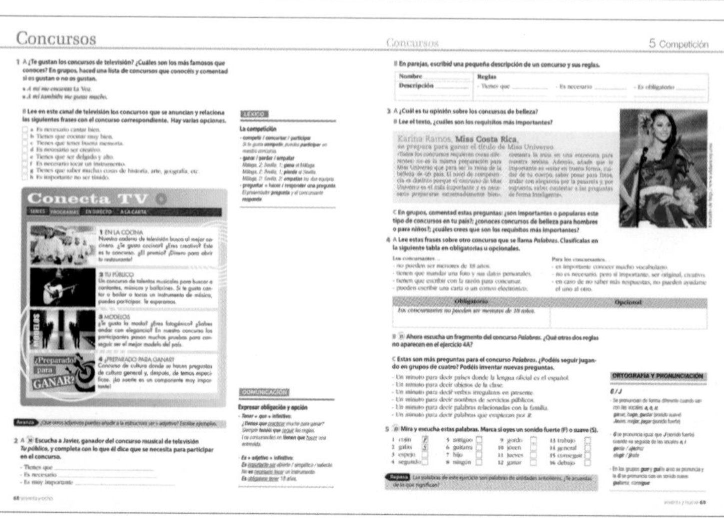

2

Tres secuencias didácticas que incluyen:

- distintos tipos de textos, tanto escritos como orales
- cuadros de léxico, gramática, comunicación, ortografía y pronunciación
- actividades variadas, motivadoras e interesantes en una secuencia que termina con la producción por parte del estudiante
- actividades y sugerencias que permiten repasar o profundizar los contenidos de la unidad

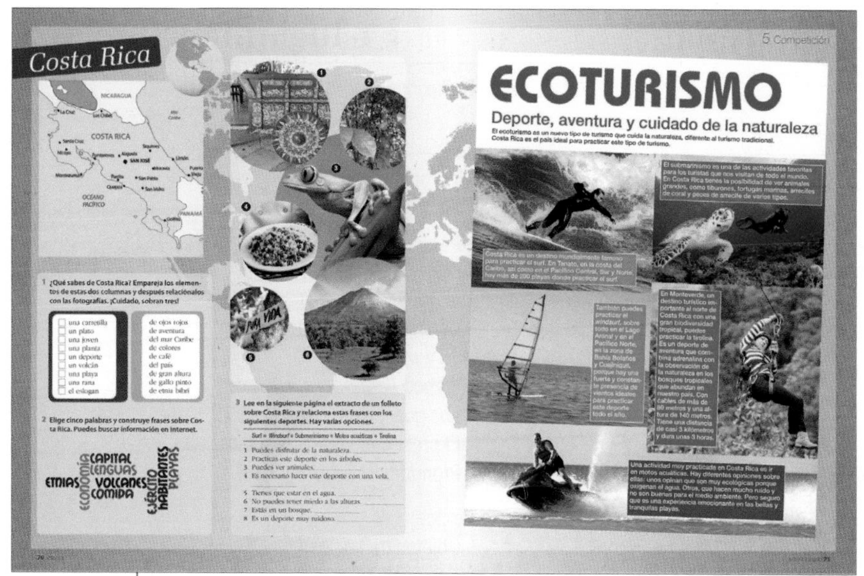

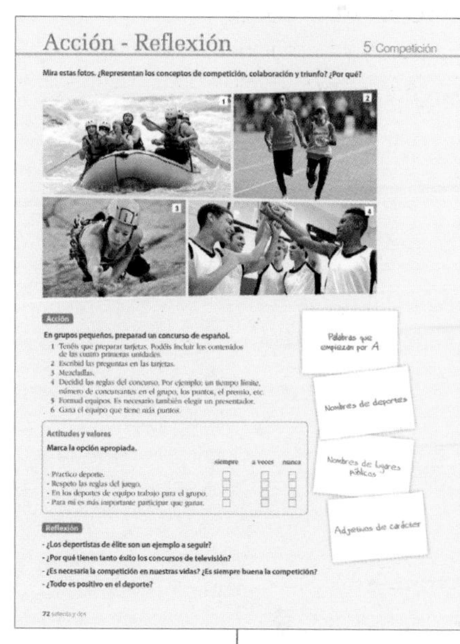

3

Una doble página sobre un país de habla hispana con:

- información general sobre el país
- actividades relacionadas con el concepto de la unidad

4

Una página final que contiene:

- una propuesta de trabajo oral a partir de fotografías
- una acción final que recoge los contenidos principales de la unidad
- un breve cuestionario sobre los valores y actitudes trabajados
- una reflexión final

El libro incluye diferentes secciones en la parte final:

- Gramática

- Léxico por unidades

- Transcripciones de las grabaciones

Gramática

Léxico

TRANSCRIPCIONES

Contenidos

	0 ¡Hola!	1 Identidad
Conciencia crítica-reflexiva		Reflexionar sobre la identidad
Interculturalidad		Mi propia cultura
Competencias lingüísticas	**Gramatical:** - Los pronombres personales de sujeto **Léxica:** - Saludos - Los números del 0 al 20 - Países y ciudades hispanos **Fonológica / Ortográfica:** Letras y sonidos	**Gramatical:** - El artículo determinado - Género y número del sustantivo - *Tú* y *usted* - Verbos *llamarse, ser* y *tener* - Los posesivos (un poseedor) - El presente: verbos regulares *-ar, -er, -ir* - Pronombres interrogativos **Léxica:** - Objetos de la clase - Nacionalidades - Países - Los números del 20 al 100 - Los meses del año y las fechas - Direcciones electrónicas - Deportistas - Idiomas **Fonológica / Ortográfica:** *y / e* Entonación interrogativa
Competencia pragmática y sociolingüística	- Saber pronunciar y escribir cada letra de una palabra - Saludar y despedirse	- Conocer objetos de la clase - Escuchar y producir saludos - Dar y pedir información personal - Presentarse - Diferenciar entre *tú* y *usted* - Interpretar información extraída de internet
Procedimientos y estrategias	- Identificar y producir saludos - Formular preguntas en el aula - Reproducir el alfabeto - Identificar países de habla hispana	- Formular preguntas - Simular situaciones - Seleccionar información - Confeccionar textos breves
Actitudes y valores		Respetar el trabajo de mis compañeros
Tipologías textuales	Mapa	- Documento de identidad - Perfil en Facebook - Noticia - Página web
Acción - Reflexión		- Hacer un póster - ¿Quién soy? ¿Cuál es mi identidad?
País		**Chile**

2 Relaciones	3 Hábitat	4 Hábitos
Reflexionar sobre las relaciones sociales	Reflexionar sobre la vida en diferentes lugares	Reflexionar sobre los hábitos y las rutinas
Las relaciones sociales como base de una cultura	El hábitat y la relación con la cultura	Los hábitos en distintas culturas
Gramatical: - Los posesivos (varios poseedores) - Los demostrativos - Adjetivos y su concordancia con el sustantivo - La negación: *no* - Conectores: *y, también, o, pero* **Léxica:** - Relaciones familiares y relaciones sociales - Estado civil - Descripción física y de carácter **Fonológica / Ortográfica:** Sonidos que se pronuncian juntos	**Gramatical:** - El artículo indeterminado - *Hay* - Cuantificadores: *muy, mucho, poco, uno, alguno, ninguno* - *Porque / Para* - Verbo *estar* - Marcadores de lugar **Léxica:** - Servicios públicos - Descripción de lugares - Los puntos cardinales - Partes de la casa - Muebles y objetos de la casa **Fonológica / Ortográfica:** *r / rr*	**Gramatical:** - Preposiciones para indicar la hora - Verbos reflexivos: *levantarse* - Verbos irregulares: *ir, hacer, jugar* - *Más tarde / Más temprano* - Marcadores temporales: *primero, luego, después, durante* - Expresiones para indicar frecuencia - Verbos irregulares con cambio en la vocal **Léxica:** - Vocabulario relacionado con las rutinas diarias (hora, hábitos, asignaturas, días de la semana, partes del día, actividades del día) - Profesiones **Fonológica / Ortográfica:** Letras que no se pronuncian: ***h*** *(hoy, hora)* / ***u*** (en *gue, gui, que, qui*)
- Hablar sobre relaciones familiares - Preguntar sobre la familia - Describir el aspecto físico y el carácter de las personas	- Describir ciudades, barrios y partes de la casa - Preguntar por la existencia de servicios públicos - Expresar causa y finalidad - Expresar existencia y ubicación	- Preguntar y decir la hora - Hablar y preguntar por actividades diarias - Expresar frecuencia - Opinar sobre hábitos
- Identificar relaciones familiares - Clasificar relaciones de parentesco - Relacionar dibujos y palabras - Diseñar un árbol genealógico	- Leer mapas y planos - Interpretar folletos - Seleccionar información de un texto - Relacionar información de ciudades y países	- Formular preguntas relacionadas con las horas - Confeccionar hábitos de aprendizaje - Comparar hábitos y rutinas - Describir profesiones
Valorar nuestras relaciones con otras personas	Cooperar en la formación de grupos	Respetar los hábitos de la clase
- Árbol genealógico - Blog - Anuncio - Mensaje en red social - Folleto	- Mapa - Plano - Artículo - Foro - Folleto informativo	- Entrada de un blog - Correo electrónico - Horario - Folleto - Cuestionario
- Diseñar un árbol genealógico de la familia - ¿En qué se diferencian las familias? ¿Son importantes los amigos?	- Diseñar un proyecto de un nuevo barrio - ¿Cómo es tu hábitat ideal?	- Escribir una entrada de blog sobre la vida diaria - ¿Qué son buenos y malos hábitos?
Ecuador	**Guatemala**	**Perú**

Contenidos

	5 Competición	6 Nutrición
Conciencia crítica-reflexiva	Reflexionar sobre la competición, la colaboración y el triunfo	Reflexionar sobre tipos de comida diferentes
Interculturalidad	La competición en las distintas culturas	La influencia de la cultura en la dieta
Competencias lingüísticas	**Gramatical:** - Verbos *gustar* y *encantar* - Marcadores de cantidad - *A mí también / A mí tampoco* - *Tener que* + infinitivo, *poder* + infinitivo, *es importante / necesario / obligatorio* + infinitivo **Léxica:** - Deportes, deportistas y actividades físicas - Instalaciones deportivas - Los números a partir del 100 - Vocabulario relacionado con la competición **Fonológica / Ortográfica:** *g / j*	**Gramatical:** - *Lo que más / menos me gusta, mi comida favorita / preferida* - Verbos *almorzar* y *merendar* - Marcadores de frecuencia - Impersonalidad con *se* - Pronombres de OD: *lo / la / los / las* - Verbo *querer* **Léxica:** - Vocabulario relacionado con la comida y bebida (alimentos, bebidas, las comidas del día, platos típicos del mundo hispano) - Medidas y cantidades - Formas de cocinar, de comer y de beber **Fonológica / Ortográfica:** Dígrafos: *ch / ll*
Competencia pragmática y sociolingüística	- Hablar sobre actividades deportivas - Expresar y contrastar gustos - Hablar de obligaciones y opciones	- Expresar preferencia - Expresar frecuencia - Expresar impersonalidad - Describir comidas y bebidas - Hablar sobre hábitos alimenticios - Pedir en un establecimiento de comida - Dar y pedir información sobre comidas y su elaboración
Procedimientos y estrategias	- Diferenciar obligación de opción - Asociar léxico - Comparar y contrastar gustos - Formular reglas	- Realizar un test - Identificar textos por elementos paralingüísticos - Interpretar y elaborar recetas - Simular conversaciones en un restaurante
Actitudes y valores	Promover el trabajo colaborativo	Respetar la diversidad en la alimentación
Tipologías textuales	- Infografía - Foro - Artículo de revista - Página web - Extracto de un concurso - Folleto turístico	- Infografía - Test - Programa de radio - Texto informativo - Receta - Menú - Fragmento de noticia
Acción - Reflexión	- Preparar un concurso de español - ¿Por qué tienen tanto éxito los concursos de televisión? ¿Es siempre buena la competición? ¿Todo es positivo en el deporte?	- Organizar un concurso de cocina - ¿Crees que hay una relación entre comida y cultura? ¿Tiene la comida la misma importancia en todas las culturas?
País	**Costa Rica**	**España**

7 Diversión	8 Clima	9 Viajes
Reflexionar sobre qué es la diversión	Reflexionar sobre el clima y su influencia en la vida diaria	Reflexionar sobre el significado de viajar
La diversión en distintas culturas	El clima y su efecto en la cultura	El respeto a otras culturas
Gramatical: - Verbos valorativos: *gustar, encantar, interesar, apetecer, parecer, preferir...* - *Ir* + a + infinitivo - *Querer / Preferir / Tener ganas de* + infinitivo - Marcadores temporales del futuro - *Si* + presente, presente **Léxica:** - Vocabulario relacionado con las actividades de ocio, sugerencias, planes, cine, música, fiestas **Fonológica / Ortográfica:** *c / z*	**Gramatical:** - Verbos impersonales: *llueve, nieva, está nublado, hace frío, hay viento...* - Conectores: *además, aunque* - Comparativos - El voseo **Léxica:** - Vocabulario relacionado con el tiempo (estaciones, fenómenos naturales, estados de ánimo, tipos de clima) - Colores **Fonológica / Ortográfica:** *ll / y*	**Gramatical:** - *Saber* y *conocer* - *No... ni...* - Verbos irregulares en primera persona - *Por / Porque* y *para* - Marcadores de lugar: *a la derecha, al lado de...* - Pretérito perfecto - Marcadores temporales: *hoy, este año, esta mañana...* **Léxica:** - Tipos de vacaciones - Geografía y accidentes geográficos - Medios de transporte - Formas y razones de viajar - Adjetivos de carácter - Alojamientos **Fonológica / Ortográfica:** Abreviaturas relacionadas con las direcciones
- Hablar sobre planes e intenciones - Hacer propuestas - Expresar deseo o intención - Expresar una condición - Invitar a realizar una actividad: aceptar y rechazar, quedar - Expresar opinión: mostrar acuerdo y desacuerdo	- Hablar del tiempo - Intercambiar ideas sobre preferencias - Hablar de lugares favoritos - Analizar el clima y la personalidad - Hacer comparaciones - Indicar igualdad	- Expresar habilidad y conocimiento - Expresar causa, finalidad y opinión - Preguntar y dar direcciones - Hablar de experiencias en un tiempo pasado conectado con el presente y a lo largo de la vida - Definir la personalidad de los viajeros
- Planificar salidas - Indagar sobre nuevas estructuras - Hacer juegos de rol - Escribir una reseña	- Establecer hipótesis - Comparar dos lugares - Expresar preferencia - Contrastar aspectos del español	- Comparar opciones - Analizar hábitos culturales - Caracterizar personalidades y formas de viajar - Extraer el significado general de un texto
Valorar el uso de internet	Adaptarse y aceptar distintos puntos de vista	Valorar la organización en las actividades
- Correo electrónico - Viñeta - Mensaje de Facebook - Reseña - Artículo - Canción	- Parte meteorológico - Mapa - Artículo - Folleto - Entrevista	- Viñeta - Artículo informativo - Plano - Tarjeta de visita - Blog de viajes - Mensaje de Facebook - Foro - Reportaje
- Escribir un correo electrónico - ¿Qué es la diversión? ¿Qué necesitas para divertirte?	- Redactar un artículo informativo - ¿Qué influencia tiene el clima del lugar donde vives en tu vida diaria? ¿Cómo influye el clima?	- Organizar un viaje con la clase - ¿Qué significa viajar para ti? ¿Qué buscas cuando vas de vacaciones?
Cuba y la República Dominicana	**Argentina**	**México**

Contenidos

	10 Educación	11 Consumo
Conciencia crítica-reflexiva	Reflexionar sobre la importancia de la educación	Reflexionar sobre el reciclaje y la moda
Interculturalidad	La educación en otras culturas	La importancia de la ropa en las distintas culturas
Competencias lingüísticas	**Gramatical:** - Repaso presentes regulares e irregulares - Duración *(desde, desde hace, hace que)* - *Antes de / Después de* + infinitivo - El gerundio - Perífrasis verbales: *empezar a / acabar de / deber / tener que / poder / ir a + infinitivo, estar / seguir / llevar* + gerundio **Léxica:** - Sistemas educativos - Expresiones relacionadas con el estudio - Vocabulario relacionado con el tema de la educación - Colocaciones **Fonológica / Ortográfica:** *b / v*	**Gramatical:** - Los pronombres personales de OI y la combinación con los de OD - Posesivos: *mío, tuyo...* - *¿Qué / Cuál(es)?* **Léxica:** - Vocabulario de compras - La ropa: materiales, medidas, precios, accesorios y complementos, lugares de compras **Fonológica / Ortográfica:** El acento tónico: agudas, llanas y esdrújulas
Competencia pragmática y sociolingüística	- Responder a un test - Valorar la importancia de distintas afirmaciones en un texto - Intercambiar opiniones sobre sistemas educativos y los cambios en la educación - Expresar obligación	- Hablar sobre las compras - Reaccionar ante afirmaciones de otros - Identificar de quién es un objeto - Escribir un comentario en un portal interactivo - Mostrar acuerdo y desacuerdo
Procedimientos y estrategias	- Decidir cuál es la información relevante en un texto - Leer de manera crítica - Interpretar información visual y oral	- Extraer información importante de un texto - Diferenciar entre distintas variantes del español - Responder a un cuestionario - Comparar textos
Actitudes y valores	Responsabilizarse del propio aprendizaje	Respetar los criterios y los gustos de los otros
Tipologías textuales	- Test - Decálogo - Entrevista - Artículo informativo - Agenda - Mensaje de Facebook - Blog	- Entrevista - Catálogo - Artículo - Cuestionario - Viñeta - Portal interactivo - Canción
Acción - Reflexión	- Elaborar un decálogo del buen profesor - ¿Crees que la educación en la actualidad promueve el pensamiento crítico? ¿Crees que tu educación te ayuda a ser mejor persona?	- Diseñar un catálogo de ropa - Opinar sobre el origen, la fabricación y el reciclaje de la ropa - ¿Cómo influye la moda y el consumo en tu vida diaria?
País	**Bolivia**	**Colombia**

12 Trabajo	13 Salud	14 Comunicación
Reflexionar sobre la importancia del trabajo	Reflexionar sobre qué significa una vida sana	Reflexionar sobre el poder y la fiabilidad de los medios
El trabajo en distintas culturas	El concepto de vida sana en diferentes culturas	Las redes sociales y la cultura global
Gramatical: - *Soler* + infinitivo - *Lo bueno / malo de...* - Pretérito indefinido (verbos regulares e irregulares) - Marcadores temporales para hablar de momentos del pasado: *ayer, el año pasado, hace tres años..., de ... a, al ... siguiente, al cabo de, durante, a los 25 años...* **Léxica:** - Profesiones - Vocabulario para hablar de trabajo - Habilidades y capacidades - Datos personales estudios y aficiones - Trabajos temporales **Fonológica / Ortográfica:** Consonantes oclusivas: ***p, t, k / b, d, g***	**Gramatical:** - *Doler, tener + fiebre / dolor de, estar + enfermo / cansado / agotado* - *¿Por qué no...?* - *Es necesario / importante / conveniente* - *Lo mejor es...* - *Debes* + infinitivo - *Hay que* + infinitivo - *Conectores textuales* - Usos de *tú* y *usted* **Léxica:** - Partes del cuerpo - Estados físicos, mentales y estados de ánimo - Síntomas, enfermedades, dolores, remedios **Fonológica / Ortográfica:** El acento ortográfico: la tilde	**Gramatical:** - Contraste pretérito perfecto / pretérito indefinido - *Ya / Todavía no* - Frases exclamativas: ¡*Qué* + adjetivo / adverbio / sustantivo!; ¡*Qué* + sustantivo + *tan / más* + adjetivo! **Léxica:** - Vocabulario relacionado con los medios de comunicación: los periódicos, la radio y la televisión, las redes sociales **Fonológica / Ortográfica:** Los signos de puntuación
- Expresar aspectos positivos y negativos sobre un trabajo - Hablar de acciones pasadas y de momentos especiales en la vida - Hablar de personajes importantes y de sus vidas - Dar y entender información sobre experiencias laborales	- Hablar sobre los hábitos diarios para llevar una vida sana - Expresar sensaciones físicas, estados de ánimo y malestares - Dar consejos - Expresar obligación - Relacionarse con otras personas de manera formal e informal *(tú / usted)*	- Hablar de experiencias en el pasado - Valorar experiencias - Expresar preferencias - Expresar un cambio de situación - Comparar prensa en papel y digital - Analizar noticias - Contar y reaccionar sobre noticias - Expresar formalidad o informalidad por carta o correo electrónico
- Elaborar un currículum - Comprender un texto de forma general - Identificar textos y su posible procedencia - Extraer información detallada de un texto	- Escribir sobre las rutinas - Representar una visita al médico - Analizar y escribir un artículo	- Analizar los medios de comunicación y distinguir su rol en la sociedad actual - Diseñar una portada de periódico
Valorar la formación para el futuro laboral	Valorar nuestro cuerpo y llevar una vida sana	Mostrarse crítico ante la información en los medios
- Reportaje - Artículo - Programa de radio - Biodata - Biografía - Resumen - Currículum	- Test - Artículo - Podcast - Viñeta - Correo electrónico - Artículo legal - Poema	- Noticia - Artículo - Viñeta - Entrevista - Mensaje - Correo electrónico - Carta formal - Blog - Canción
- Elaborar un currículum - ¿Qué importancia tiene el trabajo en la vida de una persona? ¿Qué crees que es lo más importante en un trabajo: el sueldo, el tiempo libre, la motivación...?	- Escribir un artículo de opinión - ¿Qué es una vida sana? ¿Cómo puedes ayudar a una persona con malos hábitos? ¿Qué importancia tienen los buenos hábitos, el ejercicio, la comida y la relajación?	- Publicar una portada en un periódico - ¿Podrías vivir sin los medios de comunicación? ¿Qué características deberían de tener los medios de comunicación?
Paraguay	**Nicaragua**	**Puerto Rico**

Contenidos

	15 Medio ambiente	16 Migración
Conciencia crítica-reflexiva	Reflexionar sobre nuestra contribución al medio ambiente	Reflexionar sobre la multiculturalidad
Interculturalidad	La cultura en la conciencia ambiental	La influencia de las migraciones en las culturas
Competencias lingüísticas	**Gramatical:** - Construcciones causales, finales, adversativas y consecutivas: *porque, a causa de (que), para* + infinitivo, *sino (que), sin embargo, por eso* - Nominalización de los verbos: sustantivos terminados en *-ción*, *-o* y *-miento* - *Estar de acuerdo / Estar seguro* **Léxica:** - Vocabulario relacionado con el medio ambiente y la ecología: calentamiento global, cambio climático, fenómenos naturales, recursos naturales, animales en peligro de extinción, etc. **Fonológica / Ortográfica:** El diptongo	**Gramatical:** - El presente histórico - El pretérito imperfecto - *Ya no / Todavía* - Marcadores temporales del pasado y del presente: *de joven, cuando..., hoy en día, actualmente...* - *Acordarse / Recordar* **Léxica:** - Fechas y siglos - Los números romanos - Etapas de la vida - Vocabulario relacionado con la historia, la política y las migraciones **Fonológica / Ortográfica:** El hiato
Competencia pragmática y sociolingüística	- Hablar sobre problemas ambientales y expresar opinión, acuerdo o desacuerdo - Analizar formas de tomar conciencia para ayudar a la educación medioambiental	- Referirse a hechos históricos - Describir y recordar el pasado - Expresar la interrupción o continuidad de una acción
Procedimientos y estrategias	- Reflexionar sobre los problemas ambientales - Preparar una conferencia - Planificar un debate - Exponer opiniones	- Extraer información detallada de una audición - Crear un texto informativo cronológico - Analizar un poema y una canción
Actitudes y valores	Valorar los recursos naturales	Valorar el trabajo en equipo
Tipologías textuales	- Entrevista - Folleto informativo - Infografía - Conferencia - Eslogan - Blog - Debate - Crucigrama - Poema	- Texto informativo - Cronología - Ensayo - Artículo - Poema - Presentación - Test - Citas - Listín telefónico - Canción
Acción - Reflexión	- Preparar un debate sobre el medio ambiente - ¿Eres verdaderamente consciente de los problemas ambientales? ¿Cómo puedes ser más responsable de tus acciones con respecto al medio ambiente? ¿Cómo contribuyes a hacer del planeta un lugar mejor?	- Preparar una presentación - ¿Cómo han influido las corrientes migratorias en tu país? ¿Cuáles son tus orígenes?
País	**Venezuela**	**Uruguay**

17 Arte

Reflexionar sobre la estética y la comunicación en el arte

El arte como unión de culturas

Gramatical:
- *Está prohibido / permitido* + sustantivo / infinitivo; *prohibido* + infinitivo; *se prohíbe* + sustantivo / infinitivo; *no se permite* + sustantivo / infinitivo
- Contraste pretérito indefinido / pretérito imperfecto
- Cuantificadores: *(casi) todos/as, todo/a* (+ sustantivo), *muchos/as, mucho/a, la mayoría de* (+ sustantivo), *algunos/as, algún(o)/a, ningún/o/a*

Léxica:
- Vocabulario relacionado con la pintura, la literatura y la música

Fonológica / Ortográfica:
Acentuación de pronombres interrogativos y exclamativos

- Describir una obra de arte y lo que transmite
- Expresar prohibición
- Expresar impersonalidad
- Interpretar un relato y un poema

- Exponer opiniones
- Contrastar los tiempos del pasado
- Crear señales
- Analizar y crear manifestaciones artísticas

Apreciar la importancia del arte

- Señal
- Blog
- Fragmento de novela
- Sinopsis
- Poema
- Test
- Artículo informativo
- Entrevista
- Microcuento

- Preparar un trabajo sobre una manifestación artística
- ¿Qué presencia tiene el arte en nuestra vida cotidiana? ¿Has cambiado tu concepto de arte con la unidad? ¿Qué es el arte para ti? ¿Cuál es la manifestación del arte que más te emociona: la música, la literatura, la pintura…? ¿Qué es lo más importante en el arte: la estética o el mensaje?

Honduras y El Salvador

18 Tecnología

Reflexionar sobre el impacto de la tecnología

La tecnología y el desarrollo global

Gramatical:
- Repaso de los tiempos de pasado: pret. perfecto, pret. indefinido, pret. imperfecto
- Imperativos afirmativos en 2.ª persona del singular y del plural
- Colocación de los pronombres con imperativos

Léxica:
- Vocabulario relacionado con la tecnología: los inventos, la ingeniería, la informática, internet y las redes sociales, la ciencia ficción

Fonológica / Ortográfica:
Los acentos diacríticos

- Describir y contar hechos en el pasado
- Escribir en un foro
- Dar instrucciones
- Dar consejos y hacer una petición

- Reflexionar sobre los tiempos del pasado
- Crear un foro
- Reconocer anuncios, instrucciones y consejos

Responsabilizarse del uso de la tecnología

- Texto informativo
- Entradas de foro
- Anuncio
- Instrucciones
- Concurso
- Artículo
- Viñeta
- Relato

- Participar en un foro sobre tecnología
- ¿Es todo bueno respecto a la tecnología? ¿Cómo influye la tecnología en nuestras vidas? ¿Somos esclavos o dueños de la tecnología?

Panamá

Mapas

AMÉRICA LATINA
Estados Unidos
WASHINGTON
Océano Atlántico
Bahamas
NASSAU
Mar Caribe
México
LA HABANA
República Dominicana
Cuba
SANTO DOMINGO
CIUDAD DE MÉXICO
KINGSTON
Haití
SAN JUAN
Jamaica
PUERTO PRÍNCIPE
Puerto Rico
Barbados
Granada
CARACAS
Trinidad y Tobago
GEORGETOWN
Venezuela
PARAMARIBO
BOGOTÁ
Guyana
CAYENA
Guayana Francesa
Surinam
Colombia
Ecuador
QUITO
Perú
Brasil
LIMA
Bolivia
BRASILIA
Océano Pacífico
SUCRE
Paraguay
ASUNCIÓN
Argentina
Chile
Uruguay
MONTEVIDEO
SANTIAGO DE CHILE
BUENOS AIRES
México
Belice
BELMOPÁN
Mar Caribe
Guatemala
GUATEMALA
Honduras
TEGUCIGALPA
SAN SALVADOR
El Salvador
Nicaragua
MANAGUA
Costa Rica
SAN JOSÉ
PANAMÁ
Panamá
Océano Pacífico
Colombia
ESPAÑA
ASTURIAS
CANTABRIA
PAÍS VASCO
FRANCIA
A Coruña
Santiago de Compostela
Lugo
Oviedo
Santander
Bilbao
S. Sebastián
GALICIA
León
Vitoria
NAVARRA
ANDORRA
Pontevedra
Ourense
Burgos
Palencia
Logroño
Pamplona
Huesca
Girona
LA RIOJA
CATALUÑA
Zamora
Valladolid
Zaragoza
Lleida
Barcelona
CASTILLA Y LEÓN
Soria
ARAGÓN
Segovia
Guadalajara
Tarragona
Salamanca
MADRID
Teruel
Ávila
MADRID
Cuenca
Castellón
PORTUGAL
Cáceres
Toledo
CASTILLA - LA MANCHA
VALENCIA
Palma de Mallorca
EXTREMADURA
Valencia
Mérida
ISLAS BALEARES
Badajoz
Ciudad Real
Albacete
Alicante
Córdoba
Jaén
Murcia
MURCIA
Huelva
Sevilla
ANDALUCÍA
Granada
Cádiz
Málaga
Almería
ARGELIA
Ciudad Autónoma Ceuta
Ciudad Autónoma Melilla
ISLAS CANARIAS
Santa Cruz de Tenerife
Las Palmas
MARRUECOS
CAPITAL DEL PAÍS
Capital autonómica
Capital de provincia

0 ¡Hola!

Saludos y despedidas

1 A (1) **Mira las fotografías. Lee y escucha.**

En clase. Día 1.

B **Practica con tu compañero.**

COMUNICACIÓN

Saludos

● *Hola,* { *¿cómo estás?* / *¿qué tal?* }

■ *Muy bien,* / *Bien,* / *Regular,* / *Más o menos,* } *gracias, ¿y tú?*

Despedidas

¡Hasta luego!
¡Hasta mañana!
¡Hasta pronto!
¡Adiós!
¡Chau / Chao!

2 (2) **Escucha y reacciona.**

1 ____________________ 3 ____________________

2 ____________________ 4 ____________________

El alfabeto

1 (3) **Escucha y repite las letras del alfabeto español.**

El alfabeto

A	a	a	Antigua (Guatemala)
B	b	be	Bogotá (Colombia)
C	c	ce	Caracas (Venezuela)
D	d	de	Durazno (Uruguay)
E	e	e	El Escorial (España)
F	f	efe	Formentera (España)
G	g	ge	Guadalajara (México)
H	h	hache	Heredia (Costa Rica)
I	i	i	Iquitos (Perú)
J	j	jota	Jarabacoa (República Dominicana)
K	k	ka	Kino (México)
L	l	ele	La Habana (Cuba)
M	m	eme	Managua (Nicaragua)
N	n	ene	Neuquén (Argentina)
Ñ	ñ	eñe	Ñemby (Paraguay)
O	o	o	Oviedo (España)
P	p	pe	Panamá (Panamá)
Q	q	cu	Quito (Ecuador)
R	r	erre	Rocha (Uruguay)
S	s	ese	San Salvador (El Salvador)
T	t	te	Tegucigalpa (Honduras)
U	u	u	Uyuni (Bolivia)
V	v	uve	Valparaíso (Chile)
W	w	uve doble (doble ve)	Wanda (Argentina)
X	x	equis	Xico (México)
Y	y	i griega (ye)	Yauco (Puerto Rico)
Z	z	zeta	Zaragoza (España)

Las vocales

a – e – i – o – u

Solo las vocales pueden llevar acento:
á (a con acento) – a (a sin acento)

Las consonantes

b – c – d – f – g – h – j – k – l – m – n – ñ – p – q – r – s – t – v – w – x – y – z

Se dice:
D (de mayúscula) – d (de minúscula)

Jarabacoa (República Dominicana)

Valparaíso (Chile)

Formentera (España)

2 En parejas, lee los nombres de los lugares y los países anteriores.

- *Antigua, Guatemala.*
- *Bogotá, Colombia.*

3 A (4) **Escucha y escribe.**

1 *t-a-x-i* 3 ______ 5 ______ 7 ______
2 ______ 4 ______ 6 ______ 8 ______

B ¿Cómo se escribe tu nombre? Después, pregunta a un compañero.

Mi nombre se escribe: eme, a, de, e, ele, e, i, ene, e. ¿Cómo se escribe tu nombre?

Números

1 (5) **Escucha y lee.**

Números del 0 al 20

0 cero	3 tres	6 seis	9 nueve	12 doce	15 quince	18 dieciocho
1 uno	4 cuatro	7 siete	10 diez	13 trece	16 dieciséis	19 diecinueve
2 dos	5 cinco	8 ocho	11 once	14 catorce	17 diecisiete	20 veinte

2 Completa las series.

1 seis, siete, ocho, nueve, ___________
2 cinco, siete, nueve, once, ___________
3 veinte, diecinueve, dieciocho, ___________
4 cuatro, ocho, doce, dieciséis, ___________
5 cuatro, tres, dos, uno, ___________
6 once, doce, trece, catorce, ___________

3 Juego del Miau. En grupos, uno comienza por el *0* y el siguiente dice *miau*; el siguiente dice *2* y el siguiente, *miau*.

● *Cero*
■ *Miau*
▲ *Dos*
◆ *Miau*

4 Pregunta el número de teléfono a tres compañeros y escríbelos.

● *¿Cuál es tu número de teléfono?*
■ *859877298.*

Personas

1 Lee los pronombres personales en español. ¿Cuál es la traducción de cada pronombre en tu idioma?

Tú *en inglés es* you.

* Para indicar respeto o cortesía.

El aula

1 Mira las instrucciones de estas fotografías. ¿Cómo se dicen en tu idioma?

1 Escribe

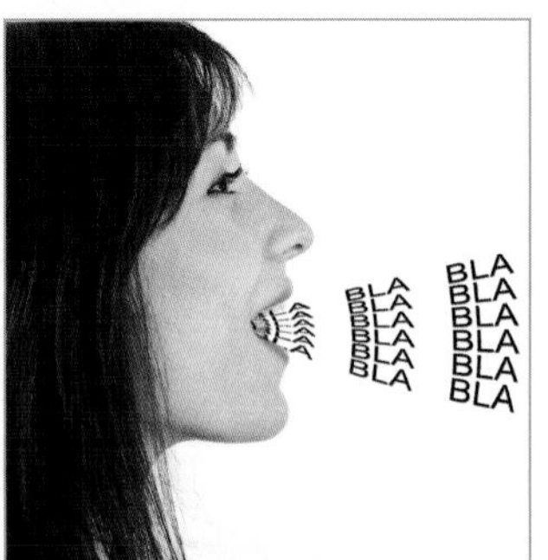

2 Habla

3 Pregunta a tu profesor

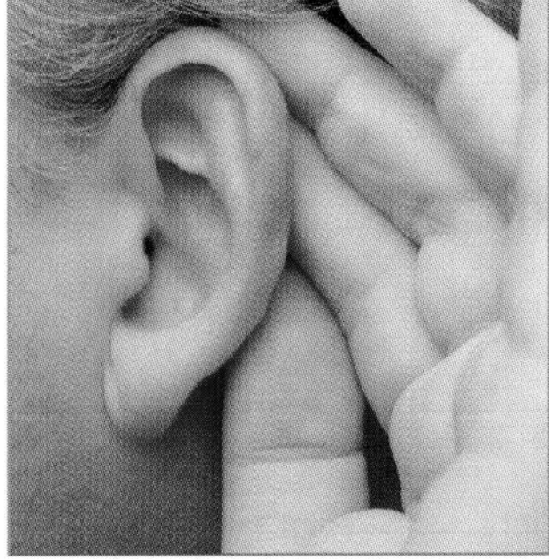

4 Escucha

5 Mira

6 Comenta con tus compañeros

7 Lee

2 Relaciona los dibujos con las preguntas.

1 ¿Puede(s) repetir, por favor?

2 ¿Qué significa *bolígrafo*?

3 ¿Cómo se escribe *aula* en español?

4 ¿Cómo se dice *teacher* en español?

El español internacional

1 A **¿Cómo se dice en español? Mira las fotografías y escribe las palabras debajo.**

turista • sombrero • poncho • amigos • flamenco • tapas • fiesta • siesta • tomates • playa • tacos • fútbol

1 ______________

2 ______________

3 ______________

4 ______________

5 ______________

6 ______________

7 ______________

8 ______________

B 6 **Ahora, escucha y comprueba.**

C **¿Conoces más palabras en español? Escribe una lista con tu compañero.**

9 ______________

10 ______________

11 ______________

12 ______________

Países hispanos

1 ¿Sabes cuál es la capital de estos países? Practica con tu compañero.

- *Argentina*
- *Buenos Aires*

1 San José
2 Santiago
3 Caracas
4 México D. F.
5 Bogotá
6 Lima

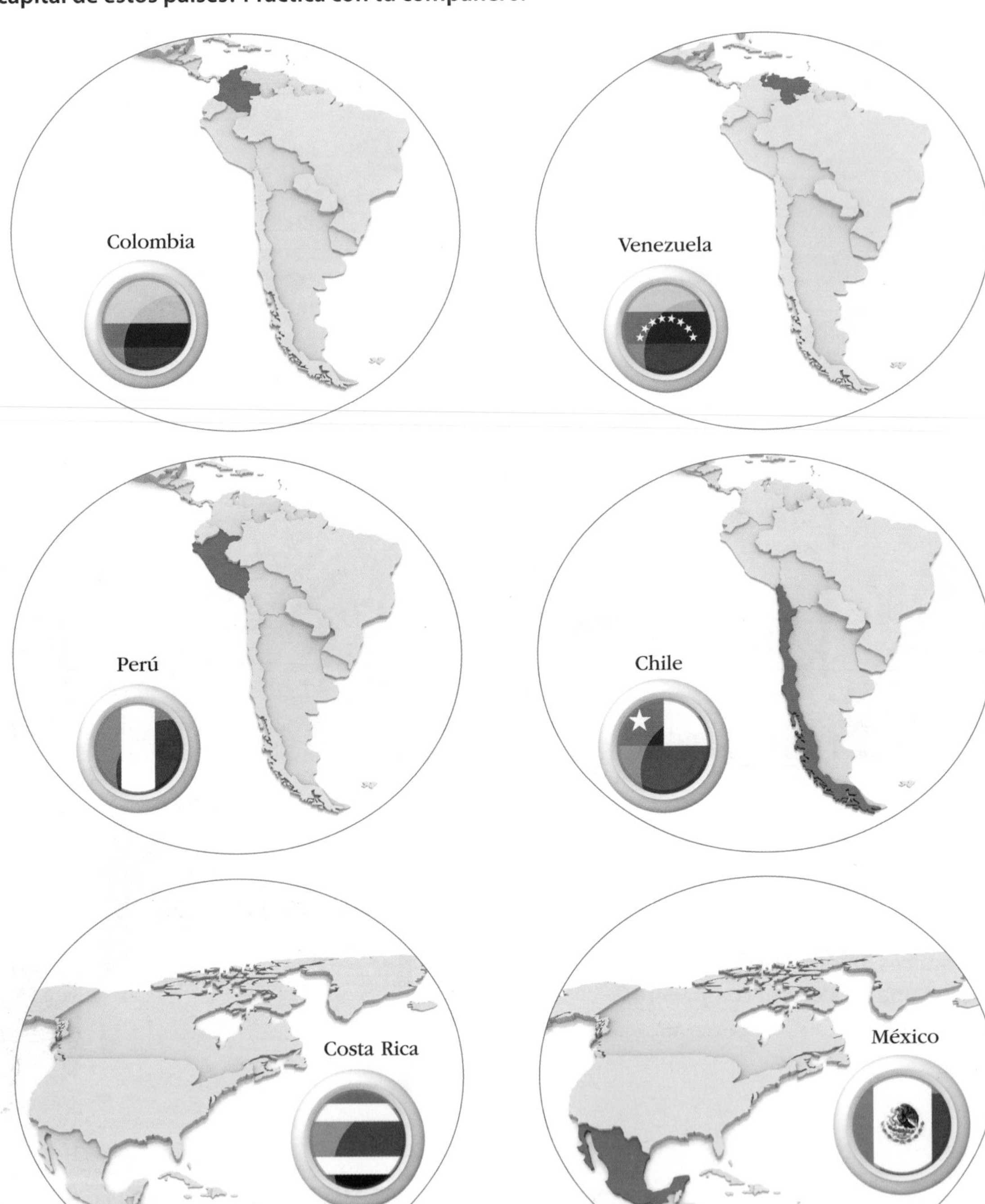

2 Marca los países donde el español es el idioma oficial.

- ☐ Cuba
- ☐ Paraguay
- ☐ Nicaragua
- ☐ Uruguay
- ☐ Panamá
- ☐ Estados Unidos
- ☐ Brasil
- ☐ República Dominicana
- ☐ El Salvador
- ☐ Ecuador
- ☐ Marruecos
- ☐ Argentina
- ☐ Guinea Ecuatorial
- ☐ Haití
- ☐ Honduras
- ☐ Portugal
- ☐ Guatemala
- ☐ Puerto Rico
- ☐ Bolivia
- ☐ España

1 Identidad

- Conocer objetos de la clase
- Dar y pedir información personal
- Presentarse
- Hacer un póster
- Reflexionar sobre la identidad
- País: Chile
- Interculturalidad: Mi propia cultura
- Actitudes y valores: Respetar el trabajo de mis compañeros

1 ¿Qué define tu identidad: tu nombre, tu colegio, tu nacionalidad, tu ropa?

2 Mira las fotografías. ¿De qué nacionalidad crees que son los chicos y chicas?

3 ¿Qué define una nacionalidad: el idioma, la cultura, el clima, la comida...?

4 ¿Con qué fotografía te identificas más?

La clase

1 A (7) **Mira los objetos. Escucha y escribe los artículos *(el, la, los, las)*.**

a *la* puerta

b ___ libros

c ___ cuaderno

d ___ bolígrafo

e ___ goma

f ___ lápices de colores

g ___ mochilas

h ___ mapa

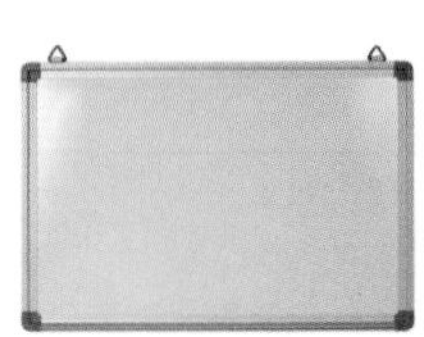
i ___ pizarra

j ___ ordenador

k ___ silla

l ___ rotuladores

m ___ reloj

n ___ mesa

ñ ___ sacapuntas

Repasa El alfabeto en la unidad 0.

B Mira otra vez los objetos durante 10 segundos y cierra el libro. ¿Cuáles recuerdas? Escribe en tu cuaderno una lista con los nombres y los artículos y compárala con la de tu compañero.

C En parejas, coloca objetos de tu mochila en la mesa. Después, tu compañero dice el nombre del objeto con el artículo.

2 A (8) **Escucha a Erika (E) y a Alejandro (A) en su primer día de clase. Completa la conversación con las siguientes palabras.**

te llamas • y tú • cómo estás • soy

A: Hola, ¿___________?
E: Muy bien, ¿y tú?
A: Bien, gracias.
E: ¿Cómo ___________?
A: Alejandro, ¿___________?
E: ___________ Erika.
A: Erika, bienvenida a la clase de español.
E: ¡Gracias!

B Lee la conversación con un compañero. Luego, practícala con distintos compañeros utilizando tus datos personales.

GRAMÁTICA

El artículo determinado

	singular	plural
masculino	**el** cuaderno	**los** libros
femenino	**la** goma	**las** mochilas

GRAMÁTICA

El sustantivo

- Tiene género: **masculino** o **femenino**. Muchos terminan en ***-o*** y en ***-a***.

masculino	femenino
el libr**o** el bolígraf**o**	la puert**a** la pizarr**a**

- Puede terminar en otra vocal o en consonante:
*el estudiant**e** / la estudiant**e***
*el sacapunta**s***
*el lápi**z***

- Tiene número: **singular** o **plural**.

singular	plural	
la puerta el bolígrafo	+s	las puerta**s** los bolígrafo**s**
el rotulador el reloj	+es	los rotulador**es** los reloj**es**
el lápiz	-z = +ces	los lápi**ces**
el sacapuntas*	=	los sacapuntas

*Es igual en singular y plural.

C (9) **Escucha a la señora Martínez y al señor López en su primer día de trabajo. Lee la conversación y señala lo que dicen.**

- Buenos días, ¿es **usted / tú** Antonio López?
- Sí, soy yo. ¿Y **tú / usted** es la señora Sandra Martínez?
- Sí, ¿cómo **está / estás**, señor López?
- Bien, gracias, ¿y **tú / usted**?
- Muy bien. Bienvenido al instituto.

D ¿Existen las dos formas, *tú* y *usted*, en tu lengua o en otras lenguas que conoces?

3 A Mira las fotografías. Todos son alumnos de una clase de español. Escribe la información que falta debajo de cada fotografía.

1 Se llama Luca.
Es italiano.

2 Se llama Francesca.
Es __________.

3 Son __________.

4 Se llama Charlie.
Es __________.

5 Se llama Juliette.
Es francesa.

6 Son __________.

7 Se llama Tom.
Es __________.

8 Se llama Ellen.
Es __________.

9 Son estadounidenses.

B Completa.

1 Colombia: *colombiano* - colombiana
2 España: español - __________
3 Polonia: __________ - polaca
4 __________: ruso - __________
5 Canadá: __________ - canadiense
6 __________: __________ - marroquí
7 __________: brasileño - __________
8 __________: __________ - griega
9 Japón: __________ - __________
10 Holanda: __________ - __________

Avanza Escribe la nacionalidad de personas famosas. Por ejemplo: *Shakira es colombiana.*

COMUNICACIÓN

Saludos con *tú* y *usted*

Tú	Usted
● Hola, ¿cómo estás? ■ Bien, ¿y tú?	● Hola, ¿cómo está? ■ Bien, ¿y usted?
¿Cómo te llamas?	¿Cómo se llama?
¿Tú eres Ana?	¿Usted es Ana Sanz?

GRAMÁTICA

Llamarse

(yo)	**me llamo**
(tú)	**te llamas**
(él, ella, usted*)	**se llama**
(nosotros/-as)	**nos llamamos**
(vosotros/-as)	**os llamáis**
(ellos, ellas, ustedes*)	**se llaman**

* *Usted / Ustedes* son pronombres de segunda persona y siempre se conjugan con los verbos en la tercera persona.

Ser

(yo)	**soy**
(tú)	**eres**
(él, ella, usted)	**es**
(nosotros/-as)	**somos**
(vosotros/-as)	**sois**
(ellos, ellas, ustedes)	**son**

LÉXICO

Nacionalidades

singular		plural
masculino	femenino	masc. / fem.
-o	**-a**	**+s**
chileno	chilena	chilenos/-as
-a / -e	**no cambia**	**+s**
belga	belga	belgas
-í / -ú	**no cambia**	**+s (+es)**
hindú	hindú	hindús (hindúes)
consonante	**+a**	**+es / +as**
alemán	alemana	alemanes/-as

COMUNICACIÓN

Preguntar por la nacionalidad

- *¿De dónde eres?*
- *Soy alemán, ¿y tú?*
- *Yo soy italiano.*

Datos personales

1 A ¿Tienes documento de identidad en tu país? Mira la cédula de identidad (así se llama el documento de identidad en Chile) de Marcela y contesta a las preguntas.

1 ¿Cuál es su primer apellido?

____

2 ¿Cuál es su segundo apellido?

____

3 ¿Cuál es su segundo nombre?

____

4 ¿De dónde es Marcela?

____

5 ¿Cuántos años tiene?

____

6 ¿Cuándo es su cumpleaños?

____

Extraído de http://www.chileatiende.cl

B Inventa una identidad y completa los siguientes datos.

Nombre: _______________
Primer apellido: _______________
Segundo apellido: _______________
Nacionalidad: _______________
Edad: _______________
Cumpleaños: _______________

C Pregunta a tu compañero sobre su nueva identidad y toma nota. Luego, tu compañero te pregunta a ti.

- *¿Cómo te llamas?*
- *Me llamo Enrique José.*
- *¿Cuál es tu primer apellido?*
- *Díaz.*

Nombre: _______________
Apellidos: _______________
Nacionalidad: _______________
Edad: _______________
Cumpleaños: _______________

D Crea un perfil de Facebook para tu compañero con los datos personales de su nueva identidad y cuéntaselo a la clase.

Su nombre es Enrique José. Sus apellidos son...

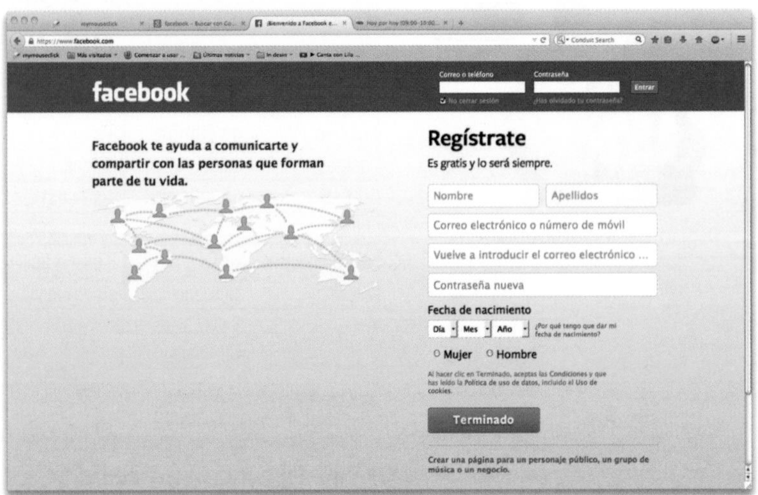

Avanza Confecciona un calendario con los cumpleaños de tus compañeros de clase.

GRAMÁTICA

Tener

(yo)	tengo
(tú)	tienes
(él, ella, usted)	tiene
(nosotros/-as)	tenemos
(vosotros/-as)	tenéis
(ellos/-as, ustedes)	tienen

COMUNICACIÓN

Dar y pedir información personal

- *¿Cuál es tu primer apellido?*
- *Fernández.*
- *¿Cuál es tu segundo apellido?*
- *Ortega. / Yo no tengo segundo apellido.*
- *¿Cuál es tu segundo nombre?*
- *Paula. / Me llamo Ana Paula.*
- *¿Cuántos años tienes?*
- *Tengo 16.*
- *¿Cuándo es tu cumpleaños?*
- *El 14 de mayo.*

LÉXICO

Los meses del año

- 01 = enero
- 02 = febrero
- 03 = marzo
- 04 = abril
- 05 = mayo
- 06 = junio
- 07 = julio
- 08 = agosto
- 09 = septiembre
- 10 = octubre
- 11 = noviembre
- 12 = diciembre

13/02 = trece de febrero

GRAMÁTICA

Los posesivos (un poseedor)

singular	plural
mi nombre	**mis** nombres
tu apellido	**tus** apellidos
su cumpleaños	**sus** cumpleaños

2 A (10) **Escucha los números y repite.**

B (10) **Escucha otra vez y completa.**

Números del 20 al 100

20 veinte	25 veinticinco	30 treinta	35 ______	40 cuarenta	90 ______
21 veintiuno	26 veintiséis	31 treinta y uno	36 treinta y seis	50 ______	99 noventa y nueve
22 veintidós	27 ______	32 treinta y dos	37 treinta y siete	60 sesenta	100 cien
23 veintitrés	28 veintiocho	33 ______	38 ______	70 ______	
24 ______	29 ______	34 treinta y cuatro	39 treinta y nueve	80 ochenta	

C (11) **Escucha las noticias y escribe los números.**

a *32* b ______ c ______ d ______ / ______ e ______

D Escribe los prefijos de teléfono de estos países.

1 Chile: 56 - *cincuenta y seis*
2 Austria: 43 - ______
3 Australia: 61 - ______
4 Hungría: 36 - ______
5 Filipinas: 63 - ______
6 Japón: 81 - ______

3 A Lee esta noticia y completa la ficha.

¡¡¡Felicidades, MARCELO!!!

Hoy es el cumpleaños de Marcelo Ríos, el mejor deportista en la historia de Chile. Su nombre completo es Marcelo Andrés, y sus apellidos, Ríos Mayorga. Es conocido por su apodo, *el Chino* o *el Chino Ríos*. Es de Vitacura, Chile, y hoy, 26 de diciembre, es su cumpleaños. Es el mejor tenista de Chile y tiene 18 títulos. Sigue a Marcelo Ríos en Twitter: @MarceloRM. ¡Feliz cumpleaños, Marcelo!

Nombre: Marcelo ______ **Apellidos:** ______ Mayorga **Apodo:** ______
País: ______ **Fecha de nacimiento:** ___/12/1975
Profesión: ______ **Títulos en su carrera:** ______ **Twitter:** @Marcelo______

B Piensa en tu deportista favorito. Tu compañero hace preguntas para adivinarlo. Tú solo puedes responder *sí* o *no*.

- *¿Es inglés?*
- *No.*
- *¿Es español?*
- *Sí.*
- *¿Es tenista?*
- *Sí.*
- *¿Se llama Rafa?*
- …

Avanza Escribe sobre el deportista favorito de tu compañero.

COMUNICACIÓN

Dar y pedir direcciones electrónicas

- *¿Cuál es tu Twitter?*
- *@MariaR_G*
- *¿Cuál es tu dirección de correo electrónico?*
- *chue_99@ubo.cl*

@ se dice "arroba"
_ se dice "guion bajo"

LÉXICO

Deportistas

- el / la jugador(a) de baloncesto
- el / la tenista
- el / la futbolista
- el / la nadador(a)
- el / la ciclista
- el / la atleta

Presentaciones

1 A ¿Qué ayuda a comprender un texto? Marca los elementos importantes.

- Los títulos ☐
- Los subtítulos ☐
- Las fotografías ☐
- Los colores ☐
- Palabras similares en mi idioma ☐
- Palabras similares en otros idiomas que hablo ☐
- El tipo de texto ☐

B Lee la página web de Club de Intercambio de Idiomas, ¿qué es lo que nos proponen?

- Organizar una fiesta ☐
- Practicar un idioma extranjero ☐
- Enseñar idiomas ☐
- Conocer gente ☐

Club de Intercambio de Idiomas

Una nueva forma de practicar tu español

- **Qué: un intercambio de idiomas**
- **Quién: dos personas**
- **Cómo: una persona habla 45 minutos en español y tú hablas 45 minutos en tu idioma**
- **Cuándo: fines de semana**
- **Dónde: en Madrid (ver a la derecha las cafeterías de intercambio)**

Cafeterías de intercambio

LA ESTACIÓN,
Calle Cuesta Alta, 30;
657 77 34 21;
laestacion@mail.com

EL HISPANO,
Calle Mayor, 3;
677 77 38 81;
elhispano@mail.com

LIBROS y MÁS,
Calle Espíritu Santo, 25;
681 23 34 51;
espiritusanto@mail.com

LA ESQUINA,
Calle Pelayo, 30;
697 57 34 55;
esquina@mail.com

Mensajes

Paula • hace 2 días
¡Hola! Me llamo Paula. Tengo 19 años. Soy de Barcelona y vivo en Madrid. Soy estudiante universitaria. Hablo español y catalán. Estudio árabe y francés.

Tom • hace 3 días
Me llamo Tom. Tengo 18 años y soy mitad inglés y mitad español. Soy de Madrid. Soy estudiante universitario. Hablo español e inglés y estudio italiano.

Ana • hace 6 días
¡Hola, chicos! Soy Ana. Tengo 21 años y soy argentina, de Buenos Aires. Ahora vivo en Madrid. Soy estudiante de Medicina. Hablo español y estudio alemán.

Naím • hace 12 días
Me llamo Naím. Tengo 20 años y soy mitad marroquí y mitad español. Soy de Valencia y vivo en Madrid. Soy estudiante de Ciencias Políticas. Hablo español y árabe. Estudio inglés y chino. Comprendo el portugués.

Agustín • hace 13 días
Me llamo Agustín. Tengo 18 años y soy chileno, de Santiago. Ahora vivo en Madrid. Soy estudiante de Bachillerato. Hablo español, estudio alemán y comprendo el francés.

Daniela • hace 19 días
¡Hola a todos! Me llamo Daniela. Tengo 22 años. Soy colombiana y estudio un máster en Madrid. Hablo español e inglés. Estudio alemán e italiano.

GRAMÁTICA

El presente: verbos regulares

Verbos terminados en *-ar*:

hablar*	
(yo)	habl**o**
(tú)	habl**as**
(él, ella, usted)	habl**a**
(nosotros/-as)	habl**amos**
(vosotros/-as)	habl**áis**
(ellos, ellas, ustedes)	habl**an**

*El verbo *estudiar* se conjuga igual: *estudi**o**, estudi**as**, estudi**a**, estudi**amos**, estudi**áis**, estudi**an***.

Verbos terminados en *-er*:

comprender	
(yo)	comprend**o**
(tú)	comprend**es**
(él, ella, usted)	comprend**e**
(nosotros/-as)	comprend**emos**
(vosotros/-as)	comprend**éis**
(ellos, ellas, ustedes)	comprend**en**

Verbos terminados en *-ir*:

vivir	
(yo)	viv**o**
(tú)	viv**es**
(él, ella, usted)	viv**e**
(nosotros/-as)	viv**imos**
(vosotros/-as)	viv**ís**
(ellos, ellas, ustedes)	viv**en**

ORTOGRAFÍA Y PRONUNCIACIÓN

Y / E

La ***y*** cambia a ***e*** cuando la palabra empieza por ***hi-*** o ***i-***:
*Hablo español **y** árabe.*
*Estudio alemán **e** italiano.*

C **Lee otra vez el texto y elige un intercambio para practicar español. Ten en cuenta:**

- la edad que tiene
- el español que habla (de Argentina, de Chile, de Colombia, de España...)
- los idiomas que estudia o comprende

Mi intercambio es Agustín, tiene 18 años, habla español de Chile y estudia alemán.

D **Escribe un texto con tus datos.**

Avanza Escribe un texto con los datos de tu compañero. Utiliza la tercera persona.

2 A **Escribe las preguntas adecuadas para obtener la siguiente información.**

1 ______________________
Me llamo Fabián.
2 ______________________
Tengo 18 años.
3 ______________________
Vivo en Valparaíso.
4 ______________________
Soy chileno.
5 ______________________
Hablo inglés y alemán.
6 ______________________
Mi cumpleaños es el 1 de septiembre.

B (12) **Escucha y comprueba.**

C (13) **Ahora escucha estas preguntas y presta atención a la entonación.**

- ¿Eres inglés (↗)?
- ¿Hablas español (↗)?
- ¿Vives en Chile (↗)?

D (14) **Escucha y repite estas preguntas.**

1 ¿Qué (↗) idiomas hablas (↘)?
2 ¿Eres alemán (↗)?
3 ¿Cuándo (↗) es tu cumpleaños (↘)?
4 ¿Hablas chino (↗)?
5 ¿Dónde (↗) vives (↘)?
6 ¿Estudias Bachillerato (↗)?

Avanza Busca más información en internet sobre la entonación en español. El *Atlas interactivo de la entonación del español* es un sitio interesante.

3 **En parejas, elige una fotografía, inventa los datos y escribe un pequeño texto sobre él o ella.**

Se llama James, es colombiano y tiene 30 años...

1

2

3

4

GRAMÁTICA

Pronombres interrogativos

- *¿**Qué**?* → *¿**Qué** idiomas hablas?*
- *¿**Cuántos / Cuántas**?* → *¿**Cuántos** años tienes?*
- *¿**Cuál / Cuáles**?* → *¿**Cuál** es tu número de teléfono? / ¿**Cuáles** son tus apellidos?*
- *¿**Dónde**?* → *¿**Dónde** vives? ¿De **dónde** eres?*
- *¿**Cómo**?* → *¿**Cómo** te llamas?*
- *¿**Cuándo**?* → *¿**Cuándo** es tu cumpleaños?*
- *¿**Quién / Quiénes**?* → *¿**Quién** habla chino en la clase? / ¿**Quiénes** son los amigos de Ana?*

ORTOGRAFÍA Y PRONUNCIACIÓN

Entonación interrogativa

Los pronombres interrogativos se escriben con tilde:

- *¿**Qué** idiomas hablas?*
- *¿**Cuántos** años tienes?*
- *¿**Cuál** es tu número de teléfono?*
- *¿**Dónde** vives?*
- *¿**Cómo** te llamas?*
- *¿**Cuándo** es tu cumpleaños?*
- *¿**Quién** eres?*

En estas preguntas:

- La entonación sube (↗) y luego baja (↘): *¿Qué (↗) idiomas hablas (↘)?*
- En las preguntas donde la respuesta es "sí" o "no" la voz generalmente sube: *¿Eres español (↗)?* *¿Vives en Europa (↗)?*

Los signos de interrogación y exclamación se escriben al principio y al final de la frase o de la pregunta.

¿ ? se llaman «signos de interrogación»
¡ ! se llaman «signos de admiración / exclamación»

Chile

1 **Completa la ficha de Chile. Busca información en internet.**

CHILE

- **Situación geográfica**: *suroeste de América del Sur*
- **Capital**: ____________________
- **Idioma oficial**: ____________________
- **Nacionalidad**: ____________________
- **Forma de gobierno**: ____________________
- **Moneda**: ____________________
- **Prefijo telefónico**: ____________________
- **Población**: ____________________

1 ATACAMA

4 HUEMUL

5 PASTEL DE CHOCLO

6 ALEXIS SÁNCHEZ

7 VALPARAÍSO

2 **Michelle Bachelet es un personaje muy famoso en Chile. Lee y completa sus datos personales con las siguientes palabras.**

chilena • segundo • apellido • primer
cumpleaños • septiembre • política

- Se llama Verónica Michelle.
- Michelle es su (1) ____________ nombre.
- Su (2) ____________ apellido es Bachelet.
- Su segundo (3) ____________ es Jeria.
- Es (4) ____________.
- Su (5) ____________ es el 29 de (6) ____________.
- Es médica y (7) ____________.

3 **A** **Estas nueve fotografías tienen que ver con la identidad de Chile. ¿A qué o a quién se refieren? Escríbelo al lado de cada número.**

poeta • animal en peligro de extinción • lugar turístico • película
celebración • futbolista • ~~desierto~~ • comida típica • cantante

1 *desierto*
2 ____________
3 ____________
4 ____________
5 ____________
6 ____________
7 ____________
8 ____________
9 ____________

B **Ahora, compara con tu compañero.**

2 MACHUCA

3 PABLO NERUDA

8 VÍCTOR JARA

9 CARNAVAL DE PUTRE

Acción - Reflexión

Elige una de estas fotografías, inventa una identidad y después preséntate a la clase.

Inventa:
- tu nombre
- tu apellido
- tu apodo
- tu nacionalidad
- el lugar donde vives
- tu cumpleaños
- los idiomas que hablas
- tu correo electrónico
- tu Twitter
- etc.

1

2

3

4

5

Acción

Haz un póster que represente tu identidad y preséntalo a tus compañeros.

Puedes incluir información como:
- el nombre
- la edad
- la nacionalidad
- el lugar donde vives
- el idioma
- tu lugar favorito
- tu cantante favorito
- etc.

Actitudes y valores

Responde *sí* o *no* sobre las presentaciones de tus compañeros.

	Sí	No
- Estás en silencio durante las presentaciones.	☐	☐
- Respetas las propuestas de tus compañeros.	☐	☐
- Te interesas por las propuestas de tus compañeros.	☐	☐

Reflexión

¿Quién soy? ¿Cuál es mi identidad? Reflexiona acerca de estas preguntas sobre ti y coméntalo con tus compañeros. Puedes hacerlo en tu idioma.

2 Relaciones

- Hablar sobre la familia y los amigos
- Describir el aspecto físico de las personas
- Analizar el carácter de las personas
- Diseñar un árbol genealógico
- Reflexionar sobre las relaciones sociales
- País: Ecuador
- Interculturalidad: Las relaciones sociales como base de una cultura
- Actitudes y valores: Valorar nuestras relaciones con otras personas

1 Mira las fotografías. ¿Crees que son familia, amigos, compañeros de trabajo o compañeros de clase?

2 ¿Tienes una familia grande?

3 ¿Cuántos amigos tienes?

4 ¿Cómo se llama tu mejor amigo?

Mi familia y mis amigos

1 A Esta es la familia de Elena. Mira su árbol genealógico y completa las frases.

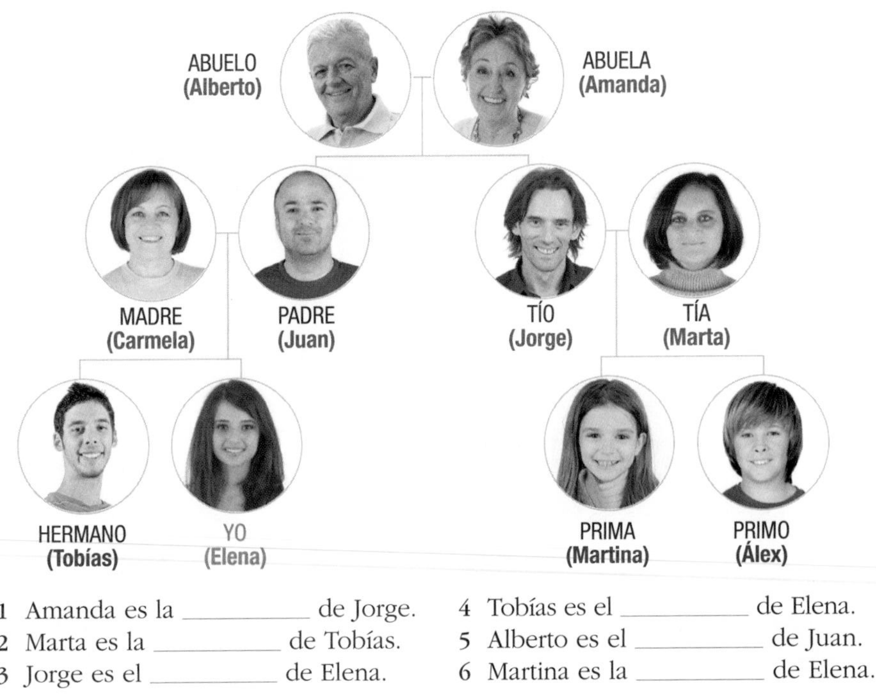

1 Amanda es la ________ de Jorge.
2 Marta es la ________ de Tobías.
3 Jorge es el ________ de Elena.
4 Tobías es el ________ de Elena.
5 Alberto es el ________ de Juan.
6 Martina es la ________ de Elena.

B (15) Elena habla de algunos de los miembros de su familia. Escucha y escribe el nombre de los familiares de Elena.

1 *Álex y Martina* 2 ________ 3 ________ 4 ________

LÉXICO

Las relaciones familiares

- abuelo/-a – nieto/-a: *Alberto es el* ***abuelo*** *de Elena. / Elena es la* ***nieta*** *de Alberto.*
- padre / madre – hijo/-a: *Juan es el* ***padre*** *de Elena. / Elena es la* ***hija*** *de Alberto.*
- padrastro / madrastra: *Su* ***padrastro*** *se llama Iván.*
- hijo/-a único/-a: *Es* ***hijo único****, no tiene hermanos.*
- (hijo/-a) adoptado/-a: *Su hermana es* ***adoptada****.*
- hermano/-a: *Elena es la* ***hermana*** *de Tobías.*
- hermanastro/-a: *¿Lucía es tu* ***hermanastra****?*
- tío/-a – sobrino/-a: *Marta es la* ***tía*** *de Elena. / Elena es la* ***sobrina*** *de Marta.*
- primo/-a: *Elena es la* ***prima*** *de Álex.*
- mujer / marido: *Carmela es la* ***mujer*** *de Juan.*
- esposo/-a: *Juan es el* ***esposo*** *de Carmela.*

En plural:
- abuelo + abuela = abuelos
- madre* + padre* = padres*
- hermano + hermana = hermanos
- hijo + hija = hijos

* En algunos países de Hispanoamérica se dice *mamá* y *papá*, y *papás* para el plural. También se dice con más frecuencia *esposo* o *esposa* en lugar de *marido* y *mujer*.

2 A Paula es una amiga ecuatoriana de Elena. Mira estas fotografías de la familia y los amigos de Paula en Facebook. Elige una frase para cada fotografía.

a Estas son mis hermanas con sus mascotas. ☐
b Esta es nuestra gata Poppy. ☐
c Esta es mi mamá con sus amigas Tita y Noemí. ☐
d Este es mi papá. ☐
e Este es mi hermanastro con su amigo Walter. ☐
f Esta soy yo con mis amigos de Ecuador. ☐

B Presenta tu familia a un compañero utilizando fotografías.

Estos son mis abuelos. Mi abuela se llama Anna y…

Avanza Amplía tu vocabulario sobre las relaciones familiares con ayuda de un diccionario.

GRAMÁTICA

Los posesivos (varios poseedores)

singular
nuestro gato / **nuestra** gata
vuestro perro / **vuestra** perra
su mascota
plural
nuestros gatos / **nuestras** gatas
vuestros perros / **vuestras** perras
sus mascotas

3 (16) **Escucha a Lara y a Daniela y completa los diálogos con los siguientes pronombres.**

Esas • Este • Aquella

GRAMÁTICA

Los demostrativos

	singular	plural
masculino	este	estos
femenino	esta	estas
masculino	ese	esos
femenino	esa	esas
masculino	aquel	aquellos
femenino	aquella	aquellas

Esta casa
Esa casa
Aquella casa

Esta *es mi familia.* ***Estos*** *son mis padres.*

4 A Mira las fotografías y responde a las preguntas. Hay varias opciones.

1 ¿Quiénes tienen una relación de amistad?
2 ¿Quiénes tienen una relación amorosa?
3 ¿Quiénes tienen una relación familiar?

A

B

C

B Carlos Alberto presenta a su familia y a sus amigos en su blog. Relaciona estas descripciones con las fotografías anteriores.

Blog de Carlos Alberto

Inicio Acerca de
18 de diciembre

Las personas importantes en mi vida

? **1** Me llamo Carlos Alberto, tengo 17 años y soy de Ecuador. Esta es parte de mi familia ecuatoriana. Mi abuela se llama María José, vive en Quito. Mis tíos Julio y María Fernanda tienen dos hijos, Mariana y Julio César. Mi prima Mariana tiene 7 años, y mi primo Julio César, 9. Mariana es adoptada. Viven en Cuenca. Mi tío José Luis tiene 55 años, vive en Guayaquil. Está divorciado. Su ex es amiga de la familia.

? **2** Estos son mis compañeros de clase en un día de playa en Guayaquil. Todos son de Ecuador, y viven en Quito. Todos tienen 17 años. ¡Somos muy buenos amigos!

? **3** Estos son mis mejores amigos, Maximiliano y Florencia. Son argentinos, pero viven en Quito. Son novios, no están casados. Florencia es mitad argentina y mitad española. Es hija única, no tiene hermanos.

ETIQUETAS
VACACIONES
CINE
RESTAURANTES
EDUCACIÓN
TIENDAS
AMIGOS

ARCHIVOS DEL BLOG
- diciembre (2)
- noviembre (4)
- octubre (6)
- septiembre (3)
- agosto (1)
- julio (2)

LÉXICO

Relaciones

- Es mi compañero/-a de trabajo.
- Es mi pareja, somos novios.
- Es mi ex.
- Es mi amigo/-a.

Estado civil

- Está casado/-a.

- Está soltero/-a.

- Tiene novio/-a.

- Está divorciado/-a.

5 ¿Quiénes son las personas más importantes para ti? Escribe un blog, utiliza como modelo el del ejercicio anterior. Puedes incluir fotografías.

Avanza Presenta las personas importantes de tu vida a la clase de forma oral.

Aspecto físico

1 Dibuja una persona. Después, di a tu compañero cómo es (utiliza la información del cuadro). Tu compañero la dibuja. Comparad los dibujos, ¿son iguales?

Es un chico. Tiene el pelo castaño y liso, los ojos azules y es bajo y delgado. Es atractivo y lleva gafas de sol…

Repasa Las conjugaciones de los verbos *ser* y *tener* en la unidad 1.

DESCRIPCIÓN FÍSICA

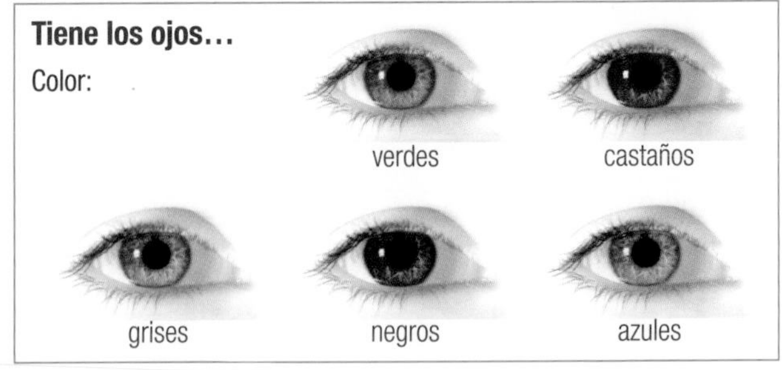

2 A Relaciona las fotografías con estas descripciones.

a Antonio tiene 17 años. Es pelirrojo y lleva barba. Es delgado. Lleva un tatuaje.

b Lucía tiene 20 años. Tiene los ojos azules. Lleva un *piercing*. Tiene el pelo corto, liso y rojo.

c Sandra es estudiante, tiene 23 años. Tiene los ojos castaños. Tiene el pelo castaño y rizado. Lleva gafas.

d Luis es actor. Tiene 30 años. Tiene los ojos negros y el pelo corto y rizado. Lleva gafas y perilla. Es guapo.

e Sara es estudiante y tiene 18 años. Tiene los ojos claros y el pelo rubio, liso y largo. Lleva un tatuaje.

f Carlos es deportista y modelo, tiene 27 años. Es fuerte, lleva el pelo corto y barba. Es un chico muy guapo.

g Mario tiene 36 años. Tiene los ojos negros. Lleva gafas y es calvo.

B Lee el anuncio. Todas las personas del ejercicio anterior se presentan al *casting* para ser la imagen de un perfume nuevo en el mercado. ¿Quién tiene más posibilidades? Coméntalo con tu compañero.

Buscamos la imagen del nuevo perfume de

ELIZABETH CASTILLO

Contactar en el teléfono: 02 347 8760
o en el email: *castingEC@empresa.ec*
Días: 20 al 22 de junio
Hora: 9:00 a 17:00

*Buscamos hombres y mujeres entre **18 y 35 años**. Buena presencia.*
Con experiencia en sesiones de fotos.

3 Adivina quién es. Trabaja en parejas. Escribe una breve descripción de una persona conocida; tu compañero debe adivinar quién es.

- *Es un hombre muy bajo y delgado, tiene el pelo corto y castaño. Lleva gafas.*
- *¡Es el profesor de Química!*

4 (17) Lee y escucha estas frases. ¿Cómo se pronuncian las letras marcadas? Busca más frases similares en las descripciones del ejercicio 2A.

1 E**s u**na seño**ra a**lta.

2 Tiene lo**s o**jo**s a**zules.

3 E**s a**tractiva.

4 Mari**o es a**lto.

GRAMÁTICA

La concordancia: sustantivos-adjetivos

Los adjetivos concuerdan en género y número con el sustantivo:

oj**os** negr**os**		chic**a** alt**a**	
sustantivo masculino plural	adjetivo masculino plural	sustantivo femenino singular	adjetivo femenino singular

ORTOGRAFÍA Y PRONUNCIACIÓN

Sonidos que se pronuncian juntos

En la lengua oral es común unir el último sonido de una palabra a la primera vocal de la siguiente:

Tiene el pelo largo. → *tie-**neel**-pe-lo-lar-go*

Carlos es deportista. → *car-**loses**-de-por-tis-ta*

Carácter

1 A Mira el dibujo. Estos adjetivos describen características de la personalidad. ¿Cómo te defines tú?

Soy divertido y sociable…

COMUNICACIÓN

Hablar del carácter

- ¿Cómo es?
- Es

un(a) chico/-a un(a) hombre / mujer un(a) señor(a) un(a) profesor(a) una persona* un(a) amigo/-a	muy bastante un poco**	divertido/-a simpático/-a tímido/-a

* Se dice «Es buena persona»
** Con adjetivos negativos

B ¿Cómo son estos adjetivos? Completa la siguiente tabla utilizando el cuadro de léxico.

Adjetivos positivos +	Adjetivos negativos –
simpático/-a	

LÉXICO

Adjetivos de carácter

- divertido/-a ≠ aburrido/-a
- simpático/-a ≠ antipático/-a
- tímido/-a ≠ sociable
- ordenado/-a ≠ desordenado/-a
- trabajador(a) ≠ vago/-a
- romántico/-a
- inteligente

Avanza En pequeños grupos, jugad a adivinar adjetivos de carácter a través de mímica.

C Elige a una de estas personas y describe su carácter a tu compañero.

- Tu mejor amigo/-a
- Tu profesor(a) de español
- Tu padre / madre
- Tu primo/-a
- Tu novio/-a
- Tu abuelo/-a

Mi novia es una chica muy simpática, sociable y bastante romántica…

2 A Claudia y María escriben sobre sus nuevos amigos: Sergio y Javier. Lee la conversación y después contesta a las preguntas.

1 ¿Cómo es Sergio físicamente?
2 ¿Cómo es Sergio en el instituto?
3 ¿Cómo es el carácter de Sergio?
4 ¿Es feo Javier?
5 ¿Cómo es el carácter de Javier?

María
últ. vez, hoy a las 2:58 a. m.

25 de agosto

¡Hola, María! ¿Qué tal con Sergio? 1:30 am

¡Muy bien! Es un chico divertido y también es ¡muy guapo! 1:31 am ✓✓

¿Cómo es?... 1:32 am

Bastante alto, moreno, tiene los ojos verdes... 1:35 am ✓✓

¡Qué guapo! Ja, ja, ja, ja, ja. 1:35 am

Sí. Y tiene el pelo corto y lleva un tatuaje en el brazo izquierdo, ¡es muy romántico! 1:37 am ✓✓

¡Qué guay! 1:39 am

Sí, ¡muy guay!, pero es un poco tímido..., y también bastante vago en el instituto... 1:39 am ✓✓

Lo importante es que es un chico simpático ¡y guapo! 1:40 am

Jajaja, ¡pues sí! ¿Y Javier? ¿Cómo es? 1:40 am ✓✓

Bueno, no es guapo, pero también es alto como Sergio... Es rubio y tiene los ojos azules, pero es bastante aburrido... 1:41 am

¿Es tímido? 1:42 am ✓✓

No sé, no habla mucho. 1:44 am

¡Paciencia! O es muy tímido o ¡no es muy sociable! Ja, ja, ja, ja, ja. 1:45 am ✓✓

GRAMÁTICA

La negación

- ***No*** va siempre delante del verbo:
  *Javier **no** es guapo y **no** habla mucho.*

- Cuando respondemos a una pregunta, podemos usar dos veces ***no***:
  ● *¿Es muy tímido?*
  ■ ***No, no** es tímido, es muy sociable.*

B Completa las frases con *y, también, o* y *pero*.

1 Claudia ______ María son amigas.
2 Sergio es muy guapo, ______ Javier no.
3 Sergio es moreno ______ alto.
4 Sergio es romántico, ______ es tímido.
5 Sergio es alto y Javier ______.
6 ¿Javier es tímido ______ no es muy sociable?
7 ¿Sergio es trabajador ______ vago?
8 Sergio es divertido ______ un poco vago.

C ¿Cómo es tu chico o chica ideal, «tu tipo»? Primero escribe sobre su aspecto físico y después sobre su carácter.

Mi chico ideal es alto, tiene el pelo...

D ¿Qué es más importante para ti: el aspecto físico, el carácter o las dos cosas? Comentad en grupos.

COMUNICACIÓN

Conectores

- ***Y*** y ***también*** para añadir información:
  *Tiene el pelo corto **y** lleva un tatuaje.*
  *Es un chico divertido y **también** es ¡muy guapo!*

- ***O*** para indicar diferencia, alternativa:
  ***O** es muy tímido **o** ¡no es muy sociable!*

- ***Pero*** para indicar algo diferente (normalmente, un contraste positivo-negativo o negativo-positivo):
  *Sí, ¡muy guay!, **pero** es un poco tímido.*

Ecuador

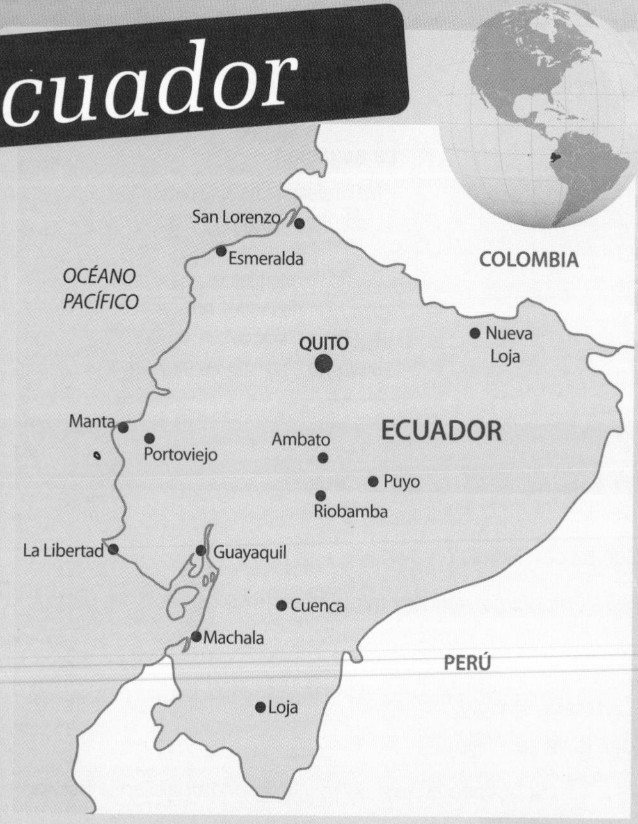

1 Relaciona la información de las dos columnas.

1 ubicación geográfica	a) ecuatoriano/-a
2 capital	b) 283 561 km^2
3 idioma	c) Santiago de Guayaquil
4 nacionalidad	d) San Francisco de Quito
5 ciudad más poblada	e) español
6 superficie	f) 17 millones
7 población	g) noroeste de América del Sur

2 (18) Lee este breve artículo sobre la gente de Ecuador y complétalo con las siguientes palabras. Después, escucha y comprueba.

tiene • diverso • pero • habitantes • costa • sociable • ecuador

¿Cómo es la gente de **Ecuador***?*

Ecuador es un país muy (1) __________. Tiene distintos climas, ecosistemas y paisajes. También su gente (2) __________ diferentes costumbres, tradiciones y características. En la (3) __________, la gente es más (4) __________, simpática y generosa. En la sierra, muy amable, (5) __________ más tímida. En el oriente, la gente tiene características muy variadas. La ubicación geográfica del país, en el (6) __________ de la Tierra, tiene influencia en el carácter de sus (7) __________, pero todos son muy solidarios y cordiales.

3 Mira el folleto de la siguiente página sobre lugares increíbles para visitar en Ecuador. Pon uno de estos nombres a cada fotografía.

- Islas Galápagos
- Catedral de Quito
- Playa Salinas
- Pueblo de Lloa
- Centro histórico de Quito
- Obelisco de la Mitad del Mundo
- Volcán Tungurahua
- Parque Nacional Machalilla

4 Lee los comentarios en Twitter de tres ecuatorianos hablando de la diversidad de su país. Completa el mapa mental. ¿Cómo es en tu país?

LA DIVERSIDAD DE ECUADOR

Tweets y respuestas

MiPaisECUADOR @MiEcuador . 5 de sept.
Ecuador es un país muy diverso. ¿En qué?

MiPaisECUADOR ha retwitteado

Oswaldo @oswaldocanga · 38 min
Ecuador es un país multiétnico: somos indígenas, mestizos, blancos y afroecuatorianos. Tenemos 14 nacionalidades indígenas, todas con tradiciones diversas.

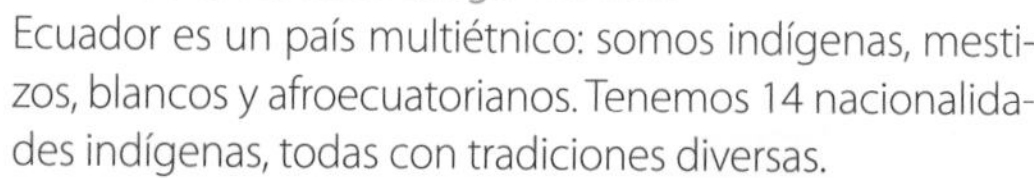

Abrir Responder Retwittear Favorito ••• Más

MiPaisECUADOR ha retwitteado

Iván @ivángallardo · 6 de sept.
Tenemos cuatro regiones muy diferentes (Galápagos, la Costa, la Amazonía y los Andes) y 46 ecosistemas diferentes en el país…

Abrir Responder Retwittear Favorito ••• Más

MiPaisECUADOR ha retwitteado

Elsie @elsiecorral · 9 de sept.
Tenemos la mayor diversidad de fauna y flora por kilómetro cuadrado del mundo. Ecuador tiene el 10 % de las plantas de todo el mundo, el 8 % de los animales y el 18 % de las aves de todo el planeta.

Abrir Responder Retwittear Favorito ••• Más

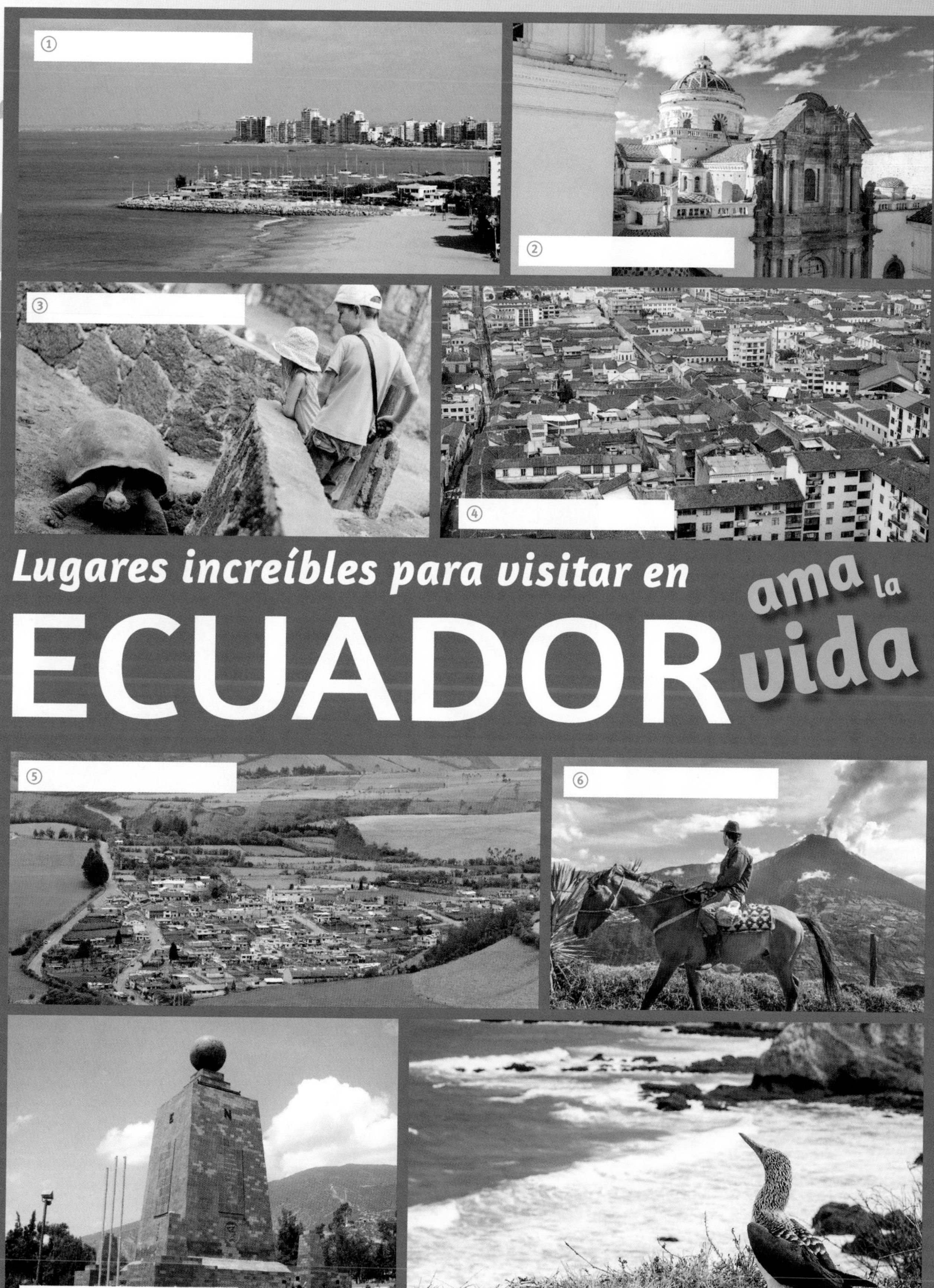
①
②
③
④
Lugares increíbles para visitar en
ECUADOR
ama la vida
⑤
⑥
⑦
⑧

Acción - Reflexión

Mira estas fotografías. Todas representan relaciones familiares y sociales diferentes. Elige una y preséntala a tu compañero. Tienes que inventar sus nombres, su relación con los otros miembros, nacionalidad, edad, aspecto físico, carácter, etc.

Acción

Diseña tu árbol genealógico y preséntalo a tus compañeros.

1 Diseña el árbol genealógico.
2 Escribe el texto de la descripción: presentación de cada miembro de tu familia, relación, aspecto físico y carácter.
3 Incluye fotografías (puedes utilizar el ordenador).
4 Preséntalo a la clase.

Actitudes y valores

¿Cómo reaccionas ante las presentaciones de tus compañeros? Marca con una cruz (X).

- Con interés ☐ - Con solidaridad ☐ - Con respeto ☐

Reflexión

- ¿Conoces alguna familia diferente a las que has visto en la unidad? ¿En qué se diferencia?

- ¿Son importantes los amigos en tu vida? ¿Qué características son importantes en un amigo?

3 Hábitat

- Interpretar mapas
- Describir ciudades y barrios
- Hablar sobre las partes de la casa
- Diseñar un proyecto de un nuevo barrio
- Reflexionar sobre la vida en diferentes lugares
- País: Guatemala
- Interculturalidad: El hábitat y la relación con la cultura
- Actitudes y valores: Cooperar en la formación de grupos

un pueblo

una ciudad

un piso

una casa

1 **¿Dónde prefieres vivir: en una ciudad o en un pueblo, en el centro o en las afueras, en una casa o en un piso?**

2 **¿Cuál es tu lugar preferido en tu ciudad?**

3 **De todas las ciudades que conoces, ¿cuál es tu favorita?**

4 **Mira las fotografías. ¿En qué país crees que está el pueblo? ¿Y la ciudad? ¿Y el piso? ¿Y la casa?**

Una ciudad

1 Escribe los nombres de los siguientes lugares debajo de cada fotografía.

una estación de autobuses
un centro comercial
una oficina de turismo
una parada de metro
un hospital
un cine
un museo
una discoteca
un parque
una biblioteca

1 ________ 2 ________ 3 ________ 4 ________ 5 ________

6 ________ 7 ________ 8 ________ 9 ________ 10 ________

2 Escribe en tu cuaderno una lista de palabras que sabes en español con el artículo determinado. Después, lee las palabras en voz alta y tu compañero las repite con el artículo indeterminado.

- ● *Las ciudades.*
- ■ *Unas ciudades.*
- ● *La casa.*
- ■ *Una casa.*

Repasa Los artículos determinados en la unidad 1.

GRAMÁTICA

El artículo indeterminado

	singular	plural
masculino	**un** museo	**unos** museos
femenino	**una** biblioteca	**unas** bibliotecas

*El Prado es **un** museo muy famoso.*
*Andalucía tiene **unos** museos muy interesantes.*

3 Mira el plano de Salamanca, una famosa ciudad universitaria española, y marca si son verdaderas (V) o falsas (F) las informaciones.

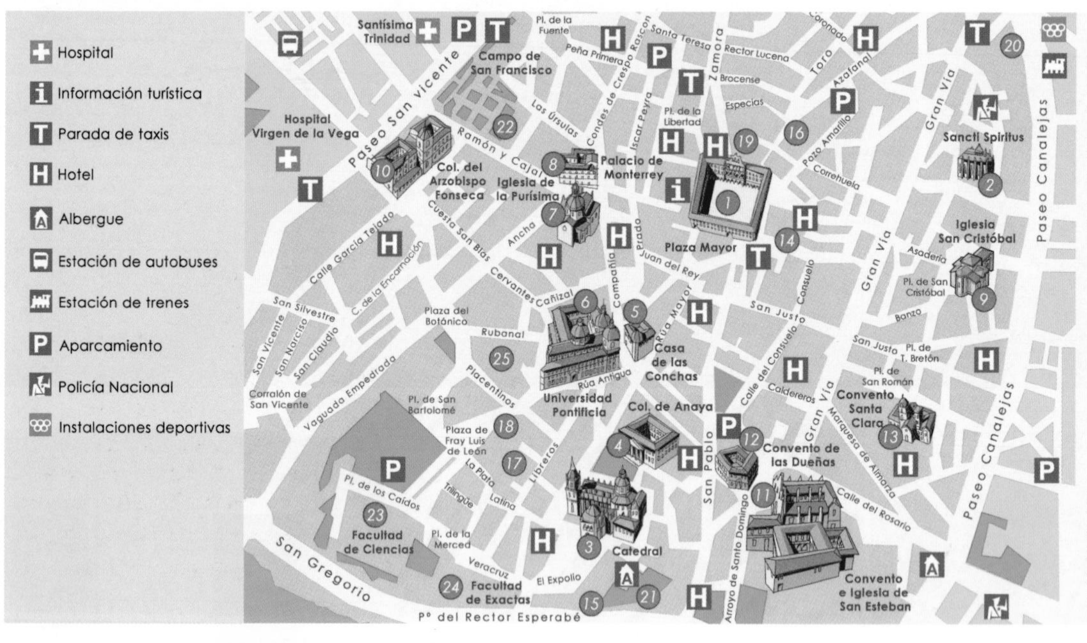

1. Plaza Mayor
2. Iglesia de Sancti Spiritus
3. Catedral
4. Colegio de Anaya
5. Casa de las Conchas
6. Universidad Pontificia
7. Iglesia de la Purísima
8. Palacio de Monterrey
9. Iglesia de San Cristóbal
10. Colegio del Arzobispo Fonseca
11. Convento e Iglesia de San Esteban
12. Convento de las Dueñas
13. Convento de Santa Clara
14. Mercado Central
15. Casa Lis
16. Teatro Liceo
17. Museo de la Universidad
18. Museo de Salamanca
19. Museo Taurino
20. Parque de la Alameda
21. Huerto de Calisto y Melibea
22. Campo de San Francisco
23. Facultad de Ciencias
24. Facultad de Ciencias Exactas
25. Facultad de Geografía e Historia

1 En Salamanca **hay** una oficina de turismo. ☐
2 En Salamanca **hay** metro. ☐
3 En Salamanca **hay** una estación de trenes. ☐
4 En Salamanca **hay** dos hospitales. ☐
5 En Salamanca no **hay** museos. ☐
6 En Salamanca **hay** un teatro. ☐

Avanza Mira el plano otra vez: ¿qué otras cosas hay en Salamanca?

COMUNICACIÓN

Expresar existencia

Hay

*En mi región **hay** un pueblo muy bonito.*
*En mi ciudad **hay** dos oficinas de turismo.*
*En mi barrio no **hay** restaurantes.*

4 A Lee la siguiente información turística de Salamanca y subraya los adjetivos.

¡VEN A SALAMANCA!

Salamanca es una ciudad muy bonita, situada en la comunidad de Castilla y León. Es una ciudad pequeña, tiene 150 000 habitantes. En su centro histórico hay muchos monumentos antiguos, como la Casa de las Conchas, la Plaza Mayor, la Casa Lis, la catedral o el convento de San Esteban. Más de medio millón de turistas visitan Salamanca cada año atraídos por su oferta cultural y gastronómica.
Es una ciudad limpia y tranquila, pero también divertida, donde viven y estudian jóvenes de todo el mundo.

B Lee otra vez la descripción de Salamanca y mira las fotografías. ¿Cuál crees que es Salamanca?

1 

2 

3 

C ¿Sabes a qué ciudades corresponden las otras dos fotografías?

D Ahora escribe un texto sobre tu ciudad, similar al de Salamanca.

5 A (19) Escucha a tres personas que están en Salamanca y escribe su opinión sobre la ciudad.

	Salamanca es interesante / ideal / la mejor ciudad...
1	para... porque...
2	para... porque...
3	para... porque...

B Y a ti, ¿te parece Salamanca una ciudad interesante para vivir, para estudiar o para pasar unas vacaciones? Coméntalo con tu compañero.

A mí me parece interesante para estudiar porque...

LÉXICO

Describir una ciudad o un pueblo

- grande ≠ pequeño/-a
- antiguo/-a ≠ moderno/-a
- bonito/-a ≠ feo/-a
- tranquilo/-a ≠ ruidoso/-a
- limpio/-a ≠ sucio/-a
- turístico/-a
- industrial

● *París es una ciudad muy **bonita**. ¿Y tu ciudad?*
■ *Mi ciudad es muy **fea**...*

● *¿Cómo es tu pueblo?*
■ *Es muy **pequeño** y **tranquilo**. Tiene 90 habitantes.*

● *¿Cómo es tu ciudad?*
■ *Es muy **industrial**.*
● *¿Y es una ciudad **limpia**?*
■ *No, es una ciudad **sucia**. Hay muchos coches y mucha industria.*

GRAMÁTICA

Cuantificadores (I)

- *Muy* + adjetivo
  *Salamanca es una ciudad **muy bonita**.*
- *Muy* + adverbio
  *Mi hermano habla **muy bien** inglés.*
- *Mucho/-a/-os/-as* + sustantivo
  *En Salamanca hay **muchos estudiantes**.*
  *En mi ciudad hay **mucha industria**.*
- Verbo + *mucho*
  *Mi padre **habla mucho**.*

COMUNICACIÓN

Expresar causa

Porque

*Mi ciudad es interesante **porque** hay muchos teatros.*

Expresar finalidad

Para

*Estudio español **para** viajar por Sudamérica.*

Un barrio

1 A Mira el mapa y completa las frases.

	¿Dónde **está** el barrio de la Concepción?
1	El barrio de la Concepción **está en** *Antigua*.
2	Antigua **está en** ___________.
3	Guatemala **está al oeste de** ___________, ___________ y de ___________.
4	Guatemala no **está en** Sudamérica, **está en** ___________.
5	Guatemala **está lejos de** España y **cerca de** ___________.

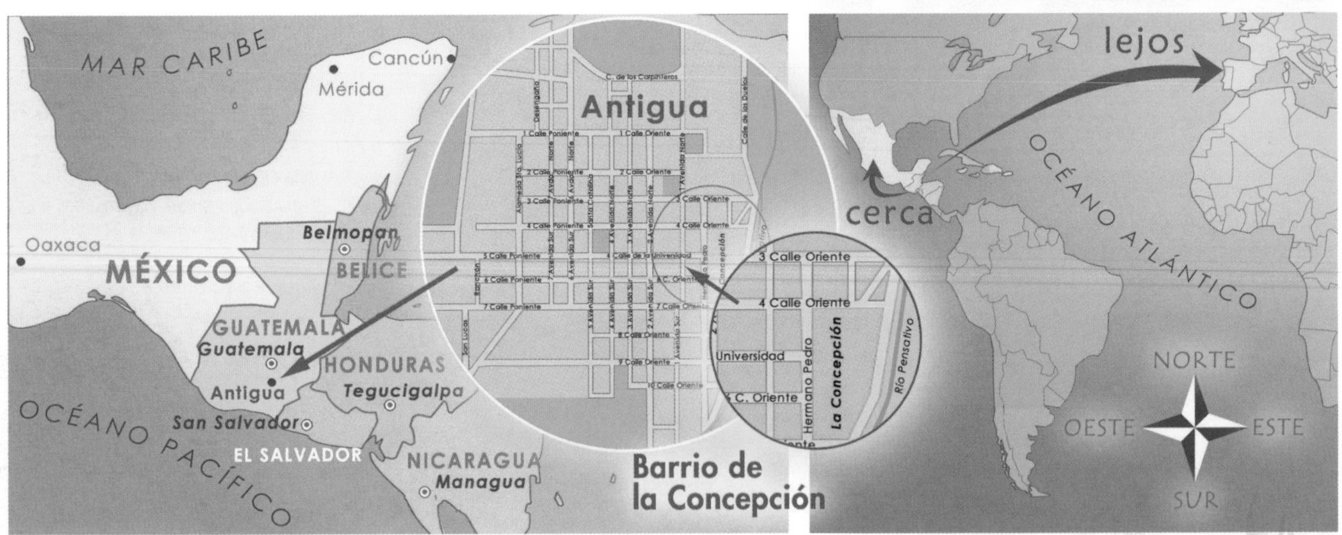

B Ahora sitúa tu barrio como en el ejercicio anterior.

1 Mi barrio se llama ___________.
2 Mi barrio **está en** ___________ (tu ciudad).
3 ___________ (tu ciudad) **está en** ___________ (tu país).
4 ___________ (tu país) **está al norte de** ___________.
5 ___________ (tu país) **está al sur de** ___________.
6 ___________ (tu país) **está en** ___________ (tu continente).
7 ___________ (tu país) **está lejos de** ___________ y **cerca de** ___________.

2 A ¿Sabes en qué país están estas ciudades?

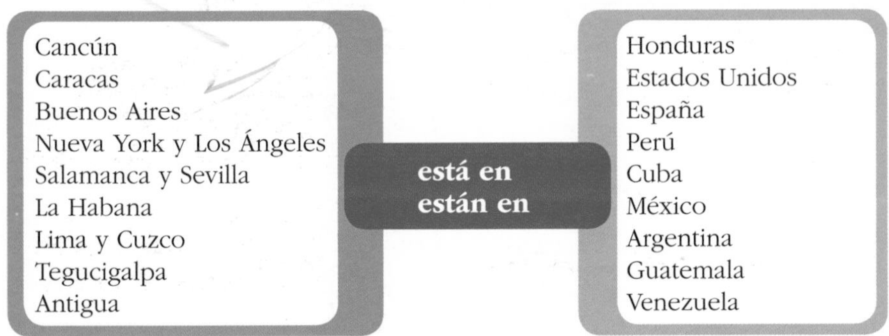

B ¿Y sabes dónde están los países anteriores?

Norteamérica • Centroamérica • Sudamérica • Europa

Honduras está en Centroamérica.

COMUNICACIÓN

Expresar ubicación

Estar

(yo)	**estoy**
(tú)	**estás**
(él, ella, usted)	**está**
(nosotros/-as)	**estamos**
(vosotros/-as)	**estáis**
(ellos/-as, ustedes)	**están**

- *¿Dónde **está** Antigua?*
- *Antigua **está** en Guatemala.*

*Guatemala y México **están** lejos de Europa.*
*Ciudad de Guatemala **está** cerca del* océano Pacífico.*

*Guatemala **está** al** sur de México.*
*Guatemala **está** al norte de El Salvador.*

* de + el = del
** a + el = al

LÉXICO

Los puntos cardinales

- Norte	- Este	- Noreste	- Sureste
- Sur	- Oeste	- Noroeste	- Suroeste

3 A Lee el siguiente texto que describe qué es un barrio en la cultura hispana, y responde a estas preguntas.

1 ¿Vives en un barrio similar a un barrio español?
2 ¿Qué actividades hacen los españoles en su barrio?
3 ¿Qué es un barrio en Estados Unidos?
4 ¿En qué parte de la ciudad están los barrios en Buenos Aires?
5 ¿Por qué crees que existen zonas pobres en las ciudades?

El barrio en la cultura hispana

En ESPAÑA las ciudades y los pueblos tienen barrios. Un barrio es una división con identidad propia de una población; tiene su personalidad, es como un pequeño pueblo. Para muchos españoles, el barrio es el lugar donde nacen, crecen, donde están los amigos y también la familia. Es su lugar de origen, su pequeño país. Los españoles pasan una gran parte de su tiempo libre en su barrio: van al mercado, al parque, al bar a desayunar, al médico, a la biblioteca, al colegio, a la piscina o a otros muchos lugares públicos.

En MÉXICO D. F. a los barrios de las ciudades los llaman *colonias*: colonia del Valle, colonia Polanco, etc. En algunos estados de México, como Yucatán, también los llaman *repartos*, por influencia de Cuba, donde también se los conoce con ese nombre.

En VENEZUELA, PANAMÁ y la REPÚBLICA DOMINICANA llaman *barrio* a las zonas pobres de las ciudades, lugares donde normalmente no hay ningún servicio básico.

En ARGENTINA, en las letras de los tangos, el barrio es lo contrario al centro de la ciudad. La Ciudad Autónoma de Buenos Aires tiene 48 barrios.

En ESTADOS UNIDOS utilizan la palabra española cuando hablan de los barrios de las ciudades estadounidenses habitados normalmente por inmigrantes hispanos. En particular, El Barrio de Nueva York (también llamado Spanish Harlem) es un barrio con más de 100 000 habitantes en el noreste de la isla de Manhattan.

B ¿Cuál de estas definiciones describe tu concepto de barrio?

- Una parte de una ciudad. ☐
- Un pequeño pueblo. ☐
- Donde están mis amigos y mi familia. ☐
- Mi pequeño país. ☐
- Donde paso mi tiempo libre. ☐
- La zona pobre de una ciudad. ☐
- Una parte antigua de una ciudad. ☐
- Donde viven los inmigrantes. ☐

C ¿Cuál es tu barrio favorito?

4 A Haz una lista con los servicios que hay en tu barrio.

Avanza Pasea por tu barrio y haz fotos de los servicios que hay. Después, coméntalas con tus compañeros.

B Pregunta a tu compañero sobre lo que hay en su barrio (si vives en el mismo barrio, puedes preguntar sobre otro barrio de vuestra ciudad). ¿En qué barrio hay más servicios?

● *¿Hay algún teatro en tu barrio?*
■ *No, no hay ningún teatro. / No, no hay ninguno. / Sí, hay muchos.*

5 En parejas, piensa en una ciudad grande; tu compañero te hace preguntas para descubrir qué ciudad es.

● *¿Está en América?*
■ *Sí...*
● *¿Es una ciudad antigua?*
■ *Sí...*
● *¿Tiene muchos museos?*
■ *Sí...*

GRAMÁTICA

Cuantificadores (II)

- *Mucho, poco...*

*En mi barrio hay **mucho / poco** tráfico.*
*En mi calle hay **mucha / poca** gente.*
*En mi ciudad hay **muchos / pocos** museos.*
*En mi país hay **muchas / pocas** bibliotecas.*

- *Uno, alguno, ninguno...*

● *¿Hay **algún** parque en tu barrio?*
■ *No, no hay **ningún** parque. (No, no hay **ninguno**.)*

● *¿Hay **alguna** parada de autobús aquí cerca?*
■ *No, no hay **ninguna**.*

● *En mi barrio hay un cine, ¿en tu barrio hay **alguno**?*
■ *Sí, hay **uno**.*

Una casa

1 **A Lidia busca piso en Barcelona en un foro de estudiantes. Lee los comentarios y señala qué información corresponde a cada barrio.**

Pisos Casas Locales Garajes

LIDIA (Madrid) 2 temas y 59 comentarios

¡Hola! El próximo curso voy a Barcelona, ¿sabéis cuál es el mejor barrio para vivir? No conozco mucho Barcelona y no tengo ningún amigo en la ciudad. No tengo mucho dinero, pero busco un piso en un barrio seguro y céntrico. ¿Alguna persona puede ayudarme?

LOBO (Barcelona) 12 temas y 123 comentarios

¡Hola, Lidia! Yo vivo en la Barceloneta. Es un barrio fantástico. Está en la playa de Barcelona, cerca del puerto. Hay muchos restaurantes y bares y siempre hay mucha gente por sus calles. Es un barrio con mucho carácter. Los pisos son antiguos y pequeños, pero son bonitos. La gente del barrio es muy abierta y muy simpática. Hay un mercado, un hospital, una biblioteca... No hay ningún parque, pero la playa es muy muy grande. ¡Ah!, está cerca del centro de la ciudad y hay muy buen transporte público.

PATI (Barcelona) 6 temas y 237 comentarios

Sants es un barrio popular y los pisos no son caros. No está en el centro, pero en metro o autobús estás en el centro en 15 minutos. Está muy cerca de la plaza de España, perfecto si viajas en tren o si necesitas ir al aeropuerto. En el barrio hay muchas tiendas. Es muy tranquilo, como un pueblo. Si necesitas una habitación, en nuestro piso tenemos una libre. Es un piso muy grande... ¡Y muy bonito! Somos dos estudiantes de Mallorca.

MARIAJO (Barcelona) 3 temas y 17 comentarios

¡Hola! El Raval está en el centro de Barcelona. Está cerca de la Rambla y del Barrio Gótico. También está cerca del puerto. Es un barrio muy bohemio donde viven muchos artistas y gente joven. También hay muchos inmigrantes. Es un barrio multiétnico y muy interesante. Es un poco sucio y ruidoso, pero es muy divertido. Los pisos son antiguos, pero son baratos. Si necesitas más información, escribe a mi correo personal.

	La Barceloneta	Sants	El Raval
1 Está en el centro.			
2 Los pisos son antiguos.			
3 Los pisos no son caros.			
4 Las calles son ruidosas.			
5 Está cerca del aeropuerto.			
6 Es un barrio tranquilo.			
7 Está en la playa.			
8 Los pisos son pequeños.			

Avanza Escribe en el foro alguna pregunta sobre los barrios que se mencionan.

B Imagina que buscas piso en Barcelona, ¿qué barrio prefieres tú: la Barceloneta, Sants o El Raval?

C Describe cómo es tu barrio a tus compañeros. Escribe el texto antes.

Mi barrio es muy...
Está en...
No hay ningún..., pero hay muchos...

2 **Lidia está ahora en Barcelona. Este es el plano de su piso. Dibuja un plano de tu casa o de tu piso y coméntalo con tu compañero.**

Mi casa tiene tres habitaciones y no tiene terraza, pero tiene un pequeño jardín.

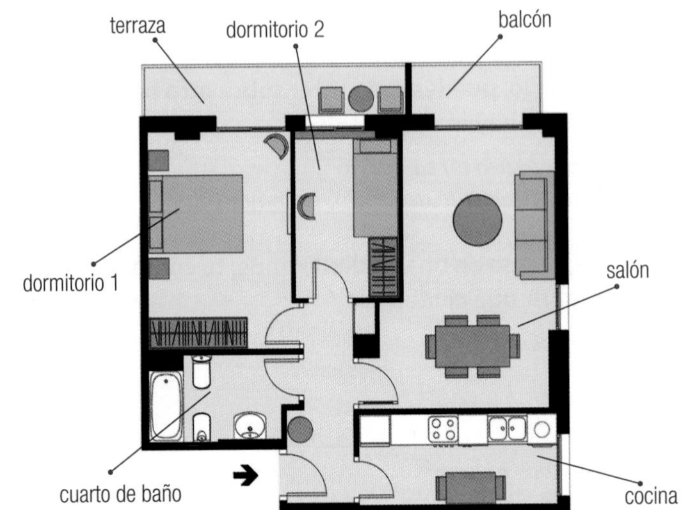

3 A Mira el salón del piso de Lidia. ¿Cómo es? ¿Cómo crees que es Lidia?

Repasa Los adjetivos de carácter de la unidad 2.

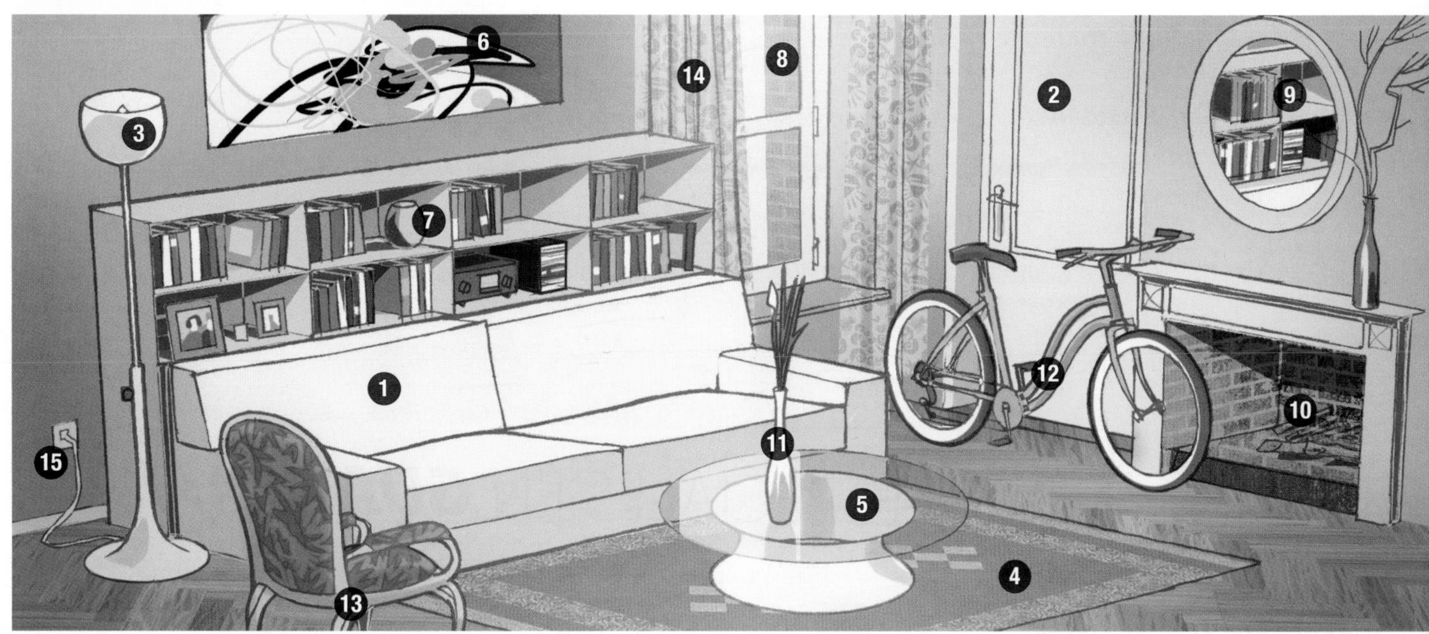

1 El sofá	4 La alfombra	7 La estantería	10 La chimenea	13 La silla
2 La puerta	5 La mesa	8 La ventana	11 El jarrón	14 La cortina
3 La lámpara	6 El cuadro	9 El espejo	12 La bicicleta	15 El enchufe

B (20) Lidia habla con Juanjo sobre su salón. Escucha la conversación y marca en el dibujo de qué cosas hablan. Después, vuelve a escuchar y toma nota de los adjetivos que utiliza para describir esas cosas.

C ¿Dónde están los muebles y los objetos? Lee las frases y mira el dibujo.

La estantería está **detrás del** sofá.
La chimenea está **debajo del** espejo.
Encima de la mesa hay un jarrón.
Delante del sofá hay una mesa.
Hay una bici **entre** el sofá y la chimenea.
En el centro del salón hay una mesa.
A la derecha del sofá hay una bicicleta.
A la izquierda del sofá hay una lámpara.

D Ahora, completa las frases con las palabras que faltan.

1 El sofá está __________ de la estantería.
2 El espejo está __________ de la chimenea.
3 La puerta está __________ de la bicicleta.
4 La alfombra está __________ de la mesa.

Avanza Describe tu habitación. Tu compañero la dibuja.

4 A Completa los nombres de los siguientes países y ciudades con *r* o *rr*.

1 U_uguay	5 Monte_ey	9 Sa_ajevo	13 _usia
2 To_onto	6 _osa_io	10 Ando_a	14 I_án
3 Ca_acas	7 Ecuado_	11 No_uega	15 Ma_uecos
4 Guadalaja_a	8 _oma	12 Pa_ís	16 Nige_ia

B (21) Escucha, comprueba y repite. ¿Sabes en qué país o continente están?

GRAMÁTICA

Marcadores de lugar

detrás de ≠ delante de
debajo de ≠ encima de
a la izquierda de ≠ a la derecha de
en el centro de
entre

ORTOGRAFÍA Y PRONUNCIACIÓN

R / RR

Hay dos formas de pronunciar la letra *r*, una suave y una fuerte:

- Fuerte:
  a) cuando la palabra empieza por *r* (*ruido, república*).
  b) cuando en una palabra entre dos vocales hay una *rr* (*barrio, terraza*).
  c) cuando hay una *r* después de las consonantes *l, n, s* (*alrededor, Enrique, Israel*).
- Suave: cuando en el interior o final de una palabra hay una *r* (*parada, turismo, pronunciar por, sur*).

Guatemala

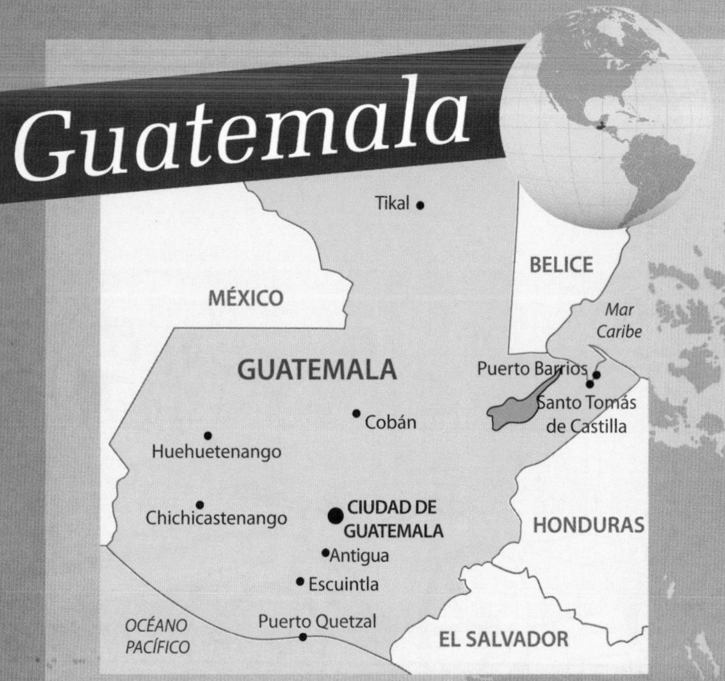

1 Completa la información de Guatemala con las siguientes palabras.

México • Centroamérica • dieciséis • Pacífico • español • Caribe
mayas • Ciudad de Guatemala • Chichicastenango • El Salvador

Guatemala está en (1) ______________, al sureste de (2) ______________ y al norte de (3) ______________. En el sur está el océano (4) ______________ y, en el este, Belice, el mar (5) ______________ y Honduras. Tiene unos (6) ______________ millones de habitantes y su capital es (7) ______________. Otras ciudades importantes son Antigua, que está cerca de la capital, y (8) ______________. El idioma oficial es el (9) ______________ y tiene 23 idiomas (10) ______________.

OCHO LUGARES ESPECIALES EN **GUATEMALA**

A PARQUE ARQUEOLÓGICO TIKAL
Centro de la cultura maya. Un lugar perfecto para visitar los famosos templos y las antiguas pirámides de los mayas.

B LAGO DE ATITLÁN
El lago Atitlán está rodeado de tres volcanes. Muchos viajeros dicen que es el lugar más bello del mundo.

C ANTIGUA
También llamada la Antigua Guatemala, es la antigua capital del país. La ciudad más bonita de Centroamérica.

D VOLCÁN DE AGUA
Cerca de la Antigua Guatemala y a 3722 metros sobre el nivel del mar, para ver la ciudad y la costa.

E CASTILLO DE SAN FELIPE DE LARA
En Río Dulce, departamento de Izabal, una estructura militar antigua e histórica.

F PLAYA BLANCA EN IZABAL
Un paraíso. Una playa tranquila con arena blanca que está en el departamento de Izabal.

2 Imagina que puedes visitar Guatemala. Lee el folleto «Ocho lugares especiales en Guatemala» y responde a las siguientes preguntas.

¿Qué lugar eliges para…
1 ver un volcán? ______
2 comprar artesanía? ______
3 ir a la playa? ______
4 visitar un monumento militar e histórico? ______
5 nadar en una poza de agua? ______
6 ver templos y pirámides mayas? ______
7 visitar una ciudad colonial? ______
8 nadar en un lago? ______

G SEMUC CHAMPEY
Un santuario natural lleno de pozas con agua de color turquesa, un lugar de paz declarado Monumento Natural en 1999.

H CHICHICASTENANGO
A esta ciudad también la llaman Chichi. Es muy conocida por su mercado de artesanía y por sus tejidos.

3 ¿Sabes quiénes son los mayas? Lee el siguiente texto sobre la cultura maya y señala si estas informaciones son verdaderas (V) o falsas (F).

1 La civilización maya tiene 10 000 años. ☐
2 Los mayas viven principalmente en Nicaragua, El Salvador y Guatemala. ☐
3 En Guatemala, todos los mayas hablan el mismo idioma. ☐

Historia de los mayas

El origen del pueblo maya es desconocido, pero probablemente proviene de una familia de pueblos indios de Centroamérica. Estas son las hipótesis más importantes:

- Provienen de una importante migración de grupos del sureste asiático hacia Centroamérica.
- Son sucesores de los olmecas, una cultura desarrollada en las costas del Golfo de México.

La civilización maya surge en el año 1000 a. C. en la península de Yucatán. Su antiguo territorio se reparte hoy entre México, Guatemala y Honduras.

Los mayas, hoy

En Guatemala viven distintas etnias descendientes de los mayas. Estos grupos no hablan el mismo idioma y tienen distintas costumbres. Los cuatro grupos étnicos más importantes son:

1 Los quichés
2 Los mames
3 Los cakchiqueles
4 Los kekchíes

Acción - Reflexión

Elige una de estas fotografías. ¿Cómo crees que es ese barrio? ¿Y la gente que vive en él?

Acción

A En grupos pequeños, diseñad un proyecto de un barrio y presentadlo a la clase.

1 Elegid una ciudad (puede ser una ciudad real o inventada).
2 Decidid cómo es y dónde está la ciudad.
3 Decidid cómo es el barrio y qué servicios hay.
4 Pensad cómo son las casas y qué tienen.
5 Dibujad un pequeño plano del barrio.
6 Presentad el barrio a la clase. La presentación puede ser con un póster, con PowerPoint u otro programa.
7 Cada miembro del grupo presenta una parte.

B ¿Cuál es el mejor barrio? Votad entre todos para decidir cuál es el mejor proyecto. Justificad vuestra decisión.

Actitudes y valores

¿Qué consideras más importante para trabajar en grupos? Elige dos.

- respetar
- escuchar con atención
- tener buena comunicación
- ser flexible
- participar activamente
- colaborar

Reflexión

- ¿Puedes decir una cosa positiva y una cosa negativa del lugar en el que vives?

- ¿Cómo es tu hábitat ideal? ¿Por qué es ideal?

4 Hábitos

- Hablar de actividades y horas
- Describir rutinas diarias
- Interpretar y comparar horarios
- Escribir en un blog sobre la vida diaria
- Reflexionar sobre los hábitos y las rutinas
- País: Perú
- Interculturalidad: Los hábitos en distintas culturas
- Actitudes y valores: Respetar los hábitos de la clase

Correr por las mañanas

Escuchar música en un transporte público

Leer por la noche en la cama

1 ¿Qué es un hábito para ti?

2 ¿Crees que los hábitos son buenos o malos?

3 ¿Qué rutinas tienes en tu vida diaria?

4 ¿Tienes algunos de los hábitos que muestran las fotos?

Actividades y horas

1 **¿Qué hora es en cada uno de los relojes? Mira el cuadro del léxico para responder.**

LÉXICO

Las horas

¿Qué hora es?:

- (Es) La una (en punto): 01:00 / 13:00
- (Son) Las nueve (en punto): 09:00 / 21:00
- (Son) Las dos **y** cuarto: 02:15 / 14:15
- (Son) Las doce **y** veinticinco: 00:25 / 12:25
- (Son) Las cinco **y** media: 05:30 / 17:30
- (Son) Las ocho **menos** veinte: 07:40 / 19:40
- (Son) Las once **menos** cuarto: 10:45 / 22:45

2 A **Mira los dibujos y lee las frases. Con un compañero, ordena las actividades habituales de David. Hay varias posibilidades.**

☐ a Se levanta a las siete.

☐ b Se viste.

☐ c Se lava los dientes.

☐ d Come en la cafetería del instituto con sus compañeros.

☐ e Se acuesta aproximadamente a las once.

☐ f Va al instituto en bicicleta a las ocho.

☐ g Hace los deberes en su habitación.

☐ h Tiene clases de ocho y media a una y de dos a cuatro.

☐ i Juega al baloncesto de cinco a siete.

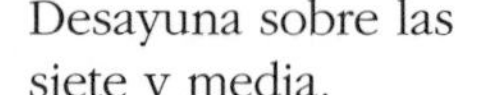

☐ j Desayuna sobre las siete y media.

☐ k Se ducha.

☐ l Cena con su familia sobre las nueve.

David se levanta a las siete, se ducha...

COMUNICACIÓN

Hablar de cuándo realizamos nuestras rutinas

- *¿**A qué hora** comes?*
  - ***A las** dos.*
  - ***Sobre** las dos. / **Aproximadamente,** a las dos.*

***De** siete **a** ocho y media juego al fútbol.*

*Estudio **de día** y trabajo **de noche**.*

*Hago los deberes **por** la mañana / **por** la tarde / **por** la noche / **de** madrugada / **al** mediodía.**

* Pero si añadimos la hora: *Hago los deberes a las siete **de** la tarde.*

B (22) **Ahora, escuchad a David y comprobad vuestras respuestas.**

Avanza Después de ordenar las frases, intenta añadir algún dato más. Por ejemplo:
A las diez y media escucha música.

3 A Algunos de los verbos anteriores llevan pronombre *(me, te, se, nos, os)*, ¿sabes por qué?

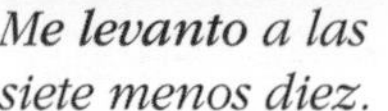

*Me **levanto** a las siete menos diez.*

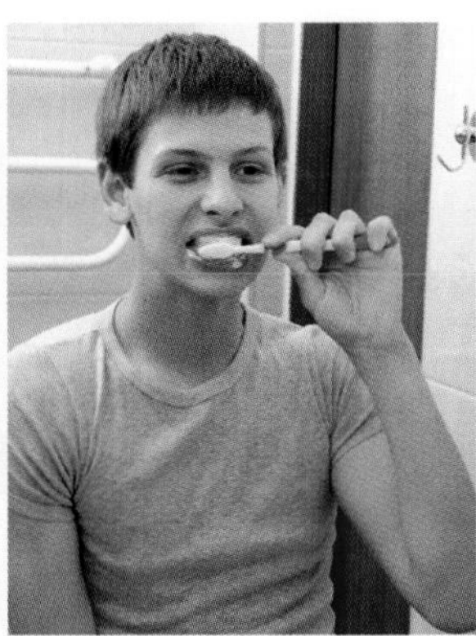

*Te **lavas** los dientes.*

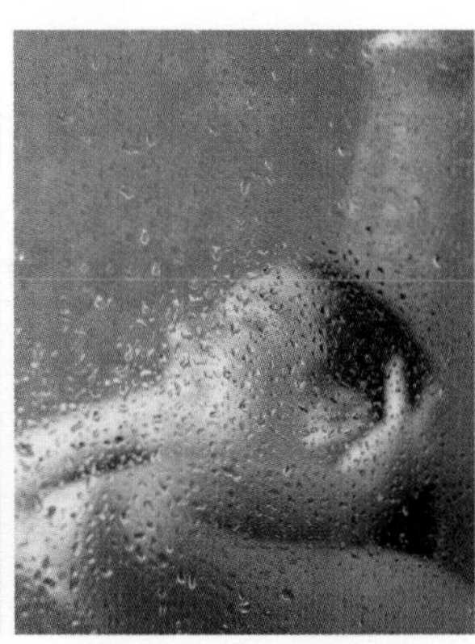

*Anabel **se ducha** por la mañana.*

Repasa Las terminaciones de los verbos en presente en la unidad 1.

B ¿Existen los verbos reflexivos en tu lengua o en otra lengua que conoces? ¿En qué se parecen; en qué se diferencian?

4 A Busca en las actividades de David los verbos conjugados en tercera persona y escríbelos. Aquí tienes los infinitivos.

1 ducharse	________	7 vestirse	________
2 desayunar	________	8 hacer (los deberes)	________
3 levantarse	________	9 cenar	________
4 ir (al instituto)	________	10 acostarse	________
5 jugar (al baloncesto)	________	11 tener (clase)	________
6 comer	________	12 lavarse	________

B Ahora, clasifica todos los verbos en esta tabla. Después, señala los verbos reflexivos con ✔.

regulares		irregulares	
☐ ________	☐ ________	☐ ________	☐ ________
☐ ________	☐ ________	☐ ________	☐ ________
☐ ________	☐ ________	☐ ________	☐ ________

C Habla con tu compañero de vuestros hábitos: ¿a qué hora realizáis estas actividades?

levantarse • desayunar • ir al instituto • comer • hacer los deberes • cenar

- • *¿A qué hora te levantas?*
- ■ *Yo a las siete y media, ¿y tú?*
- • *Yo me levanto a las siete.*

GRAMÁTICA

Los verbos reflexivos

- Se conjugan con pronombres.
- Se usan para expresar que una acción la produce y la recibe el mismo sujeto.

levantarse	
(yo)	me **levanto**
(tú)	te **levantas**
(él, ella, usted)	se **levanta**
(nosotros/-as)	nos **levantamos**
(vosotros/-as)	os **levantáis**
(ellos, ellas, ustedes)	se **levantan**

Otros verbos reflexivos: ***ducharse, lavarse*** *(los* dientes)*, ***acostarse, vestirse.***

* *los* dientes, no *mis* dientes

GRAMÁTICA

El presente: verbos irregulares

ir	
(yo)	**voy**
(tú)	**vas**
(él, ella, usted)	**va**
(nosotros/-as)	**vamos**
(vosotros/-as)	**vais**
(ellos, ellas, ustedes)	**van**

hacer	
(yo)	**hago**
(tú)	**haces**
(él, ella, usted)	**hace**
(nosotros/-as)	**hacemos**
(vosotros/-as)	**hacéis**
(ellos, ellas, ustedes)	**hacen**

jugar	
(yo)	**juego**
(tú)	**juegas**
(él, ella, usted)	**juega**
(nosotros/-as)	**jugamos**
(vosotros/-as)	**jugáis**
(ellos, ellas, ustedes)	**juegan**

Rutina diaria

1 A (23) **Escucha a estos dos estudiantes que comparan sus rutinas diarias y completa la tabla con las horas a las que realizan las actividades.**

	Marisol	Antonio
levantarse		06:30
ir al instituto	08:00	
comer	14:00	
terminar las clases		
volver a casa		16:00
hacer los deberes		
acostarse	23:30	

COMUNICACIÓN

Más tarde / Más temprano

Mónica se levanta a las siete.
Julia se levanta a las seis y media.

Mónica se levanta ***más tarde****.*
Julia se levanta ***más temprano****.*

B En grupos de cuatro, pregunta a tus compañeros y busca a…

1 la persona que se levanta más temprano.
2 la persona que se acuesta más tarde.
3 la persona que desayuna más tarde.
4 la persona que cena más tarde.
5 etc.

	Comp. 1	Comp. 2	Comp. 3
1 ¿A qué hora te levantas?			
2 ¿A qué hora…?			
3 ¿__________?			
4 ¿__________?			

2 A Las distintas profesiones tienen distintos hábitos ¿Quiénes crees que dicen estas frases? Hay más de una opción.

1 Trabajo a veces de noche y a veces de día.
2 Viajo mucho.
3 Trabajo normalmente por la noche.
4 Llevo siempre uniforme.
5 En casa trabajo mucho también.
6 Hablo generalmente con muchas personas.
7 No trabajo los fines de semana.
8 Trabajo en un teatro.

A actor / actriz

B profesor(a)

C policía

B Ahora lee esta entrada de un blog. ¿Qué profesión crees que tiene?

taxista • enfermera • profesora • cantante • abogada • dependienta

Marta Blanco

Inicio | Acerca del Blog

Un día normal en mi vida

Durante la semana me levanto pronto porque el instituto está muy lejos. Voy en autobús y, a veces, en bicicleta. Las clases empiezan a las ocho y media y terminan a las cuatro y media. En el recreo voy a la cafetería con mis compañeros. Después del instituto voy al gimnasio a hacer deporte. Sobre las seis y media vuelvo a casa, descanso y preparo las clases o corrijo exámenes y proyectos. Ceno a las ocho y media. Por la noche, leo o veo una película y me acuesto sobre las doce.

- enero
- febrero
- marzo
- abril
- mayo
- junio
- julio
- agosto
- septiembre
- octubre
- noviembre

COMUNICACIÓN

Conectores temporales

- *Primero… / Luego… / Después…:*
  Primero *me ducho,* ***luego*** *desayuno y* ***después*** *me lavo los dientes.*

- *Durante:*
  Durante *la semana me levanto pronto.*

C En pequeños grupos, piensa en una profesión y tus compañeros te hacen preguntas para adivinarla. Solo puedes contestar con *sí*, *no* o con un adverbio o expresión de frecuencia.

- *¿Trabajas solo por el día?*
- *Sí.*
- *¿Llevas uniforme?*
- *No siempre.*

Avanza Haz un póster con tu profesión preferida y las actividades que realizas.

3 A Edgar es un chico peruano que ahora vive en España. Lee el correo electrónico que escribe a sus abuelos y escribe las cosas que haces tú también.

Mensaje nuevo

Destinatarios Abuelos

Asunto Hola

Queridos abuelos:

¿Cómo están? Yo estoy muy bien, pero mi vida es muy diferente desde que vivo en España. Me levanto a las siete y media, me ducho, me visto y desayuno en quince minutos, porque a las ocho y cuarto tomo el micro del colegio (aquí lo llaman autobús). Las clases empiezan a las nueve y terminan a la una y media, mucho más temprano que en mi colegio en Perú… Tenemos un recreo de media hora, de once a once y media. Después, no vuelvo a casa a comer, como en Arequipa; aquí como en el comedor con mis amigos (ya tengo muchos) y tenemos dos clases más por la tarde, de tres a cinco. Los lunes y los miércoles tengo baloncesto (sí, prefiero el baloncesto al fútbol en este colegio; el entrenador es muy simpático) y los jueves tengo clase de guitarra (gracias otra vez por el regalo). Mamá me recoge con el carro* y volvemos a casa a las siete menos cuarto; descanso un poco y hago los deberes. Sobre las nueve cenamos toda la familia y entonces voy a mi habitación y leo, chateo con mis amigos de Perú, escucho música o veo alguna película. A las once y media me acuesto.

Bueno, me despido.
Muchos besos y hasta pronto,
Edgar

Enviar

* carro = coche

Yo también me levanto a las siete y media.
Yo no tomo el autobús, voy en bicicleta.

B En el correo de Edgar hay verbos irregulares similares a los del cuadro de gramática. ¿Puedes encontrarlos?

Repasa Escribe una lista con todos los verbos irregulares que conoces.

C Imagina que escribes un correo electrónico a un familiar y describes cómo es un día normal para ti. Recuerda utilizar los conectores temporales para expresar la secuenciación de ideas.

Durante la semana yo me levanto…

Avanza Puedes describir el día de una persona importante para ti.

COMUNICACIÓN

Expresar frecuencia

\+ siempre
casi siempre
normalmente, generalmente
una vez, dos veces, tres veces, a veces
casi nunca
\- nunca

*Yo **siempre** me levanto a las siete y media. **A veces** voy al instituto en bicicleta.*

LÉXICO

Los días de la semana

- lunes
- martes
- miércoles
- jueves
- viernes
- sábado } fin de semana
- domingo }

Singular

***El martes** como con mis abuelos.*

Plural

***Los lunes** y **los miércoles** juego al tenis.*

COMUNICACIÓN

Escribir un correo electrónico informal

Saludo

- ¡Hola!
- Querido/-a/-os/-as…:

Despedida

- Bueno, me despido
- Muchos besos / Un abrazo / Hasta pronto

GRAMÁTICA

Verbos irregulares con cambio en la vocal

empezar (e > ie)	volver (o > ue)	vestirse (e > i)
emp**ie**zo	v**ue**lvo	me v**i**sto
emp**ie**zas	v**ue**lves	te v**i**stes
emp**ie**za	v**ue**lve	se v**i**ste
empezamos	volvemos	nos vestimos
empezáis	volvéis	os vestís
emp**ie**zan	v**ue**lven	se v**i**sten
Otros verbos: *entender, cerrar, pensar, preferir*	Otros verbos: *acostarse, dormir, mover*	Otros verbos: *repetir, reírse, corregir*

Horarios

1 A Este es el horario de Diego, un estudiante de Bachillerato. Compáralo con el tuyo.

Diego tiene diez asignaturas y yo... Tiene Geografía por la mañana y yo...
Los lunes, los miércoles y los viernes...

	LUNES	MARTES	MIÉRCOLES	JUEVES	VIERNES
9:00-10:00	Ciencias	Lengua y Literatura	Lengua y Literatura	Ciencias	Educación Física
10:00-11:00	Matemáticas	Inglés	Matemáticas	Filosofía	Matemáticas
11:00-11:30	RECREO				
11:30-12:30	Filosofía	Geografía	Inglés	Geografía	Tecnología
12:30-14:30	COMIDA				
14:30-15:30	Tecnología	Arte	Geografía	Inglés	Arte
15:30-16:30	Educación Física	Ciencias	Educación Cívica	Tutoría	Lengua y Literatura
Actividades extraescolares					
17:00-19:00	Baloncesto		Baloncesto	Guitarra	

LÉXICO

Asignaturas

- Matemáticas
- Química
- Física
- Biología
- Lengua y Literatura
- Inglés
- Educación Física
- Geografía
- Historia
- Filosofía
- Teatro
- Arte
- Tecnología
- Música
- Ciencias
- Educación Cívica

B De las asignaturas y actividades extraescolares anteriores, ¿cuáles tienes? ¿Tienes las mismas que Diego o diferentes?

Tengo rugby, no tengo baloncesto.

C (24) Escucha y repite algunas palabras de esta unidad. Presta atención a la pronunciación. ¿En cuáles no pronunciamos alguna letra?

Tecnología	Química	Arequipa	guitarra	Lengua	colegio	Diego
Geografía	Historia	Inglés	Arte	horario	hacer	quince

ORTOGRAFÍA Y PRONUNCIACIÓN

Letras que no se pronuncian

- La ***h*** no se pronuncia nunca: ***h**oy*, ***h**ora*, ***h**orario*.
- La ***u*** no se pronuncia en los grupos ***que, qui, gue, gui***: ***qu**é*, ***qu**ímica*, ***gu**erra*, ***gu**itarra*.

2 Mira el siguiente cuadro de léxico y observa qué significan los verbos. Después, lee estas informaciones sobre Perú y escribe cómo es en tu país.

1 Los bancos en Perú abren a las ocho de la mañana.
2 En Perú las tiendas cierran a las ocho de la noche.
3 En Lima la primera sesión de cine normalmente empieza sobre las tres y media de la tarde.
4 En la Secundaria las clases terminan generalmente sobre las tres de la tarde.
5 En Perú mucha gente llega al trabajo a las ocho y media de la mañana y sale a las cinco y media de la tarde.
6 El descanso para la comida es a la una del mediodía y dura una hora, como máximo.

LÉXICO

Verbos de movimiento, tiempo y duración

abrir

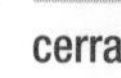
cerrar

salir

entrar

Empezar la caminata.

Llegar a la cima.

Terminar la caminata. ¡¡¡Dura 12 horas!!!

- **Abrir:** *Toni abre la puerta.*
- **Cerrar:** *Toni cierra la puerta.*
- **Salir (de)*:** *Toni sale de casa.*
- **Entrar (en):** *Toni entra en el instituto.*

* *Salir* es irregular en la primera persona: *Yo salgo*

- **Empezar:** *Toni empieza la caminata.*
- **Llegar (a):** *Toni llega a la cima.*
- **Terminar:** *Toni termina la caminata.*
- **Durar:** *La caminata dura 12 horas.*

3 A ¿Sabes dónde está Machu Picchu? ¿Por qué es famoso? Lee el folleto y di si estas frases son verdaderas (V) o falsas (F).

1 Machu Picchu es un parque moderno. ☐
2 Machu Picchu está en Perú. ☐
3 El número de visitantes al parque está controlado. ☐
4 Los turistas practican deportes en Machu Picchu. ☐
5 Las caminatas a Machu Picchu son solo por la mañana. ☐
6 En Aguas Calientes hay una estación de trenes. ☐

Los horarios de Machu Picchu

- Los horarios de visita al Parque Arqueológico Nacional no son siempre iguales porque en el parque solo pueden entrar 2500 visitantes al día.
- **Horario de entrada: 06:00–16:00** (pero se puede estar dentro del parque hasta las 17:00).
- Hay distintas rutas y también grupos de visitas guiadas con diferentes horarios (hay lugares que solo los grupos pequeños pueden visitar).

Parapente sobre el Machu Picchu

Tours de Parapente en Cusco (900 m Tandem) - Machu Picchu
Tiempo de vuelo: 20 minutos
Zona de vuelo: Cerro Sacro, Chincheros, Cusco
Horario: todos los días a las 08:45

Caminata a Machu Picchu

Día 1: Cusco – Wiñaywayna – Machu Picchu.
- 05:45: salida del hotel a la estación de tren de Cusco (en el km 104 empieza la caminata).
- Visita arqueológica de Chachabamba (a 2250 m).
- 07:45: caminata hacia Wiñaywayna.
- Después del almuerzo, continuación de la caminata hacia Machu Picchu.
- Viaje en autobús hacia Aguas Calientes.

Día 2: Machu Picchu – Cusco.
- Después del desayuno, a las 06:00, salida en autobús hacia Machu Picchu.
- *Tour* guiado de aproximadamente 3 horas.
- Tiempo libre para almorzar.
- Por la tarde, autobús al pueblo de Aguas Calientes, donde está el tren para volver a Cusco.
- Traslado al hotel: llegada a las 19:00.

B Vuelve a leer el folleto sobre Machu Picchu y completa este texto con la información que falta. Escribe los números con letras.

El Parque Arqueológico de Machu Picchu abre a las (1) ________ y cierra a las (2) ________, pero los grupos terminan la visita a las (3) ________. Los vuelos en parapente sobre el Machu Picchu duran (4) ________ minutos y empiezan a las (5) ________. En la caminata a Machu Picchu salimos a las (6) ________ de la mañana del hotel y vamos a la estación de tren de Cusco. El segundo día salimos a las (7) ________ y el *tour* dura (8) ________ horas. Llegamos al hotel, a las (9) ________.

Avanza Busca más información sobre Machu Picchu, ¿qué otras actividades podéis hacer allí?

4 A (25) Escucha estos cinco diálogos de chicos que hablan de sus hábitos y escribe si hacen…

	… las cosas igual	… las cosas igual a veces	… cosas muy diferentes
1			
2			
3			
4			
5			

B Compara con un compañero las actividades del fin de semana o de las vacaciones con los hábitos diarios. ¿Puedes añadir más actividades?

salir con los amigos • chatear • leer • estudiar • descansar • correr • escuchar música

• *Yo, los sábados, salgo siempre con mis amigos, pero durante la semana no.*
■ *Pues yo también salgo a veces con los amigos.*

Perú

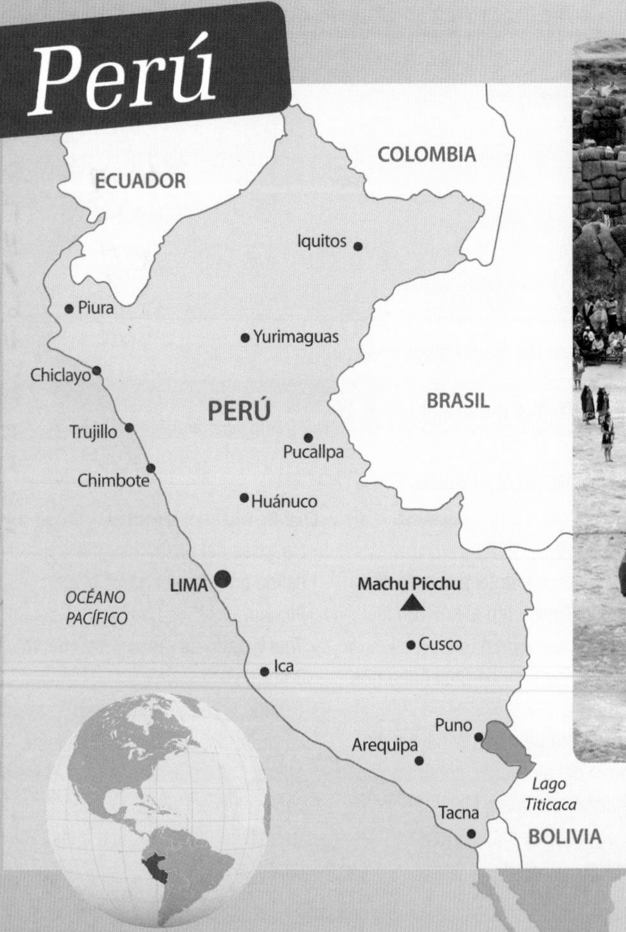

Fiesta del Inti Raymi (Sacsayhuamán)

Nevado Huascarán (Andes)

1 Marca la respuesta correcta. Puedes buscar información en internet.

1 Perú está en…
- a ☐ Norteamérica.
- b ☐ Centroamérica.
- c ☐ Sudamérica.

2 Perú es el país de…
- a ☐ los mayas.
- b ☐ los incas.
- c ☐ los aztecas.

3 Además de español se habla…
- a ☐ inglés.
- b ☐ guaraní.
- c ☐ quechua.

4 Perú no limita con…
- a ☐ Argentina.
- b ☐ Chile.
- c ☐ Colombia.

5 La cordillera de ... atraviesa Perú.
- a ☐ los Alpes
- b ☐ los Andes
- c ☐ las Montañas Rocosas

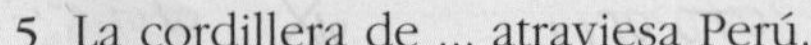

2 **¿Cuál de estas rutinas crees que pueden tener estos personajes famosos peruanos? Hay muchas posibilidades.**

Escucha música | Escribe todos los días | Nada en el mar | Está mucho tiempo en la cocina | Va al supermercado | Cena con modelos | Da conciertos | Lee | Hace gimnasia | Toca el piano | Corre por las mañanas en el parque | Visita a gente famosa | Come en restaurantes

Personajes famosos de Perú

1 Mario Testino

Fotógrafo de moda peruano. Fotografía a modelos y personas famosas de todo el mundo.

2 Claudio Pizarro

Conocido como el Bombardero de los Andes, es un futbolista y un gran goleador.

3 Sofía Mulanovich

Primera chica peruana y sudamericana que tiene el título de Campeona Mundial de Surf.

4 Susana Baca

Representante de la música afroperuana en el escenario mundial y ganadora de un Grammy Latino en el 2002.

5 Juan Diego Flórez

El llamado Cuarto Tenor, cantante de ópera de fama mundial.

6 Gastón Acurio

Chef muy famoso en todo el mundo. Escribe en revistas y hace programas de televisión.

7 Mario Vargas Llosa

Escritor y premio Nobel de Literatura (2010), premio Cervantes (1994) y premio Príncipe de Asturias de las Letras (1986), entre otros.

Mira estas fotos e imagina cómo es la vida diaria de estas personas.

Acción

Escribe una entrada de blog sobre tu vida diaria.

1 Puedes hacerlo en papel o en formato electrónico.
2 Incluye fotos.
3 Si prefieres, puedes hacer un pequeño vídeo con voz en *off* o subtítulos. También puedes grabarlo y crear un *podcast*.

Actitudes y valores

Marca la opción adecuada.

	Sí	No	A veces
- ¿Planificas tus proyectos?	☐	☐	☐
- ¿Llegas puntual a clase?	☐	☐	☐
- ¿Haces los deberes?	☐	☐	☐
- ¿Estudias regularmente?	☐	☐	☐
- ¿Ayudas a ordenar la clase?	☐	☐	☐
- ¿Colaboras con el profesor?	☐	☐	☐

Reflexión

¿Tienes alguno de estos hábitos? ¿Te parecen buenos o malos?

- Ducharte antes del desayuno
- Estudiar con música
- Beber un vaso de agua con la comida
- Estudiar conectado a Facebook
- Leer en la cama
- Hacer listas de las tareas que tienes que hacer
- Hacer deporte dos días a la semana o más
- Estudiar de madrugada
- Ver la televisión
- Navegar por internet más de tres horas diarias
- Escribir un diario

5 Competición

- Hablar sobre deportes
- Expresar gustos
- Comprender las reglas de un concurso
- Preparar un concurso en español
- Reflexionar sobre la competición, la colaboración y el triunfo
- País: Costa Rica
- Interculturalidad: La competición en las distintas culturas
- Actitudes y valores: Promover el trabajo colaborativo

1 ¿Con qué fotografías relacionas estas palabras: *competición, cooperación, triunfo*?

2 ¿Qué deportes son? ¿Practicas estos deportes?

3 ¿Qué otros deportes practicas? ¿Con qué frecuencia? ¿Son individuales o de equipo?

4 ¿Eres una persona deportista?

Deportes

1 A Relaciona los siguientes deportes con los dibujos.

- [3] ciclismo
- [7] natación
- [4] escalada
- [1] atletismo
- [2] vela
- [11] voleibol
- [10] baloncesto
- [6] fútbol
- [8] submarinismo
- [9] tenis
- [5] esquí
- [12] *windsurf*

Avanza El nombre de muchos deportes en español es de origen inglés. ¿Puedes buscar ejemplos? ¿Es así en tu lengua también?

B ¿Cuáles son deportes de equipo y cuáles son deportes individuales?

La natación es un deporte individual, pero también es de equipo en competiciones.

C Susana y Andrés son dos superdeportistas. Lee y completa las frases con el deporte correspondiente.

SUSANA

Hago mucho deporte. La natación es mi deporte favorito. Nado en la piscina tres días a la semana.
En las vacaciones de diciembre voy a las pistas a esquiar, el ____________ es un deporte fantástico.
También practico el ____________. Corro en pruebas de velocidad de 60 y 100 m lisos.

ANDRÉS

Practico el ____________, los sábados voy en bicicleta con mi familia y también hago varios deportes acuáticos, especialmente en las vacaciones practico el ____________ con mi padre y hacemos fotos a los peces. También hago *windsurf*.
Además juego al ____________ los sábados con mis amigos. Mi equipo favorito del mundo es el Bayern de Múnich.

D ¿Dónde puedes practicar normalmente estos deportes? Comenta con un compañero. Hay varias opciones.

Puedes practicar el baloncesto en un polideportivo, en el colegio, en un parque...

2 A (26) Escucha a estos compañeros de instituto de Susana y Andrés. Escribe en las dos primeras filas qué deportes practican y dónde.

	1 Amaya	2 Diego	3 Javier	4 Beatriz
¿Qué deporte?	fútbol	jogging	tenis	atletismo del instituto
¿Dónde?	martes, jueves y sábados	todos los días el parque	lunes y jueves sábados	lunes y miércoles fines de semana
¿Cuándo?	el barrio	mañanas		después de las clases instituto

B (26) Escucha de nuevo, ¿cuándo practican los deportes? Completa la última fila de la tabla anterior.

Repasa Los días de la semana y las partes del día en la unidad 4.

LÉXICO

Deportes

Sustantivos y verbos
- La natación - nadar
- El submarinismo - bucear
- El *jogging* - correr
- El ciclismo - ir en bicicleta
- El esquí - esquiar
- La equitación o hípica - montar a caballo
- La escalada - escalar
- El kayak, el piragüismo - remar

- **Jugar al** baloncesto / voleibol / fútbol...:
  *Todos los sábados **juego al** voleibol.*
- **Hacer / Practicar** atletismo / escalada...:
  *Mi hermano **hace** atletismo y **practica** (la) escalada y (la) natación.*
- **Entrenar:**
  ***Entreno** con mi equipo los martes y los jueves.*

Instalaciones deportivas
- El polideportivo
- La piscina
- El campo de fútbol / golf...
- La cancha de baloncesto / de voleibol...
- La pista de esquí / de atletismo / de tenis...
- El gimnasio

Tipos de deportes
- deportes acuáticos
- deportes individuales
- deportes de aventura
- deportes de competición
- deportes de equipo
- deportes de montaña

COMUNICACIÓN

Hablar de opciones

Poder + infinitivo

***Puedes practicar** el fútbol en la playa.*

C Ahora cuenta a tu compañero qué deportes practicas tú, dónde y cuándo.

Yo juego al tenis en un polideportivo todos los jueves, de siete a ocho, y...

D ¿Qué deportistas famosos hay en tu país? Haz una lista de sus nombres y después explica qué deporte practican.

En Costa Rica, Bryan Ruiz es futbolista, juega al fútbol.

LÉXICO

Deportistas

- natación - el / la nadador(a)
- atletismo - el / la atleta
- fútbol - el / la futbolista
- tenis - el / la tenista
- ciclismo - el / la ciclista
- baloncesto - el / la jugador(a) de baloncesto

3 A Observa el cuadro y completa los números que faltan.

Números a partir del 100

100 cien	300 trescientos	800 ochocientos	1200 mil doscientos
101 ciento uno	320 trescientos veinte	900 novecientos	2000 dos mil
102 ciento dos	400 cuatrocientos	1000 mil	100 000 cien mil
200 doscientos	500 quinientos	1001 mil uno	200 000 doscientos mil
201 doscientos uno	600 seiscientos	1002 mil dos	1 000 000 un millón
202 doscientos dos	700 setecientos	1100 mil cien	2 000 000 dos millones

B Lee esta información sobre los Juegos Olímpicos de Londres y escribe los números con letras.

Londres 2012
Las espectaculares cifras de los Juegos Olímpicos

10 863 atletas: **6040** hombres y **4823** mujeres

204 delegaciones olímpicas

25 récords olímpicos

2 000 000 de espectadores en pistas y estadios deportivos

900 000 000 de espectadores en la ceremonia de inauguración por televisión

4700 medallas

1 2025 récords olímpicos
2 204 delegaciones olímpicas
3 4700 medallas
4 10863 atletas: 6040 hombres y 4823 mujeres
5 2000 000 de espectadores en pistas y estadios deportivos
6 900 000 000 de espectadores en la ceremonia de inauguración por televisión

C (27) Escucha y comprueba.

LÉXICO

Acontecimientos deportivos

- el / la espectador(a)
- la delegación deportiva
- el estadio (de fútbol / olímpico)
- el récord
- la ceremonia de inauguración
- los Juegos Olímpicos
- (ganar) una medalla de oro / plata / bronce

4 Lee el siguiente texto sobre dos hermanas costarricenses muy famosas y complétalo con las palabras que faltan.

medalla • bronce • récords • natación • deportista

HERMANAS NADADORAS Y CAMPEONAS

Claudia Poll es costarricense y la primera (1) ~~récords~~ deportista en la historia de Costa Rica en ganar una (2) medalla de oro en su país en unos Juegos Olímpicos (Atlanta 1996) en la disciplina de 200 metros estilo libre de (3) natacin. Además, gana dos medallas de (4) bronce en las Olimpiadas de Sídney 2000 en la misma disciplina. Su hermana mayor, Sylvia Poll, gana para Costa Rica la primera medalla olímpica de su historia (plata) en Seúl 88. Claudia Poll es considerada la deportista más importante de la historia de Costa Rica y la nadadora latinoamericana más exitosa de todos los tiempos, con 144 (5) medallas.

Gustos

1 A Lee este foro, donde unos chicos hablan sobre sus deportes favoritos, y completa las frases con sus nombres.

1 A Daniel le gustan los deportes acuáticos.
2 A Teresa y a hugo les gustan los deportes individuales.
3 A Hugo le gusta jugar al tenis.
4 A Lucía le gusta mucho jugar con sus amigos.
5 A Lucía le gusta mucho jugar al fútbol.
6 A Hugo no le gusta ver deporte en la televisión.

Foro deportes / ¿Qué deporte practicas?

Lucía (Salamanca), 18 temas y 55 comentarios
Jugar al fútbol me gusta mucho porque se practica al aire libre. Pero la razón principal es porque juego con mis amigos y viajamos a otras ciudades los fines de semana. Nos encanta viajar en autobús.

Teresa (Sevilla), 11 temas y 47 comentarios
Me gusta muchísimo el atletismo porque es un reto individual. Todo depende de ti. No me gustan mucho los deportes de equipo y no me gusta nada el fútbol.

Hugo (Tarragona), 22 temas y 77 comentarios
Me gusta mucho hacer deporte, especialmente los deportes individuales, como el tenis o el atletismo. Ver deporte en la televisión no me gusta nada; bueno, a veces veo partidos de fútbol con mis amigos.

Daniel (Tenerife), 12 temas y 56 comentarios
A mí me gusta nadar. Durante el curso voy a la piscina y cuando empieza el buen tiempo me encanta ir a la playa. También me gustan otros deportes acuáticos: el submarinismo, el *windsurf*…

Avanza ¿Conoces alguna otra lengua con una estructura similar a la del verbo *gustar*?

B Marca la opción correcta en estas frases.

1 A mí me **gusta / gustan** escuchar música cuando corro.
2 A mis padres **le / les** gusta ver el tenis en la televisión.
3 Los deportes de equipo **nos / les** gustan a todos mis amigos.
4 A mi hermano no **le / les** gustan los deportes de equipo.
5 El fútbol y el baloncesto me **gusta / gustan** mucho.
6 A Sara **te / le** gusta practicar yoga.

C Ahora escribe tú sobre dos deportes que te gustan y dos que no.

GRAMÁTICA

El verbo *gustar*

(A mí)	me	
(A ti)	te	
(A él, ella, usted)	le	**gusta** el fútbol
(A nosotros/-as)	nos	**gustan** los deportes
(A vosotros/-as)	os	
(A ellos/-as, ustedes)	les	

***Me gusta** la natación. = La natación **me gusta**.*
*¿**Os gustan** los deportes? = ¿Los deportes **os gustan**?*

El verbo *encantar*

Funciona igual que el verbo *gustar*:
*A mi hermano **le encanta** el tenis.*
*A mis padres **les encantan** los deportes acuáticos.*

COMUNICACIÓN

Expresar gustos

☺☺☺☺ *Me gusta muchísimo. = Me encanta.*
☺☺☺ *Me gusta mucho.*
☺☺ *Me gusta bastante.*
☺ *Me gusta un poco.*
☹ *No me gusta.*
☹☹ *No me gusta nada.*

*El baloncesto **me encanta**, es mi deporte favorito, pero **no me gusta nada** el fútbol.*

2 A (28) Escucha estos diálogos y señala primero si a la segunda persona le gustan (SÍ) o no (NO) las actividades de las que habla la primera persona.

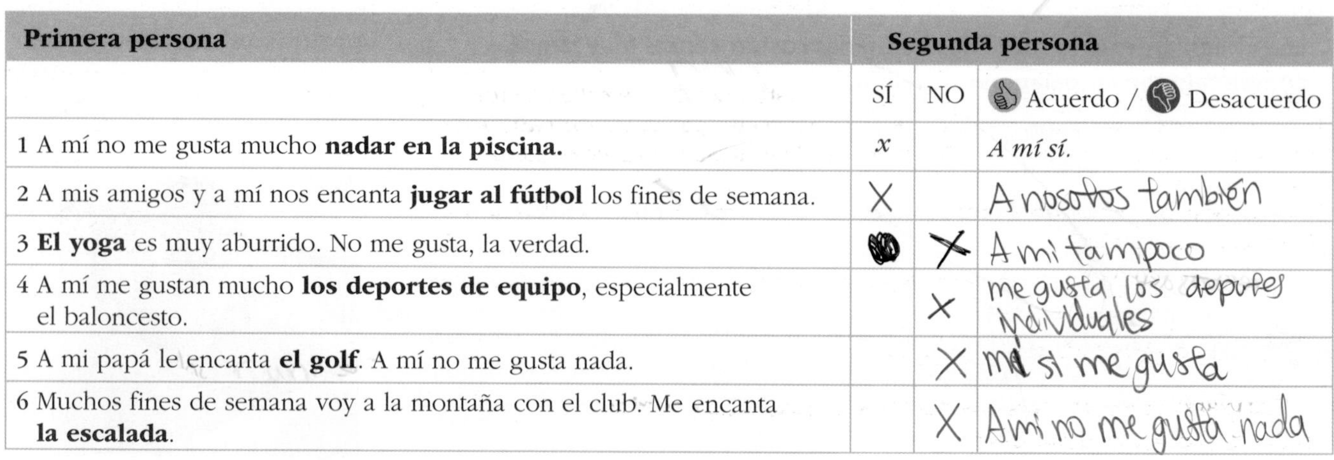

Primera persona	Segunda persona		
	SÍ	NO	Acuerdo / Desacuerdo
1 A mí no me gusta mucho **nadar en la piscina.**	*x*		*A mí sí.*
2 A mis amigos y a mí nos encanta **jugar al fútbol** los fines de semana.	X		A nosotros también
3 **El yoga** es muy aburrido. No me gusta, la verdad.		X	A mí tampoco
4 A mí me gustan mucho **los deportes de equipo**, especialmente el baloncesto.		X	me gusta los deportes individuales
5 A mi papá le encanta **el golf**. A mí no me gusta nada.		X	mí sí me gusta
6 Muchos fines de semana voy a la montaña con el club. Me encanta **la escalada**.		X	A mí no me gusta nada

B (28) **Ahora vuelve a escuchar los diálogos. ¿Cómo muestra la segunda persona de los diálogos anteriores acuerdo o desacuerdo? Elige la forma correcta y escríbela en la columna derecha de la tabla de la página anterior.**

A nosotros también | A mí tampoco | A mí sí (x2) | A mí no (x2)

C (29) **Escucha y reacciona con tu opinión personal.**

3 Comenta con un compañero tus gustos sobre los siguientes temas.

nadar • practicar deportes de equipo • ver deporte en televisión
ir al gimnasio • hacer deporte los fines de semana • ir al cine

- *A mí me gusta mucho hacer deporte los fines de semana.*
- *A mí no. A mí los fines de semana me gusta ir al cine.*

Avanza Dibuja un mapa mental con todo lo que te gusta (en un color) y lo que no te gusta (en otro color).

COMUNICACIÓN

Contrastar gustos

- A mí me gusta. 
A mí también.
A mí no.
- *A mí me gusta el esquí.*
- *A mí también.*

- A mí no me gusta.  
A mí tampoco. 
A mí sí.
- *A mí no me gusta nada el fútbol.* 
- *A mí tampoco.*

4 A Antes de leer el artículo, mira las fotos de Luisa, estudiante, y de su madre, profesora, e imagina qué cosas le gustan a Luisa (L) y a Aurora (A) o qué cosas les pueden gustar a las dos.

	L	A		L	A
1 la música clásica	X		7 la cocina	X	
2 la música latina		X	8 las motos		X
3 el cine romántico	X	X	9 visitar a la familia	X	
4 el cine de terror	X	X	10 tocar el piano	X	
5 el fútbol	X		11 ir de compras	X	
6 el tenis		X	12 hablar		X

B Ahora lee el siguiente artículo de una revista para estudiantes sobre sus gustos y comprueba tus respuestas.

Mi madre y yo

Me llamo Luisa y tengo 17 años. Mi madre se llama Aurora y tiene 42. En algunas cosas somos iguales, pero en otras somos diferentes. Por ejemplo, yo soy alta, rubia, llevo gafas y tengo los ojos azules; mi madre es alta y lleva gafas, pero es morena y tiene los ojos marrones. En cuanto a los gustos, yo voy a clases de piano y me encanta la música clásica, y mi madre va a clases de salsa porque le encanta la música latina. A veces, cuando vamos en el coche, tenemos problemas: ella siempre escucha música cubana y a mí no me gusta mucho. En los deportes también somos diferentes: a mi madre le gusta el tenis y yo juego al fútbol con el equipo de mi barrio. Otra diferencia importante: me gusta mucho cocinar y a mi madre no mucho. Mi padre y yo hacemos la comida los fines de semana. A mi madre le gustan las motos y la mecánica, pero no le gusta nada la cocina. También tenemos muchas cosas en común: nos encanta ir al cine y nos gustan mucho las películas románticas y de terror. Me encanta ir en moto con mi madre por la ciudad para ir de compras o visitar a la familia... Mi madre y yo hacemos muchas cosas juntas y hablamos mucho.
Para mí es más importante lo que tenemos en común que lo que nos diferencia. ¡Me encanta mi madre!

Luisa, 17 años

Aurora, 42 años

Repasa La descripción física en la unidad 2.

C Compara tus gustos con una persona de tu familia y escribe un texto parecido al anterior.

Concursos

1 A ¿Te gustan los concursos de televisión? ¿Cuáles son los más famosos que conoces? En grupos, haced una lista de concursos que conocéis y comentad si os gustan o no os gustan.

- *A mí me encanta* La Voz.
- *A mí también me gusta mucho.*

B Lee en este canal de televisión los concursos que se anuncian y relaciona las siguientes frases con el concurso correspondiente. Hay varias opciones.

- [ ] a Es necesario cantar bien.
- [ ] b Tienes que cocinar muy bien.
- [ ] c Tienes que tener buena memoria.
- [ ] d Es necesario ser creativo.
- [ ] e Tienes que ser delgado y alto.
- [ ] f Es necesario tocar un instrumento.
- [ ] g Tienes que saber muchas cosas de historia, arte, geografía, etc.
- [ ] h Es importante no ser tímido.

Conecta TV

SERIES | PROGRAMAS | EN DIRECTO | A LA CARTA

1 EN LA COCINA
Nuestra cadena de televisión busca al mejor cocinero. ¿Te gusta cocinar? ¿Eres creativo? Este es tu concurso. ¿El premio? ¡Dinero para abrir tu restaurante!

2 TU PÚBLICO
Un concurso de talentos musicales para buscar a cantantes, músicos y bailarines. Si te gusta cantar o bailar o tocas un instrumento de música, puedes participar. Te esperamos.

3 MODELOS
¿Te gusta la moda? ¿Eres fotogénico? ¿Sabes andar con elegancia? En nuestro concurso los participantes pasan muchas pruebas para conseguir ser el mejor modelo del país.

4 ¿PREPARADO PARA GANAR?
Concurso de cultura donde se hacen preguntas de cultura general y, después, de temas específicos. ¡La suerte es un componente muy importante!

Avanza ¿Qué otros adjetivos puedes añadir a la estructura *ser* + adjetivo? Escribe ejemplos.

2 A (30) Escucha a Javier, ganador del concurso musical de televisión *Tu público*, y completa con lo que él dice que se necesita para participar en el concurso.

- Tienes que ______________________
- Es necesario ______________________
- Es muy importante ______________________

LÉXICO

La competición

- **competir / concursar / participar**
  Si te gusta ***competir****, puedes* ***participar*** *en nuestro concurso.*
- **ganar / perder / empatar**
  Málaga, 2; Sevilla, 1; ***gana*** *el Málaga.*
  Málaga, 2; Sevilla, 1; ***pierde*** *el Sevilla.*
  Málaga, 2; Sevilla, 2; ***empatan*** *los dos equipos.*
- **preguntar = hacer / responder una pregunta**
  El presentador ***pregunta*** *y el concursante* ***responde****.*

COMUNICACIÓN

Expresar obligación y opción

- ***Tener*** **+ *que* + infinitivo:**
  *¿****Tienes que*** *practicar mucho para ganar?*
  Siempre ***tenéis que*** *seguir las reglas.*
  Los concursantes no ***tienen que*** *hacer una entrevista.*

- ***Es*** **+ adjetivo + infinitivo:**
  Es *importante ser abierto / simpático / valiente.*
  No ***es*** *necesario tocar un instrumento.*
  Es *obligatorio tener 18 años.*

B **En parejas, escribid una pequeña descripción de un concurso y sus reglas.**

Nombre ______	Reglas		
Descripción ______	- Tienes que ______	- Es necesario ______	- Es obligatorio ______

3 A ¿Cuál es tu opinión sobre los concursos de belleza?

B Lee el texto, ¿cuáles son los requisitos más importantes?

Karina Ramos, **Miss Costa Rica**,
se prepara para ganar el título de Miss Universo

«Todos los concursos requieren cosas diferentes: no es la misma preparación para Miss Universo que para ser la reina de la belleza de un país. El nivel de competencia es distinto porque el concurso de Miss Universo es el más importante y es necesario prepararse extremadamente bien», comenta la miss en una entrevista para nuestra revista. Además, añade que lo importante es «estar en buena forma, cuidar de tu cuerpo, saber posar para fotos, andar con elegancia por la pasarela y, por supuesto, saber contestar a las preguntas de forma inteligente».

Extraído de http://www.eldiariony.com

C En grupos, comentad estas preguntas: ¿son importantes o populares este tipo de concursos en tu país?; ¿conoces concursos de belleza para hombres o para niños?; ¿cuáles crees que son los requisitos más importantes?

4 A Lee estas frases sobre otro concurso que se llama *Palabras*. Clasifícalas en la siguiente tabla en obligatorias u opcionales.

Los concursantes...
- no pueden ser menores de 18 años.
- tienen que mandar una foto y sus datos personales.
- tienen que escribir con la razón para concursar.
- pueden escribir una carta o un correo electrónico.

Para los concursantes...
- es importante conocer mucho vocabulario.
- no es necesario, pero sí importante, ser original, creativo.
- en caso de no saber más respuestas, no pueden ayudarse el uno al otro.

Obligatorio	Opcional
Los concursantes no pueden ser menores de 18 años.	

B (31) Ahora escucha un fragmento del concurso *Palabras*. ¿Qué otras dos reglas no aparecen en el ejercicio 4A?

C Estas son más preguntas para el concurso *Palabras*. ¿Podéis seguir jugando en grupos de cuatro? Podéis inventar nuevas preguntas.

- Un minuto para decir países donde la lengua oficial es el español.
- Un minuto para decir objetos de la clase.
- Un minuto para decir verbos irregulares en presente.
- Un minuto para decir nombres de servicios públicos.
- Un minuto para decir palabras relacionadas con la familia.
- Un minuto para decir palabras que empiezan por *R*.

5 (32) Mira y escucha estas palabras. Marca si oyes un sonido fuerte (F) o suave (S).

1 cojín *F*	5 antiguo ☐	9 gordo ☐	13 trabajo ☐
2 gafas *S*	6 guitarra ☐	10 joven ☐	14 general ☐
3 espejo ☐	7 hijo ☐	11 jueves ☐	15 conseguir ☐
4 segundo ☐	8 ningún ☐	12 ganar ☐	16 debajo ☐

Repasa Las palabras de este ejercicio son palabras de unidades anteriores. ¿Te acuerdas de lo que significan?

ORTOGRAFÍA Y PRONUNCIACIÓN

G / J

- Se pronuncian de forma diferente cuando van con las vocales ***a, o, u***:
  ***ga**nar, ha**go**, **gu**star* (sonido suave)
  ***Ja**vier, me**jo**r, **ju**gar* (sonido fuerte)
- ***G*** se pronuncia igual que ***J*** (sonido fuerte) cuando va seguida de las vocales ***e, i***:
  ***ge**nte / a**je**drez*
  *ele**gi**r / **ji**rafa*
- En los grupos ***gue*** y ***gui*** la ***u*** no se pronuncia y la ***G*** se pronuncia con un sonido suave:
  gui**tarra, consi**gue

Costa Rica

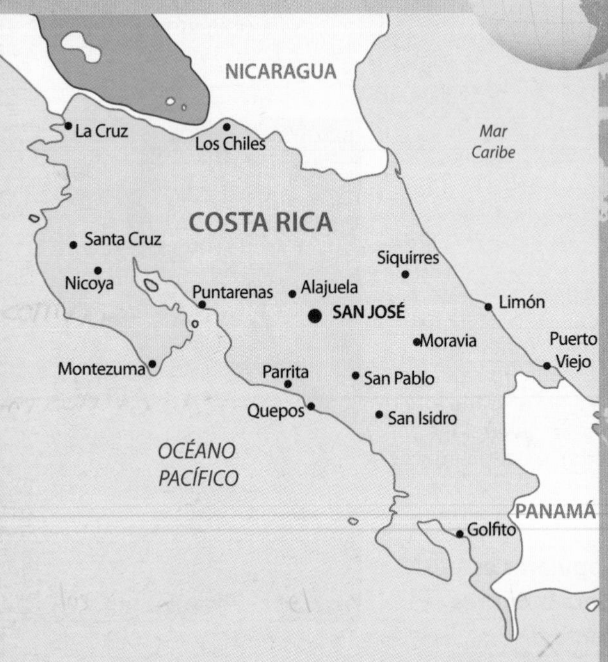

1 **¿Qué sabes de Costa Rica? Empareja los elementos de estas dos columnas y después relaciónalos con las fotografías. ¡Cuidado, sobran tres!**

☐ una carretilla	de ojos rojos
☐ un plato	de aventura
☐ una joven	del mar Caribe
☐ una planta	de colores
☐ un deporte	de café
☐ un volcán	del país
☐ una playa	de gran altura
☐ una rana	de gallo pinto
☐ el eslogan	de etnia bibri

2 **Elige cinco palabras y construye frases sobre Costa Rica. Puedes buscar información en internet.**

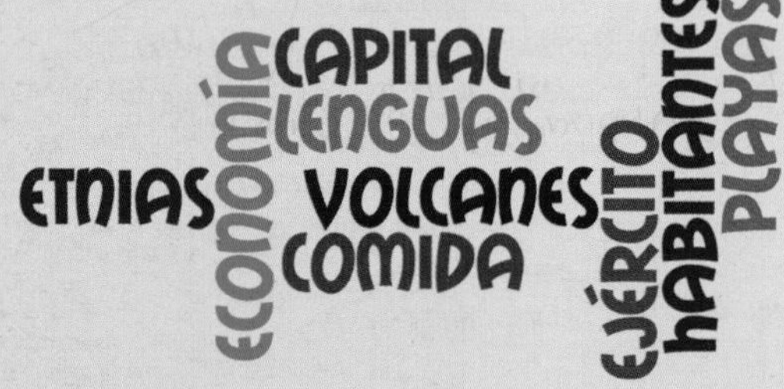

3 **Lee en la siguiente página el extracto de un folleto sobre Costa Rica y relaciona estas frases con los siguientes deportes. Hay varias opciones.**

Surf • *Windsurf* • Submarinismo • Motos acuáticas • Tirolina

1 Puedes disfrutar de la naturaleza. ____________
2 Practicas este deporte en los árboles. ____________
3 Puedes ver animales. ____________
4 Es necesario hacer este deporte con una vela. ____________
5 Tienes que estar en el agua. ____________
6 No puedes tener miedo a las alturas. ____________
7 Estás en un bosque. ____________
8 Es un deporte muy ruidoso. ____________

ECOTURISMO

Deporte, aventura y cuidado de la naturaleza

El ecoturismo es un nuevo tipo de turismo que cuida la naturaleza, diferente al turismo tradicional. Costa Rica es el país ideal para practicar este tipo de turismo.

Costa Rica es un destino mundialmente famoso para practicar el surf. En Tanato, en la costa del Caribe, así como en el Pacífico Central, Sur y Norte, hay más de 200 playas donde practicar el surf.

El submarinismo es una de las actividades favoritas para los turistas que nos visitan de todo el mundo. En Costa Rica tienes la posibilidad de ver animales grandes, como tiburones, tortugas marinas, arrecifes de coral y peces de arrecife de varios tipos.

También puedes practicar el *windsurf,* sobre todo en el Lago Arenal y en el Pacífico Norte, en la zona de Bahía Bolaños y Cuajiniquil, porque hay una fuerte y constante presencia de vientos ideales para practicar este deporte todo el año.

En Monteverde, un destino turístico importante al norte de Costa Rica con una gran biodiversidad tropical, puedes practicar la tirolina. Es un deporte de aventura que combina adrenalina con la observación de la naturaleza en los bosques tropicales que abundan en nuestro país. Con cables de más de 80 metros y una altura de 140 metros. Tiene una distancia de casi 3 kilómetros y dura unas 3 horas.

Una actividad muy practicada en Costa Rica es ir en motos acuáticas. Hay diferentes opiniones sobre ellas: unos opinan que son muy ecológicas porque oxigenan el agua. Otros, que hacen mucho ruido y no son buenas para el medio ambiente. Pero seguro que es una experiencia emocionante en las bellas y tranquilas playas.

Mira estas fotos. ¿Representan los conceptos de competición, colaboración y triunfo? ¿Por qué?

1

2

3

4

Acción

En grupos pequeños, preparad un concurso de español.

1 Tenéis que preparar tarjetas. Podéis incluir los contenidos de las cuatro primeras unidades.
2 Escribid las preguntas en las tarjetas.
3 Mezcladlas.
4 Decidid las reglas del concurso. Por ejemplo: un tiempo límite, número de concursantes en el grupo, los puntos, el premio, etc.
5 Formad equipos. Es necesario también elegir un presentador.
6 Gana el equipo que tiene más puntos.

Palabras que empiezan por A

Nombres de deportes

Nombres de lugares públicos

Adjetivos de carácter

Actitudes y valores

Marca la opción apropiada.

	siempre	a veces	nunca
- Practico deporte.	☐	☐	☐
- Respeto las reglas del juego.	☐	☐	☐
- En los deportes de equipo trabajo para el grupo.	☐	☐	☐
- Para mí es más importante participar que ganar.	☐	☐	☐

Reflexión

- **¿Los deportistas de élite son un ejemplo a seguir?**
- **¿Por qué tienen tanto éxito los concursos de televisión?**
- **¿Es necesaria la competición en nuestras vidas? ¿Es siempre buena la competición?**
- **¿Todo es positivo en el deporte?**

6 Nutrición

- Hablar sobre comidas y bebidas
- Describir hábitos alimenticios
- Pedir en un establecimiento de comidas
- Organizar un concurso de cocina
- Reflexionar sobre tipos de comida diferentes
- País: España
- Interculturalidad: La influencia de la cultura en la dieta
- Actitudes y valores: Respetar la diversidad en la alimentación

1 ¿Qué te gusta comer? ¿Eres alérgico a algún alimento? ¿Hay algún alimento que no comes?

2 ¿Qué influencia de otras culturas hay en la comida de tu país?

3 Observa las fotografías: todos son platos de países hispanos excepto uno, ¿cuál es? ¿Sabes de dónde son estos platos?

4 Imagina que estás en un restaurante, ¿cuál de estos platos pides?

Comidas y bebidas

1 A Escribe al lado de cada alimento los artículos *el, la, los* o *las*.

1 la verdura
2 la fruta
3 el arroz
4 los cereales
5 el embutido
6 el agua
7 el pan
8 los huevos
9 los frutos secos
10 los legumbres
11 la leche
12 el zumo
13 las patatas
14 el pescado
15 la carne
16 el helado
17 el pastel
18 la pasta

B (33) Escucha y comprueba.

C Haz una lista con los alimentos que más te gustan y con los que menos te gustan. Después, compara tu lista con la de tu compañero.

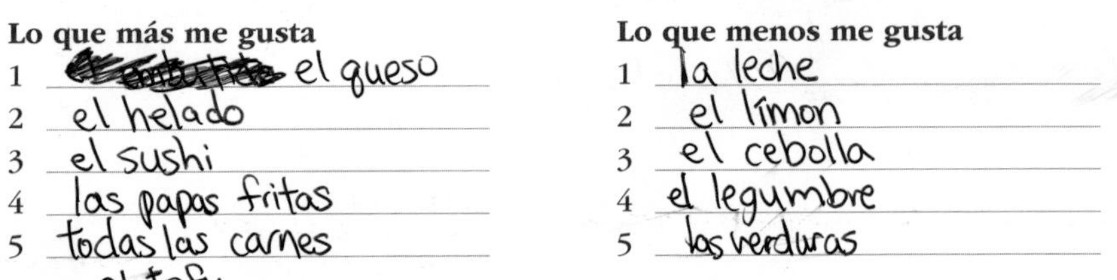

Lo que más me gusta	Lo que menos me gusta
1 el queso	1 la leche
2 el helado	2 el límon
3 el sushi	3 el cebolla
4 las papas fritas	4 el legumbre
5 todas las carnes	5 las verduras
el tofu	

Lo que más me gusta es el arroz, después la leche…
Lo que menos me gusta es el pescado…

Avanza Amplía tu lista con otros nombres de alimentos que te gustan.

2 A ¿Cuándo comes o bebes normalmente los alimentos del ejercicio 1A? Completa la siguiente tabla.

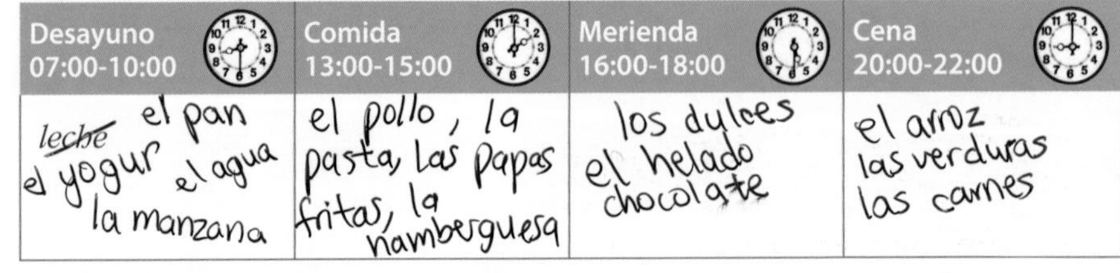

Desayuno 07:00-10:00	Comida 13:00-15:00	Merienda 16:00-18:00	Cena 20:00-22:00
el pan, el yogur, el agua, la manzana	el pollo, la pasta, las papas fritas, la hamberguesa	los dulces, el helado, chocolate	el arroz, las verduras, las carnes

B Comenta con tu compañero a qué hora desayunas, comes, meriendas y cenas.

Yo desayuno siempre a las siete y media. Como entre la una y media y las dos. No meriendo nunca porque ceno a las ocho. ¿Y tú?

Repasa Las horas, las expresiones de frecuencia y los verbos irregulares en presente en la unidad 4.

COMUNICACIÓN

Expresar preferencia

- ***Lo que más me gusta*** *es la leche.* ☺
- ***Lo que menos me gusta*** *son las patatas.* ☹
- *Mi comida* ***favorita*** *es la fruta.*
- *Mi comida* ***preferida*** *son los pasteles.*

LÉXICO

Las comidas del día

- el desayuno: desayunar
- el almuerzo*: almorzar
- la comida: comer
- la merienda: merendar
- la cena: cenar

* En España, el almuerzo es la comida a media mañana, entre el desayuno y la comida. En algunos países se utiliza *almorzar* en lugar de *comer*.

GRAMÁTICA

Los verbos *almorzar* y *merendar*

almorzar (o > ue)	merendar (e > ie)
alm**ue**rzo	mer**ie**ndo
alm**ue**rzas	mer**ie**ndas
alm**ue**rza	mer**ie**nda
almorzamos	merendamos
almorzáis	merendáis
alm**ue**rzan	mer**ie**ndan

3 A Marca si crees que estas recomendaciones sobre buenos hábitos alimenticios son verdaderas (V) o falsas (F).

Es recomendable:	**V**	**F**
1 Beber menos de seis vasos de agua al día.	☐	☒
2 Comer tres veces al día fruta.	☒	☐
3 Comer frutos secos entre tres y siete veces a la semana.	☒	☐
4 Tomar lácteos más de una vez al día.	☒	☒
5 Comer legumbres entre dos y cuatro veces a la semana.	☒	☐
6 Comer pasteles ocasionalmente.	☒	☐

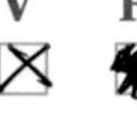

B Ahora lee esta infografía del Gobierno de España y comprueba tus respuestas.

Extraído de http://www.alimentacion.es

C Responde este test para saber si llevas una alimentación saludable según la pirámide de alimentación anterior.

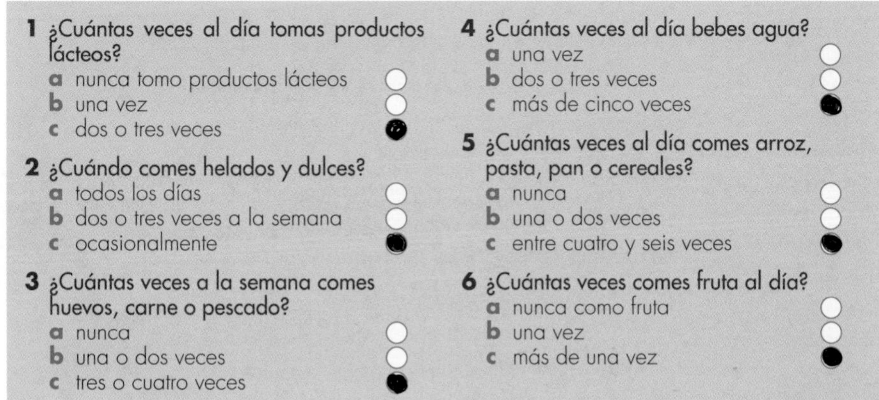

1 ¿Cuántas veces al día tomas productos lácteos?
- **a** nunca tomo productos lácteos ○
- **b** una vez ○
- **c** dos o tres veces ●

2 ¿Cuándo comes helados y dulces?
- **a** todos los días ○
- **b** dos o tres veces a la semana ○
- **c** ocasionalmente ●

3 ¿Cuántas veces a la semana comes huevos, carne o pescado?
- **a** nunca ○
- **b** una o dos veces ○
- **c** tres o cuatro veces ●

4 ¿Cuántas veces al día bebes agua?
- **a** una vez ○
- **b** dos o tres veces ○
- **c** más de cinco veces ●

5 ¿Cuántas veces al día comes arroz, pasta, pan o cereales?
- **a** nunca ○
- **b** una o dos veces ○
- **c** entre cuatro y seis veces ●

6 ¿Cuántas veces comes fruta al día?
- **a** nunca como fruta ○
- **b** una vez ○
- **c** más de una vez ●

Mayoría de respuestas *a*: no comes bien. Recuerda que es importante beber mucha agua, comer fruta y verdura, ¡y no comer muchos dulces y alimentos grasos! **Mayoría de respuestas *b*:** comes bastante bien, pero tienes que comer un poco mejor. **Mayoría de respuestas *c*:** ¡enhorabuena, comes muy bien!

COMUNICACIÓN

Expresar frecuencia

Una vez **Entre** dos veces **y** tres veces **Más de** tres veces **Menos de** cuatro veces	al año al mes a la semana al día

Otras formas: ***siempre, casi siempre, normalmente, generalmente, una vez, dos veces, tres veces, a veces, ocasionalmente, casi nunca, nunca.***

D En pequeños grupos, comentad el resultado del test. ¿Tu dieta es sana? ¿Qué tienes que cambiar en tu alimentación? ¿Quién come más sano?

- *Yo bebo poca agua y como muchos dulces. Como muy mal.*
- *Yo como muy bien: bebo agua seis veces al día o más y como cereales todos los días.*

Hábitos alimenticios

1 A (34) **Escucha un programa de radio y toma nota de las diferencias en los hábitos alimenticios en España, Argentina y México.**

	En España	En Argentina	En México
¿Qué se come?	carne, pescado, frutas y verduras, papas	el carne, pasta	tortillas, carne, frijoles, burritos
¿Qué se bebe?	el agua, el vino	el café similar el maté	jugos de frutas

B ¿Sabes qué se come o se bebe en estos países?

China • Italia • Estados Unidos • Rusia • Alemania • Turquía • Francia

En China se come mucho arroz…

Avanza Comenta con tus compañeros qué se come o se bebe en otros países.

COMUNICACIÓN

Expresar impersonalidad

Se utiliza la forma **se + 3.ª persona del presente de indicativo:**

*En la India **se come** mucho arroz.*
*En España **se comen** muchas ensaladas.*

2 A Mira el texto y, sin leerlo, decide qué tipo de texto crees que es.

- [ ] un blog
- [x] un artículo
- [ ] una receta
- [ ] una noticia
- [ ] una reseña
- [ ] un folleto

B ¿Qué características crees que tiene la dieta mediterránea? Coméntalo con tus compañeros y después lee el texto.

La dieta mediterránea

El origen de la palabra *dieta* procede del griego *diaita*, que significa 'estilo de vida equilibrada', y esto es la dieta mediterránea: una forma de comer y de vivir.
Es un estilo de vida que combina ingredientes de la agricultura local, las recetas de cada lugar, las comidas compartidas entre amigos y familia en las celebraciones y la práctica de ejercicio físico diario gracias al buen clima de la región.
La dieta mediterránea es una antigua herencia cultural de los pueblos de la zona del Mediterráneo, una combinación equilibrada y completa de los alimentos, basada en productos frescos, locales y de temporada.
Según el historiador griego Plutarco: «Los hombres se invitan no para comer y beber, sino para comer y beber juntos». En el Mediterráneo, cuando hablamos de sus productos básicos, como el trigo, la vid y el olivo (el pan, el vino y el aceite), así como las legumbres, las verduras, las frutas, el pescado, los quesos o los frutos secos, tenemos que añadir un condimento esencial: la sociabilidad.

Decálogo de la dieta mediterránea:

1 Se utiliza el aceite de oliva: es el aceite más utilizado en la cocina mediterránea. Es un alimento con propiedades cardioprotectoras[1].

2 Se consumen muchos alimentos de origen vegetal: frutas, verduras, legumbres y frutos secos, alimentos que ayudan a prevenir algunas enfermedades cardiovasculares[2] y algunos tipos de cáncer.

3 El pan y los alimentos procedentes de cereales (pasta y arroz, especialmente sus derivados integrales) forman parte de la alimentación diaria.

4 Los alimentos son frescos y de temporada[3].

5 Se consumen todos los días productos lácteos, principalmente yogur y quesos.

6 Se come carne roja en cantidades pequeñas y como ingrediente de bocadillos y platos.

7 Se come mucho pescado.

8 Se come fruta después de las comidas; los dulces y pasteles, solo ocasionalmente.

9 Se bebe agua siempre y también se bebe vino con moderación[4] y durante las comidas.

10 Se realiza actividad física todos los días.

¡Y lo más importante! Se come sentado a la mesa con la familia o con amigos y, después de comer, se habla relajadamente y se hace la sobremesa: esto es lo mejor de la comida.

[1] Protegen contra las enfermedades del corazón.
[2] Relacionadas con el corazón y con el aparato circulatorio.
[3] Alimentos que se producen en esa época del año.
[4] Sin exceso.

C Lee el texto otra vez y responde a las preguntas.

1 ¿Qué tiene de especial la dieta mediterránea?
2 ¿Cuáles son los alimentos básicos de la dieta mediterránea?
3 ¿Por qué es una dieta sana?
4 ¿Qué crees que es lo mejor de la dieta mediterránea?

3 A (35) Juan quiere preparar un gazpacho y le pregunta a su amiga Carmen qué ingredientes necesita. Escucha la conversación y señala los ingredientes que escuchas. ¿Qué ingrediente no se menciona?

Ingredientes para hacer gazpacho andaluz

(para cuatro personas)

- ☐ 1 kilo de tomates maduros
- ☐ 1 pimiento verde (unos 60 gramos)
- ☐ 1 pepino (unos 250 gramos)
- ☐ 1 trozo de cebolla (unos 100 gramos)
- ☐ 1 diente de ajo
- ☐ 3 cucharadas de aceite de oliva
- ☐ 3 o 4 cucharadas de vinagre
- ☐ 1 cucharada pequeña de sal
- ☐ 1 trozo de pan

B (35) Vuelve a leer los ingredientes anteriores y escucha otra vez. ¿Qué ingredientes tiene que comprar Juan?

C Fíjate en cómo se hace un gazpacho. Relaciona las instrucciones con las imágenes.

Receta para hacer gazpacho andaluz

(para cuatro personas)

1 Se lavan los tomates, el pepino y el pimiento.
2 Se cortan los tomates y el pimiento.
3 Se pela el diente de ajo y se corta por la mitad.
4 Se pelan la cebolla y el pepino y se cortan en trozos.
5 Se echan todas las verduras en el vaso de la batidora.
6 Se añade la sal, el aceite, el vinagre, el trozo de pan y un poco de agua, y se bate.
7 Por último, se mete en la nevera y se toma muy frío. ¡Buen provecho!

D ¿Sabes preparar algún plato? Escribe la receta y los ingredientes que se necesitan.
Para preparar … se necesita…

E En grupos, leed las recetas de vuestros compañeros, ¿qué receta os gusta más?

Avanza Busca otras recetas en internet y anota nuevos verbos para dar instrucciones para cocinar.

LÉXICO

Medidas y cantidades

- **un kilo de** patatas
- **medio kilo de** tomates
- **250 gramos** (un cuarto de kilo) **de** azúcar
- **un litro de** aceite
- **un paquete de** legumbres
- **un trozo de** pan
- **un vaso de** agua
- **una cucharada de** sal
- **un diente de** ajo

Cocinar

- **cortar** los tomates
- **lavar** los pimientos
- **pelar** el pepino
- **batir** los huevos
- **añadir** la sal
- **echar** las verduras a la batidora
- **meter** el gazpacho en la nevera
- **mezclar** el huevo con las patatas
- **picar** la cebolla
- **freír*** el pescado

freír* es un verbo irregular: ***frío, fríes, fríe*, *freímos, freís*, ***fríen***

Comer fuera

1 A Imagina que estás en un restaurante en España. Lee el menú. ¿Conoces todos los platos? Escribe qué preguntas le haces al camarero para descubrir las cosas que no entiendes o quieres saber.

¿Qué es la dorada?

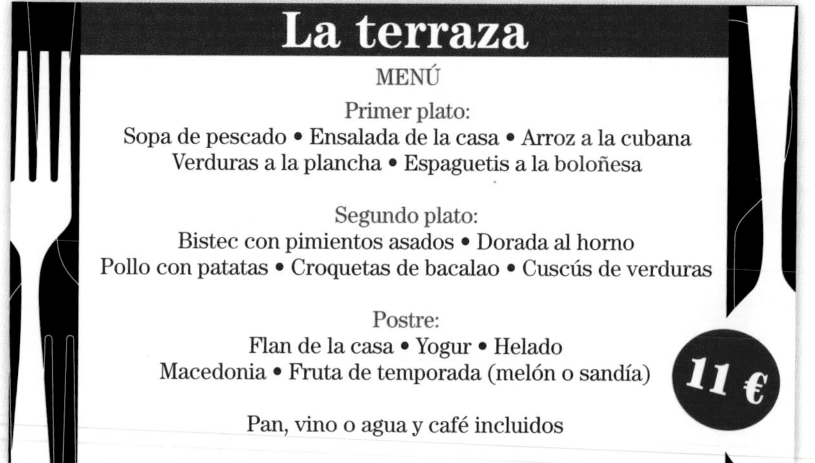

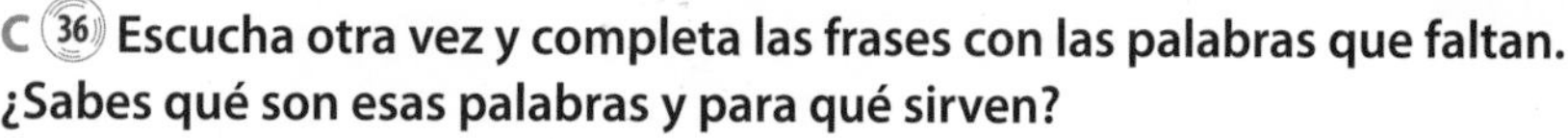

Avanza Confecciona un nuevo menú en una cartulina.

B (36) Bernardo y Lucía están en el restaurante. Escucha lo que piden y completa la tabla.

	De primero	De segundo	De postre	Para beber
Bernardo	sopa de pescado	Dorada al horno	[illegible]	agua con gas
Lucía	ensalada	Bistec con pimientos asados	Flan de la casa	agua sin gas

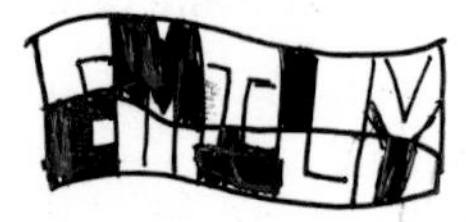

C (36) Escucha otra vez y completa las frases con las palabras que faltan. ¿Sabes qué son esas palabras y para qué sirven?

BERNARDO: ¿Cómo preparan la dorada?
CAMARERO: __La__ hacemos al horno.

* * *

LUCÍA: Y para mí, de segundo, el bistec con pimientos asados.
CAMARERO: ¿__Lo__ quiere muy hecho o poco hecho?
LUCÍA: __Lo__ quiero muy hecho.

Repasa Las formas verbales de *tú* y *usted* en la unidad 1.

D (37) Escucha y anota qué piden después de comer.

COMUNICACIÓN

Pedir información en un restaurante

- ¿**Qué es** la dorada?
- Un pescado.

- ¿**Qué lleva** la ensalada?
- Lechuga, tomates, aceitunas y cebolla.

- ¿La dorada **es** carne?
- No, es pescado.

- ¿**Lleva** cebolla la ensalada?
- Sí, y tomates, aceitunas y lechuga.

- ¿**Cómo preparan / hacen** la dorada?
- Al horno.

Pedir en un restaurante o en un bar

- ¿Qué desea(n)?
- **Para mí, de primero,** una ensalada.
- **Yo quiero** la sopa de pescado.
- Y, **de segundo**, la dorada al horno.

Después de comer

- **De postre,** un flan, **por favor**.
- ¿**Me pone** un café con leche, **por favor**?
- ¿**Me trae** la cuenta, **por favor**?

GRAMÁTICA

Los pronombres de objeto directo (OD)

	singular	plural
masculino	lo	los
femenino	la	las

- ¿Cómo preparan la carne?
- **La** hacemos a la parrilla.

- ¿Cómo quiere el pollo?
- **Lo** quiero con patatas.

- ¿Y las patatas?
- **Las** quiero con mayonesa.

- ¿Cómo quieren los cafés?
- **Los** queremos solos.

El verbo *querer*

(yo)	qu**ie**ro
(tú)	qu**ie**res
(él, ella, usted)	qu**ie**re
(nosotros/-as)	queremos
(vosotros/-as)	queréis
(ellos/-as, ustedes)	qu**ie**ren

2 A Ordena el diálogo entre un cliente y un camarero.

- [3] a Muy bien, ¿y de segundo?
- [7] b Poco hecha, muy bien. ¿Y para beber?
- [1] c Hola, buenos días. ¿Qué desea?
- [4] d De segundo, me trae un bistec con patatas.
- [2] e De primero, quiero una sopa de pescado.
- [5] f ¿La carne la quiere muy hecha o poco hecha?
- [8] g Me pone un agua con gas.
- [6] h Poco hecha.

B En grupos de tres, practicad una conversación en un restaurante con el menú de la página anterior.

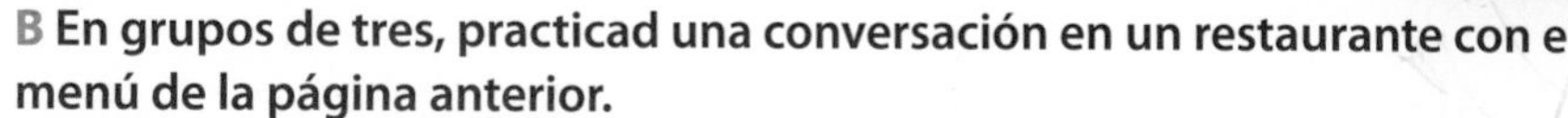

Avanza Podéis grabar en vídeo vuestra conversación y mostrarla a la clase.

3 Comenta con dos compañeros cómo comes o bebes los siguientes alimentos. Puedes marcar más de una opción.

1 Yo como la carne…
[x] a muy hecha [x] b poco hecha [ ] c no como carne

2 Yo como las patatas fritas…
[x] a con mayonesa [x] b con kétchup [x] c con sal

3 Yo como el pescado…
[x] a al horno [ ] b a la plancha [x] c crudo

4 Yo tomo el café…
[x] a con leche [ ] b solo [x] c con azúcar

5 Yo como los huevos…
[x] a fritos [x] b duros [ ] c no como huevos

6 Yo como el pan…
[x] a con mermelada [x] b con aceite [x] c con mantequilla

- *Yo como la carne poco hecha.*
- *Yo no como carne, soy vegetariano.*
- *Yo la como muy hecha.*

LÉXICO

Formas de cocinar

- pollo **al horno**
- verduras **al vapor**
- dorada **a la plancha**
- carne **a la parrilla**
- huevos **fritos**
- pescado **crudo**
- arroz **hervido**

Formas de comer y de beber

- el pan **con** mantequilla, mermelada, aceite, tomate
- las patatas **con / sin** mayonesa, kétchup, sal
- el agua **con / sin** gas
- el té **con / sin** azúcar, limón, leche
- el café **solo, caliente, frío (con hielo)**
- la carne **muy hecha, poco hecha**

4 ¿Sabes qué llevan los platos de la portada de la unidad? Escoge tres diferentes a tu compañero, escribe los ingredientes principales y después intercambia la información.

Alumno A – Ingredientes	Tortilla de patatas	Burritos	Ceviche
	-huevos -patatas -cellobas -aceite de oliva	-arroz -frijoles -lechuga -carne -queso -veduras	-pescado -cebolla -sal -pimiento -tomates

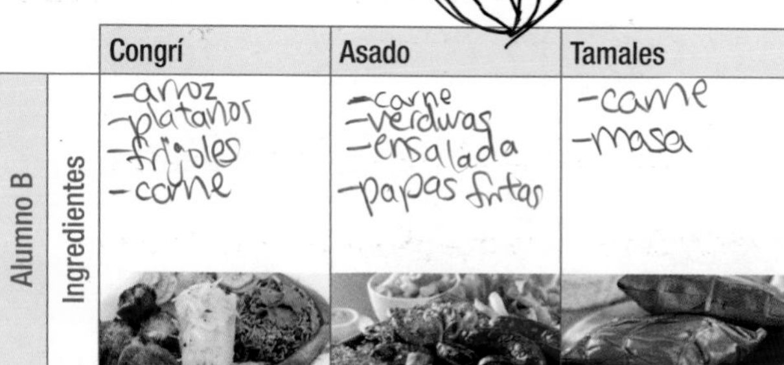

Alumno B – Ingredientes	Congrí	Asado	Tamales
	-arroz -platanos -frijoles -carne	-carne -verduras -ensalada -papas fritas	-carne -masa

La tortilla lleva…

5 A Completa las siguientes palabras con *ch* o *ll*.

1 po*ll*o
2 cevi*ch*e
3 *ch*urros
4 *ch*orizo
5 mantequi*ll*a
6 en*ch*ilada
7 bocadi*ll*o
8 cebo*ll*a
9 pae*ll*a
10 le*ch*e
11 *ch*ocolate
12 gazpa*ch*o

B (38) **Escucha y comprueba tus respuestas.**

ORTOGRAFÍA Y PRONUNCIACIÓN

Dígrafos

Las siguientes combinaciones de letras representan un sonido:

ch: *cucharada* ***ll:*** *cebolla*

España

1 Completa la información que falta sobre España. Puedes buscarla en internet.

España es un país que está en el suroeste de (1) __________, entre el océano Atlántico, el mar (2) __________ y la cordillera de los Pirineos. Tiene aproximadamente (3) __________ millones de habitantes y su capital es (4) __________. En España hay (5) __________ comunidades autónomas y (6) __________ lenguas oficiales: el castellano (también llamado español), el (7) __________ (9% de la población), el gallego (5% de la población) y el vasco (también llamado euskera, 1% de la población).

PESCADO FRITO
4 __________

PLATOS TÍPICOS

PAPAS ARRUGADAS CON MOJO
2 __________

ENSAIMADA
5 __________

COCIDO
1 __________

PAELLA
3 __________

CREMA CATALANA
6 __________

2 Las siguientes expresiones se dicen cuando alguien come (en catalán, en gallego y en euskera), ¿cómo se dice en español?

Bon profit! *On egin!*
Bo proveito! *¡Buen* ________!

3 Estos platos y postres son típicos de diferentes zonas de España. Mira el mapa y los números y anota en cada fotografía de qué comunidades autónomas son.

TARTA DE SANTIAGO
7 ________

FABADA
8 ________

BACALAO AL PIL PIL
9 ________

4 A Antes de leer unos fragmentos de noticias sobre la cocina española, comenta con tu compañero qué sabes sobre los siguientes temas.

LAS TAPAS | FERRAN ADRIÀ | JOSÉ ANDRÉS | LA COCINA CATALANA | LA COCINA VASCA

B Lee los siguientes textos. ¿Qué otras cosas sabes ahora de la cocina española?

La cocina española: ¿es la mejor del mundo?

Las exportaciones de comida española representan un 16% de las exportaciones totales de España. **1**

En países como Brasil, Polonia y Gran Bretaña, en los últimos cinco años los chefs españoles más famosos abren restaurantes en diferentes ciudades. **2**

El *New York Times* afirma que la cocina española es una tendencia importante gracias a sus sabores intensos y a la destreza técnica de sus principales chefs. **3**

El concepto de las tapas tiene un gran éxito en Estados Unidos gracias al conocido chef José Andrés. **4**

Las cocinas española, catalana y vasca están al mismo nivel que otras cocinas, como la francesa y la italiana. En la lista de los 10 mejores restaurantes del mundo, tres de ellos son españoles. **5**

6 Las tapas se ponen de moda en todas las capitales del mundo.

El éxito de la comida española en los últimos años se debe a la evolución del sector gastronómico en España –una cocina moderna, construida sobre la tradición y los productos frescos de primera calidad–, y a la fama internacional del cocinero Ferran Adrià y de muchos otros. **7**

La comida española, líder de la cocina mundial. **8**

C ¿Hay algún restaurante español en tu ciudad?

Acción - Reflexión

Mira estas fotos: ¿dónde comen estas personas? Y a ti, ¿dónde te gusta comer cuando viajas a otro país?

1

2

3

4

Acción

A Vais a hacer un concurso de cocina. En parejas, preparad un menú y presentadlo a la clase.

1 Imaginad que preparáis una comida para unos invitados muy especiales.
2 Pensad en tres platos (primero, segundo y postre).
3 Buscad información en internet.
4 Presentad vuestros platos a la clase (podéis utilizar imágenes): ingredientes que llevan, nacionalidad de los platos, características especiales...
5 Votad a la mejor pareja de chefs de la clase, entre 1 (-) y 10 (+).

B ¿Cuál es el menú más votado?

Actitudes y valores

Tu compañero propone un menú con platos que no comes nunca. ¿Cómo reaccionas?

a Lo acepto, pero no me gusta.
b Lo acepto porque todos tenemos gustos distintos.
c No lo acepto.

Reflexión

- **¿Crees que hay una relación entre comida y cultura?**
- **¿Tiene la comida la misma importancia en todas las culturas?**
- **¿De qué otras culturas tiene más influencia la comida de tu país?**

7 Diversión

- Hablar sobre planes e intenciones
- Invitar y quedar
- Opinar y mostrar acuerdo o desacuerdo
- Escribir un correo electrónico
- Reflexionar sobre qué es la diversión
- Países: Cuba y la República Dominicana
- Interculturalidad: La diversión en distintas culturas
- Actitudes y valores: Valorar el uso de internet

1 ¿Cuáles de estas fotografías asocias con la palabra "diversión"?

2 Valora del 1 al 6 lo que más te gusta hacer.

3 ¿Con quién te gusta hacer las actividades anteriores?

Hacer planes

1 A ¿Cuáles de todos estos temas asocias con Cuba? Coméntalo con tus compañeros.

- músicos en la calle
- béisbol
- ruinas arqueológicas
- zumos de frutas
- gente alegre
- atletismo
- baile
- casas de colores
- tango
- playas con palmeras
- coches de los años cincuenta
- pirámides
- clima tropical
- tacos y nachos
- fútbol
- salsa

● *Yo creo que en Cuba juegan mucho al béisbol.*
■ *¿Sí? ¿No practican mucho atletismo?*

B (39) Cristina y Álex están de vacaciones en Cuba visitando a su amigo cubano Rodrigo, que les propone planes para el fin de semana. Lee y escucha su conversación. ¿Qué deciden hacer el fin de semana?

	Actividades que realizan
1 El sábado durante el día...	*Pasear por el Malecón*
2 El sábado por la noche...	
3 El domingo por la mañana...	
4 El domingo por la tarde...	
5 El domingo por la noche...	

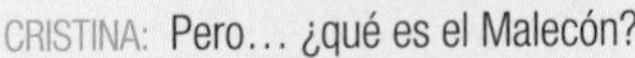

RODRIGO: Tengo varias ideas para este fin de semana. ¿Qué les parece si el sábado paseamos por el Malecón? Es un lugar muy especial.
CRISTINA: Pero... ¿qué es el Malecón?
RODRIGO: Es un paseo al lado del mar donde siempre hay mucha gente joven.
ÁLEX: A mí me gusta la idea, tengo muchas ganas de pasear...
CRISTINA: Sí, a mí también me parece bien ir al Malecón.
RODRIGO: ¿Y si vamos a bailar por la noche? Hay dos conciertos el sábado, uno de salsa y otro de *hip hop*.
ÁLEX: Yo prefiero el de salsa; es más cubano, ¿no?
CRISTINA: Sí, a mí también me apetece más el concierto de salsa.
RODRIGO: De acuerdo, pues llamo a unos amigos y vamos al concierto.
ÁLEX: ¡Estupendo!
CRISTINA: Sí, sí, me apetece mucho...
ÁLEX: ¿Y el domingo?
RODRIGO: ¿Por qué no vamos a la exposición de Mario David por la mañana? Es un artista cubano muy interesante...
CRISTINA: No sé, las exposiciones me parecen aburridas. Yo prefiero pasear por el centro de La Habana.
RODRIGO: Bueno, por la mañana podemos ir a la exposición y por la tarde vamos de paseo. Y por la noche, podemos salir a cenar.
ÁLEX: Me gusta la idea, pero podemos cenar en casa y después salimos.
RODRIGO: OK, ya está. Tenemos el fin de semana organizado.

Repasa El uso de *gustar* y *encantar* en la unidad 5.

C Vuelve a leer la conversación y subraya las estructuras utilizadas para hacer o elegir una propuesta, en un color, y para aceptar o rechazar una propuesta, en otro color.

D ¿Y tú qué planes tienes para el próximo fin de semana? Haz una lista y luego haz propuestas a un compañero.

● *El sábado por la mañana podemos ir de compras.*
■ *Me parece bien. ¿Y si después comemos una* pizza *en el nuevo restaurante italiano?*
● *Yo prefiero ir al mexicano. Me encantan los burritos.*

COMUNICACIÓN

Hacer planes

Hacer una propuesta:
- *¿**Por qué no** vamos a la exposición?*
- *¿**Y si** vamos a bailar por la noche?*
- *¿**Qué les parece** si (el sábado) paseamos por el Malecón?*
- ***Podemos** ir a la exposición.*

Aceptar:
- ***Me gusta la idea de** ir a dar un paseo.*
- ***Me apetece mucho** ir al concierto.*
- ***Me parece bien** ir al Malecón.*
- ***Tengo** (muchas) **ganas de** pasear.*
- ***De acuerdo / Vale / Estupendo / Muy bien / OK.***

Rechazar:
- ***No tengo** (muchas) **ganas de** pasear.*
- ***No me apetece** ir al concierto.*
- ***Me parece** (un poco) **aburrido** ir a la exposición.*

Elegir o hacer una propuesta alternativa:
- *Yo **prefiero*** el concierto de salsa.*
- ***Me apetece más** el concierto de salsa.*
- ***Sí, pero podemos** cenar en casa.*

* El verbo ***preferir*** es irregular y funciona como los verbos **e > ie**: *prefiero, prefieres, prefiere, preferimos, preferís, prefieren.*

GRAMÁTICA

Los verbos valorativos

- Se utilizan para expresar gustos, intereses u opiniones: ***gustar, encantar, interesar, apetecer, parecer.***
- Van siempre acompañados de un pronombre y con el verbo en tercera persona del singular o del plural:
  *¿**Te gusta** la idea de ir al cine?*
  *A nosotros **nos apetece** más pasear.*
  *¿Qué **le parece** visitar una exposición?*
  *Los deportes de aventura **me encantan.***

2 A ¿Qué sabes sobre la República Dominicana? Coméntalo con tus compañeros.

Está en el Caribe.

B Claudia está en la República Dominicana de vacaciones y escribe un correo electrónico a su familia. Lee el correo y después contesta a las preguntas.

1 ¿Dónde está ahora?
2 ¿Adónde va después?
3 ¿Con quién está?

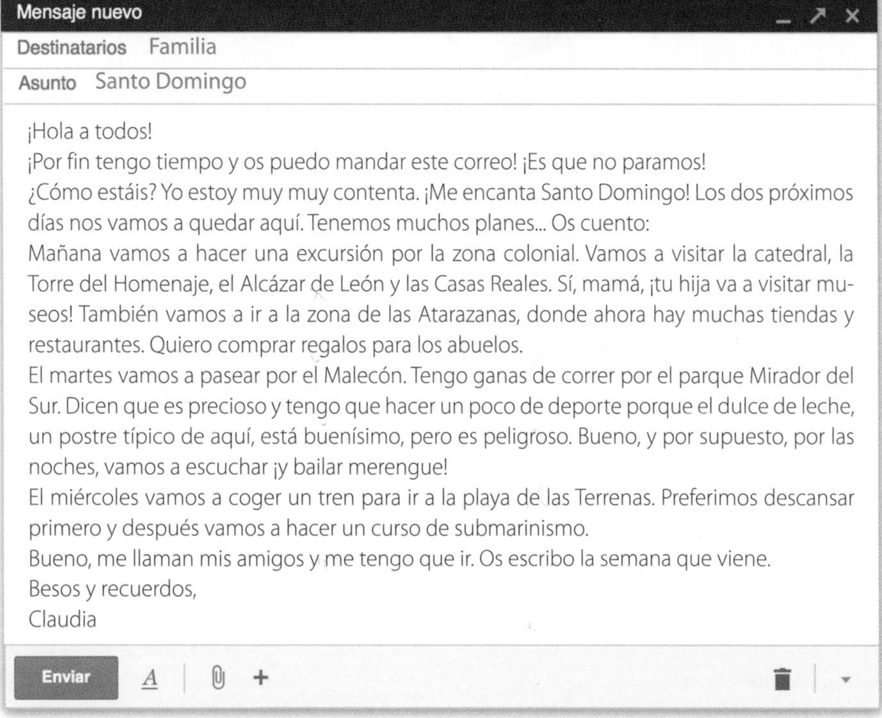

Mensaje nuevo

Destinatarios Familia

Asunto Santo Domingo

¡Hola a todos!
¡Por fin tengo tiempo y os puedo mandar este correo! ¡Es que no paramos!
¿Cómo estáis? Yo estoy muy muy contenta. ¡Me encanta Santo Domingo! Los dos próximos días nos vamos a quedar aquí. Tenemos muchos planes... Os cuento:
Mañana vamos a hacer una excursión por la zona colonial. Vamos a visitar la catedral, la Torre del Homenaje, el Alcázar de León y las Casas Reales. Sí, mamá, ¡tu hija va a visitar museos! También vamos a ir a la zona de las Atarazanas, donde ahora hay muchas tiendas y restaurantes. Quiero comprar regalos para los abuelos.
El martes vamos a pasear por el Malecón. Tengo ganas de correr por el parque Mirador del Sur. Dicen que es precioso y tengo que hacer un poco de deporte porque el dulce de leche, un postre típico de aquí, está buenísimo, pero es peligroso. Bueno, y por supuesto, por las noches, vamos a escuchar ¡y bailar merengue!
El miércoles vamos a coger un tren para ir a la playa de las Terrenas. Preferimos descansar primero y después vamos a hacer un curso de submarinismo.
Bueno, me llaman mis amigos y me tengo que ir. Os escribo la semana que viene.
Besos y recuerdos,
Claudia

Enviar

Catedral de Santo Domingo

Playa de las Terrenas

C Vuelve a leer el correo y ordena estos planes de Claudia en los tres días.

a Voy a ir a correr por el parque.
b Vamos a visitar la catedral.
c Vamos a descansar.
d Voy a visitar un museo.
e Vamos a coger un tren.
f Vamos a pasear por el Malecón.
g Vamos a escuchar y ¡bailar merengue!
h Vamos a hacer una excursión.
i Voy a ir a comprar regalos.
j Vamos a hacer un curso de submarinismo.

Noviembre

lunes 15	martes 16	miércoles 17
1.º *h*	1.º ______	1.º ______
2.º ______	2.º ______	2.º ______
3.º ______	3.º ______	3.º ______
4.º ______		

Repasa La conjugación del verbo *ir* en la unidad 4.

D Ahora imagina que tú estás de vacaciones. Escribe un correo como el de Claudia a tu familia con tus planes.

Avanza Busca más información en internet sobre Cuba o la República Dominicana y escribe sobre tus planes de vacaciones en uno de los dos países.

COMUNICACIÓN

Hablar de planes

Ir + *a* + infinitivo:
*El sábado **voy a ir** a un concierto de rap.*

Expresar deseo o intención

Querer / Preferir / Tener ganas de + infinitivo:
- ***Quiero comprar** regalos para los abuelos.*
- ***Preferimos descansar** primero.*
- ***Tengo ganas de correr** por el parque.*

GRAMÁTICA

Marcadores temporales del futuro

- ***Mañana / Pasado mañana** vamos a hacer…*
- ***El (próximo) lunes / martes** quiero ir…*
- ***El lunes que viene** prefieren visitar…*

Invitar

1 A Lee la viñeta. ¿Qué crees que dice María Elena por teléfono?

B (40) Ahora escucha la conversación y di qué le propone María Elena a Raúl.

Avanza Explica la diferencia que hay entre *si* (condicional) y *sí* (afirmación).

C ¿Qué haces tú en estos casos? Comenta con un compañero.

1 Necesitas ropa nueva.
Si necesito ropa nueva, voy de compras con mis amigos o con mi madre. No me gusta ir sola.
2 No tienes planes para el fin de semana.
3 Tienes que comprar un regalo.
4 Quieres ir a bailar.
5 Tienes ganas de hacer una fiesta.
6 Te gusta un chico/-a de tu instituto.

COMUNICACIÓN

Expresar una condición

Si + presente, presente:
***Si quiero** ir al cine, **llamo** a mis amigos.*

2 A ¿Cómo te comunicas con tus amigos para invitarles a hacer algo? ¿Utilizas Facebook, el móvil, el correo electrónico...?

- *Yo, normalmente, escribo mensajes en Facebook.*
- *Pues yo utilizo...*

B Lee este mensaje del grupo de amigos de Facebook de Ana. ¿Quién acepta y quién rechaza su invitación?

Ana

Ana: Chicos, ¡no os lo vais a creer! Tengo tres entradas para el estreno de la última película de Bardem el viernes por la noche. ¿Quién quiere venir?

Susana: ¡Qué bien! ¡Gracias! Estoy sola este fin de semana, mis padres están en la montaña. Si quieres, puedes venir el viernes a dormir a mi casa después de la película.

Marina: Lo siento, no puedo. Es que el viernes voy a ver a mis tíos. ¡Vaya aburrimiento!

Luis: Me encantaría, pero hay una fiesta en el barrio y mi hermano toca con su banda en un concierto. Tengo que ir.

Toni: ¡Qué bueno! ¿A qué hora empieza la película? Podemos quedar por la tarde y después ir al cine.

COMUNICACIÓN

Invitar

Hacer un invitación:
¿Quieres / Te apetece **+ infinitivo?:**
- *¿**Quieres** venir el sábado de compras?*
- *¿**Te apetece** ir al cine?*

Aceptar una invitación:
- ***Vale / De acuerdo / Me parece bien.***
- ***¡Qué buena idea!***
- ***¡Qué bien!***
- ***¡Qué bueno!***

Rechazar una invitación:
- ***Lo siento, no puedo, es que** me voy.*
- ***Me encantaría, pero** tengo clase.*

Quedar
- ***¿Cómo quedamos?***
- ***Podemos quedar** en mi casa a las cuatro.*

C En pequeños grupos, haced un juego de rol. Enviad mensajes breves en papel, con invitaciones para el fin de semana, y aceptad o rechazad esas invitaciones.

¿Te apetece jugar al fútbol el sábado?

Avanza Os podéis también llamar por teléfono en lugar de enviar mensajes.

3 A ¿Te gusta el cine? ¿Qué tipo de películas ves normalmente? ¿De qué país? Comenta con un compañero.

A mí me gustan las películas románticas...

B Lee estas reseñas y completa la tabla.

	Mateo	*Quince años y un día*	*Corazón de león*
País			
Argumento			
Tipo de película			

«MATEO», de María Gamboa (colombiana)

Mateo es un joven de 16 años que cobra dinero a comerciantes de Barrancabermeja (Colombia) para su tío, un jefe criminal. Un día entra en un grupo de teatro para contar las actividades políticas de sus miembros a su tío. Es una película realista, los actores no son profesionales, sino habitantes de la zona. La directora comenta que el tema es la dignidad y que también quiere demostrar cómo el arte puede abrir los ojos a los jóvenes para no entrar en conflictos armados. «*Mateo* es un drama: es el reflejo del proceso colectivo del país en este momento.»

«QUINCE AÑOS Y UN DÍA», de Gracia Querejeta (española)

Es la historia de un adolescente conflictivo, con muchos problemas, sobre todo con su madre. Cuando es expulsado del colegio, se va a vivir una temporada a casa de su abuelo, un militar jubilado que vive en la costa de la Luz. La película es una mezcla de suspense, humor y drama que trata temas como la amistad y la familia.

LÉXICO

El cine

- películas (largometrajes): de ciencia ficción / de suspense / de humor / de acción / de terror / románticas / dramáticas / históricas...
- cortometrajes
- documentales: de viajes / de naturaleza / culturales...
- el actor / la actriz
- el director / la directora
- el argumento (la historia)
- la reseña

«CORAZÓN DE LEÓN», de Marcos Carnevale (argentina)

Es una comedia crítica. Un hombre y una mujer se conocen porque uno de ellos pierde el celular. Se gustan, pero hay un problema: él es mucho más bajo que ella. Este hecho es un inconveniente por los prejuicios de la sociedad, que cree que la mujer siempre quiere tener a su lado a un hombre alto.

C Vuelve a leer los textos y elige qué película prefieres. Coméntalo con tu compañero.

Yo prefiero ver Corazón de León *porque creo que puede ser muy divertida...*

D En parejas, escribid una pequeña reseña de otra película. Podéis incluir:

Nombre de la película | Tipo de película | Nombre del director y los actores | País | Argumento | ¿Qué es lo que más / menos os gusta de la película?

Dar opiniones

1 A (41) Escucha esta conversación entre dos compañeros de clase. ¿Qué frase resume mejor de lo que hablan?

1 Sara y Carlos están de acuerdo en que los estudios estresan mucho, pero Sara tiene soluciones para el estrés.
2 Sara y Carlos no están de acuerdo en que se puede reducir el estrés en los estudios.
3 Sara y Carlos no están de acuerdo en que los estudios producen tanto estrés.

B (41) Ahora, vuelve a escuchar. Dos de estas frases no aparecen en el diálogo, ¿cuáles son?

1 Pues sí, tienes razón, pero creo que todo es cuestión de organizarse. ☐
2 Pienso que organizarse no es tan importante. ☐
3 Me parece que tienes que aprender a relajarte. ☐
4 Estoy de acuerdo contigo, todo eso ayuda, pero es que estoy siempre cansado. ☐
5 Yo no estoy de acuerdo contigo, es imposible reducir el estrés. ☐
6 Es verdad, duermo pocas horas y juego mucho con el ordenador. ☐
7 Pienso que tienes que empezar a ser menos serio. ☐
8 Tienes razón, tengo que aprender. ☐

C Escribe tres opiniones sobre tus estudios o sobre tu instituto y léelas. Tu compañero va a mostrar acuerdo o desacuerdo. Después, él lee sus frases y tú reaccionas.

1 ______________________________

____

2 ______________________________

____

3 ______________________________

____

2 A (42) Escucha estas 10 palabras e indica si se pronuncian como /k/ o como /z/.

1 k / z	3 k / z	5 k / z	7 k / z	9 k / z
2 k / z	4 k / z	6 k / z	8 k / z	10 k / z

B (43) Ahora escucha estas otras palabras pronunciadas por diferentes hablantes y señala cuáles se pronuncian con seseo.

☐ concierto	☐ razón	☐ centro	☐ cine	☐ zapato
☐ hacer	☐ decir	☐ cena	☐ gracias	☐ zona

COMUNICACIÓN

Expresar opinión

- ***Pienso que*** *tienes que relajarte.*
- ***Me parece que*** *tienes que dormir más.*
- ***Creo que*** *ves demasiadas películas.*

Mostrar acuerdo y desacuerdo

Acuerdo total

- ***Tienes razón****, tengo que relajarme más.*
- *(Sí,)* ***Es verdad****, veo demasiadas películas.*
- *(Yo)* ***Estoy*** *(totalmente)* ***de acuerdo*** *contigo (con él, con ella, con vosotros).*

Acuerdo parcial

- ***Tienes razón****, tengo que relajarme más,* ***pero creo que****...*
- *(Sí,)* ***Es verdad****, veo demasiadas películas,* ***pero no estoy de acuerdo*** *en que...*
- *(Yo)* ***Estoy de acuerdo*** *contigo, hay que organizarse,* ***pero****...*
- ***En parte estoy de acuerdo*** *contigo,* ***pero****...*

Desacuerdo

- *(Yo)* ***No estoy de acuerdo****.*
- *(Yo)* ***Creo que no****.*

ORTOGRAFÍA Y PRONUNCIACIÓN

C / Z

- La letra **c** se pronuncia de dos maneras diferentes:
  - como **k** delante de **a, o, u** (*casa, miércoles, cuando*) o cuando va con otra consonante (*acción, crítica, actor*).
  - como **z** delante de **e, i** (*dulce, precioso*).
- La letra **z** se pronuncia siempre igual (con la lengua entre los dientes): *Atarazanas, zona, zumo.*
- En muchas partes de España, y prácticamente en todo Hispanoamérica, no hay sonido /z/, se pronuncia /s/: esto se llama **seseo**.

3 A En grupos, completad el mapa mental con palabras que asociáis con la diversión.

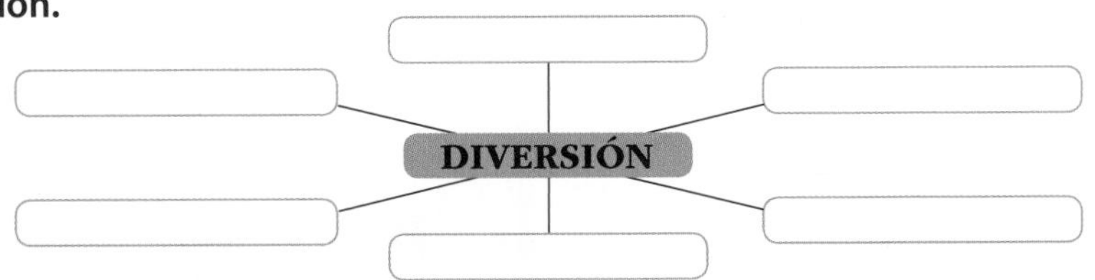

B Lee este artículo de una revista para jóvenes y relaciona las siguientes frases con el párrafo correspondiente.

A Hay cosas que son gratis y muy divertidas. ☐
B Hay muchos tipos de diversión. ☐
C La diversión es necesaria para poder trabajar. ☐
D Es necesario realizar pequeñas actividades, también en el trabajo. ☐
E Cuando nos divertimos, el tiempo pasa más deprisa. ☐

¿Es necesaria LA DIVERSIÓN?

1 La diversión es esencial en nuestras vidas porque el cuerpo y la mente necesitan descansar y recargar energías. Además, las pausas en el trabajo y el estudio son también muy importantes porque generan más productividad e inspiran la creatividad.

2 Hay muchas actividades que nos pueden ayudar a realizar un descanso divertido en nuestra rutina de trabajo o estudios, que de otra manera resulta muy aburrida. En muchas sociedades la vida es demasiado sedentaria y por eso necesitamos incorporar el movimiento para nuestra salud.

3 Estas actividades incluyen todo tipo de deportes o bailes, leer, ver películas, asistir a un concierto, jugar a videojuegos, hacer fotografía y todo tipo de actividades sociales, como chatear con los amigos, salir de compras, etc.

4 Por otra parte, la diversión cambia la percepción del tiempo. Cuando sentimos que el tiempo «vuela», es seguramente porque lo estamos pasando bien. En cambio, cuando nos aburrimos, pasa muy lentamente. Este proceso tiene lugar en el cerebro porque se estimula la amígdala (lugar donde residen las emociones) con la dopamina, una sustancia química que produce el cerebro.

5 Y no debemos olvidar que la diversión no tiene por qué costar dinero. Es verdad que hay lugares especiales de diversión, entre ellos están los parques de atracciones, que son caros, pero también podemos hacer actividades más baratas, o totalmente gratis, como ir a una playa, dar un paseo por el parque o quedar en casa con los amigos. Lo más importante es estar acompañado, no estar solo.

C Lee estas frases extraídas del texto anterior. Expresa acuerdo o desacuerdo y da tu opinión.

1 La diversión es esencial en nuestras vidas.
Estoy de acuerdo. Creo que divertirse es muy importante para sentirse feliz.
2 En muchas sociedades la vida es demasiado sedentaria y por eso necesitamos incorporar el movimiento para nuestra salud.
3 La diversión cambia la percepción del tiempo. Cuando sentimos que el tiempo «vuela» es seguramente porque lo estamos pasando bien.
4 Cuando nos aburrimos, (el tiempo) pasa muy lentamente.
5 La diversión no tiene por qué costar dinero.
6 Lo más importante es estar acompañado, no estar solo.

4 En grupos, vais a hablar sobre la importancia de la diversión. Tened en cuenta las sugerencias del cuadro de al lado. Estas son las preguntas:

1 ¿Qué es para ti la diversión?
2 ¿Qué cosas son divertidas?
3 ¿Qué te relaja más: leer o escuchar música?
4 ¿Cómo puedes reducir el estrés?
5 ¿Cuántas horas de sueño consideras lo mínimo para no estar estresado?
6 ¿Qué importancia tiene el sueño para estar relajado?

Recordad:

- ✓ Podéis anotar vuestras opiniones en el cuaderno.
- ✓ Es importante repasar las frases que vais a usar.
- ✓ Tenéis que hablar por turnos.
- ✓ Tenéis que escuchar a los demás y esperar vuestro turno para hablar.
- ✓ Debéis justificar vuestras opiniones.
- ✓ Debéis ser tolerantes con todas las opiniones.
- ✓ Si queréis, podéis elegir un moderador.
- ✓ Tenéis que mostrar acuerdo y desacuerdo con respeto.

Cuba
República Dominicana

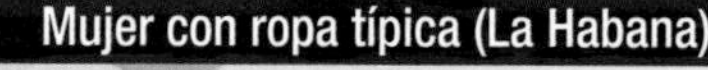
Mujer con ropa típica (La Habana)

Carnaval de la Vega (Rep. Dominicana)

Una playa caribeña

Alcázar de Colón (Santo Domingo)

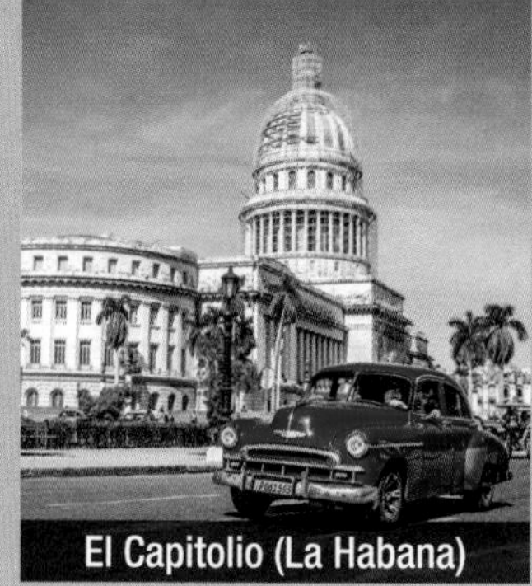
El Capitolio (La Habana)

Ámbar (Rep. Dominicana)

Músicos callejeros (Cuba)

El carabiné, baile típico (Rep. Dominicana)

1 ¿Con qué país o países relacionas las siguientes frases? ¿Con Cuba, con la República Dominicana o con los dos?

a Su capital es La Habana.
b Tiene playas preciosas.
c Es la isla más grande del Caribe.
d Forma parte, junto con Haití, de la isla de La Española.
e La mayoría de sus habitantes son de origen español y africano.
f El deporte más popular es el béisbol.
g Es el país de origen del merengue y la bachata.
h Nacido en Argentina, el *Che* Guevara es uno de los héroes y símbolos de este país.
i En este país viven los indios taínos, que son de origen precolombino.
j Es un gran destino turístico.
k Es el país de origen del son, el chachachá, el mambo, la guaracha y la salsa.
l Su capital es Santo Domingo.

	República Dominicana	Cuba	Los dos países
Frases			

2 **A ¿Qué ritmos caribeños conoces? ¿Te gustan? ¿Son populares en tu país? Lee la información sobre el merengue y completa estas frases.**

1 El merengue es el baile nacional de…
2 La cultura dominicana tiene influencias de los indios taínos, los europeos y los…
3 Todos los veranos en Santo Domingo se celebra…

CONTRA EL ESTRÉS... ¡EL MERENGUE!

La música es una de las características de los países caribeños, como las playas y el sol. Normalmente es muy bailable y divertida, y diferente en cada país. En la República Dominicana encontramos el origen de uno de los bailes más conocidos, el merengue, considerado el baile nacional.
El merengue se interpreta con tres instrumentos: el acordeón, la tambora y el güiro, que son la síntesis de las tres culturas dominicanas. La influencia europea está representada por el acordeón; la africana, por la tambora; y la taína o aborigen, por el güiro.
El Festival del Merengue se celebra cada año a finales de julio o principios de agosto en Santo Domingo, capital de la isla. Dura una semana y está dedicado exclusivamente al baile del merengue y a actuaciones musicales. Los autores más famosos son Wilfrido Vargas, Johnny Ventura y Los Hermanos Rosario y, más actualmente, Juan Luis Guerra.
Muchas de sus letras hablan de amor, de mujeres hermosas y, sobre todo, de diversión.

B En grupos, elegid otro ritmo caribeño: bachata, salsa, mambo, chachachá... Buscad la información en internet y escribid un pequeño texto para presentarlo oralmente. Podéis acompañar la presentación con fotos o diapositivas, y por supuesto… ¡con música!

3 **Busca en internet y escucha estas dos canciones. ¿Cuál prefieres? ¿Por qué?**

ES MERENGUE, NO ES MERENGUE, de Wilfrido Vargas

La la la la, la la la la.
La la la la, la la la la.
La la la la, la la la la.
La la la la.

Es merengue, no merengue.
Es merengue, no merengue.
Es merengue, no merengue.
Es merengue, ni un merengue.

Si tú bailas con este ritmo,
gozarás con sabrosura,
que este ritmo lo hemos hecho pa' bailar.
Si tú bailas con este ritmo,
gozarás con sabrosura,
que este ritmo lo hemos hecho pa' bailar.

(Merengue, República Dominicana)

DIVERSIÓN, de WDK

Diversión, solo quiero diversión,
lunes, martes, miércoles y jueves,
solo quiero diversión.
Yo no quiero estudiar
porque quiero merodear,
siempre en buscar de placer,
nada me quiero perder.
Donde sea que haya acción,
yo no pido lo mejor,
ahí es donde estaré.
¡Porque la diversión es mi primera ley!
¡Mi primera ley! ¡Mi primera ley!

Diversión, solo quiero diversión,
viernes, sábado y domingo.
Día y noche, solo quiero diversión,
y es la hora, sí señor, ya no puedo esperar.
Cualquier cosa puede ser, lo que sea viene bien,
en un kiosco o en un bar, o en la casa de papá,
una fiesta voy a hacer.
¡Porque la diversión es mi primera ley!
¡Mi primera ley! ¡Mi primera ley! ¡Mi primera ley!

(Ska, Argentina)

Acción - Reflexión

Observa estas fotografías. ¿Cuáles relacionas con el tema de la diversión y cuáles con el estrés o el aburrimiento? ¿Por qué?

Acción

Escribid un correo electrónico para invitar a estudiantes de otro instituto a hacer un intercambio de una semana en vuestra ciudad.

1 Buscad información en internet de las actividades que se ofrecen en vuestra ciudad.
2 Podéis tomar nota de algunas actividades e inventaros otras.
3 Estructurad la información en cada día de la semana.
4 Haced planes detallados con varias propuestas.
5 Incluid diferentes opciones por si vuestros invitados os ponen condiciones o prefieren hacer otra cosa.

Actitudes y valores

¿Cómo buscas información en internet?

	siempre	a veces	nunca
- Diferencio las fuentes de información de calidad.	☐	☐	☐
- Busco la información en español.	☐	☐	☐
- Contrasto varias fuentes para conseguir la información.	☐	☐	☐

Reflexión

- ¿Qué es la diversión?

- ¿Qué necesitas para divertirte?

- ¿Qué te divierte más?

8 Clima

- Hablar y preguntar sobre el tiempo
- Analizar el clima y su influencia
- Comparar lugares turísticos
- Redactar un artículo informativo
- Reflexionar sobre el clima y su influencia en la vida diaria
- País: Argentina
- Interculturalidad: El clima y su efecto en la cultura
- Actitudes y valores: Adaptarse y aceptar distintos puntos de vista

1 ¿Qué prefieres, el frío o el calor?

2 Mira las fotografías: ¿cuál prefieres y por qué?

3 ¿Qué estación del año te gusta más: el otoño, el invierno, la primavera o el verano? ¿Por qué?

4 ¿Con qué fotografía relacionas cada estación?

El tiempo

1 **A** **Mira la tabla e indica qué tiempo hace en cada estación en tu país o en tu ciudad. Hay muchas opciones.**

	¿QUÉ TIEMPO HACE EN...?			
	OTOÑO	INVIERNO	PRIMAVERA	VERANO
Nieva				
Hace / Hay viento				
Está nublado				
Hace sol				
Hay tormenta				
Llueve				
Hace buen tiempo				
Hace mal tiempo				
Hay niebla				
Hace frío				
Hace calor				

B **Compara algunas respuestas con tu compañero.**

- *En invierno hace mucho frío.*
- *Sí, y a veces nieva.*

C (44) **Escucha en la radio la previsión del tiempo en algunas capitales del mundo. Indica la opción correcta.**

Londres	Moscú	Bangkok	Lima
☐ a Hay tormenta	☒ a Nieva	☐ a Hace buen tiempo	☐ a Hace mal tiempo
☒ b Está nublado	☐ b Hace calor	☐ b Hace calor	☐ b Hace frío
☐ c Hace sol	☐ c Hace viento	☒ c Llueve	☒ c Hace sol

D **¿En qué meses comienzan en tu país las estaciones del año? ¿Sabes cuándo comienzan en Argentina?**

COMUNICACIÓN

Hablar del tiempo

- Se utilizan verbos impersonales como *llover* y *nevar*.
- También se utilizan verbos que funcionan como impersonales y solo se conjugan en la tercera persona del singular: *estar, hacer, haber.*

¿Qué tiempo hace?

Está	nublado
Hace	sol frío calor buen / mal tiempo viento
Hay	viento tormenta niebla
Llueve **Nieva**	bastante mucho poco

Cuando hablamos de la temperatura utilizamos:
- el verbo *estar* en primera persona del plural seguido de la preposición *a*:
  Estamos *a 10 grados.*
- el verbo *hacer* en tercera persona del singular:
  Hace *10 grados.*

LÉXICO

Las estaciones

- la primavera
- el verano
- el otoño
- el invierno

2 A Mira el mapa de la previsión del tiempo en Argentina y observa el cuadro de comunicación. Completa el texto con los siguientes conectores. although/even though

y (x2) • aunque • pero • también • además

La previsión para hoy

(1) Aunque por la tarde va a hacer sol, en el norte del país llueve (2) y hay tormentas en este momento. En el centro, hace buen tiempo, (3) pero está nublado en las regiones del oeste. (4) Ademas, hay niebla en estas regiones. En la Patagonia, en el sur del país, hay tormentas en Río Negro y (5) también en Chubut. En Santa Cruz está nublado (6) y hace sol en Tierra del Fuego.

Repasa Los conectores *y, pero, también* en la unidad 2, y los puntos cardinales en la unidad 3.

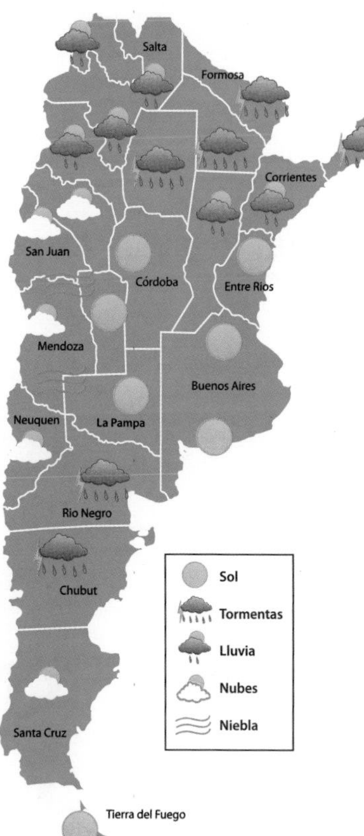

B (45) **Escucha y comprueba tus respuestas.**

COMUNICACIÓN

Conectores

- ***Además*** añade información (como ***también***): *Hace sol en Mendoza.* ***Además****, hace ¡mucho calor!*
- ***Aunque*** une dos oraciones con ideas opuestas o diferentes (como ***pero***): ***Aunque*** *hace sol en Buenos Aires en este momento, va a llover por la tarde.*

Glaciar Perito Moreno (Santa Cruz)

Quebrada de Cafayate (Salta)

3 A En parejas, elige un mapa. Tu compañero te va a hacer una pregunta para descubrir cuál es tu mapa.

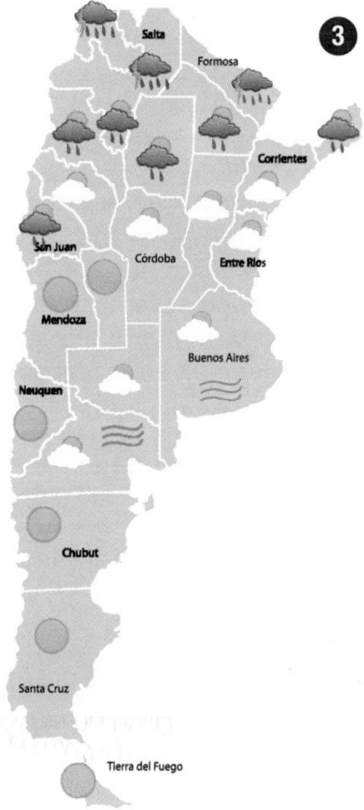

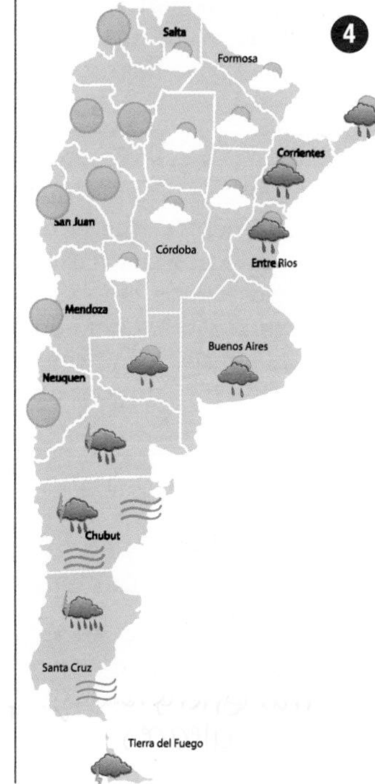

- *¿Hace sol en el norte?*
- *No.*

B Escribe la previsión del tiempo de hoy en tu país.

Avanza Graba un vídeo para la previsión del tiempo de tu país.

El clima en nuestras vidas

1 ¿Influye el clima en tu vida? ¿Cómo?

Cuando hace sol, estoy muy alegre y motivado...

2 A Lee este artículo sobre la influencia del clima en nuestras vidas y coloca los siguientes títulos en su lugar.

● EN LOS HÁBITOS ● EN LA SALUD ● EN EL ÁNIMO

LÉXICO

Estados de ánimo

- estar alegre / triste
- estar motivado/-a / desmotivado/-a
- sentirse guapo/-a
- estar / sentirse deprimido/-a

La influencia del CLIMA

1 El clima influye en el ánimo o en el humor de la gente. En primavera y en verano tenemos más energía, estamos más alegres y nos sentimos más guapos. En invierno somos más dormilones y estamos desmotivados. ¿Es eso cierto? ¿Cómo influye el clima en el comportamiento humano?

A  ánimo

2 Hay estudios que prueban que la luz solar influye en ciertas actividades del cerebro que se relacionan con el estado de ánimo de las personas: al disminuir la luz solar hay gente que se siente deprimida. Esto sucede con frecuencia en países de largos inviernos. Por otro lado, en países con climas tropicales la gente se siente más optimista, alegre y participativa.

B salud

3 La climatología médica es la ciencia que estudia la influencia que el clima tiene en los seres humanos, tanto por sus efectos terapéuticos como por sus posibles daños para la salud. La temperatura extrema y su combinación con la humedad y el viento exponen al cuerpo a enfermedades. Por ejemplo, enfermedades de la piel, dolores de cabeza, diarreas, asma, insomnio y otras.

4 Si hace calor, sudamos más, pero si hace frío, tenemos problemas respiratorios y circulatorios.
Si hay mucha humedad ambiental, podemos tener enfermedades como la artritis o la artrosis. Si la humedad es baja, produce sequedad de la piel y las mucosas. Si llueve o nieva, es positivo para la atmósfera porque se purifica el aire que respiramos.

C en los hábitos

5 La siesta es un hábito en muchos países donde el clima es cálido. Además, las tiendas tienen un horario partido, es decir, cierran al mediodía y abren sobre las 5 de la tarde. Las comidas al aire libre son muy habituales en países que disfrutan del sol y el calor.

Como podemos ver, el clima influye de manera importante en nuestras vidas.

B Lee el primer párrafo 1. ¿Cuáles son los dos adjetivos positivos y cuáles los dos negativos mencionados?

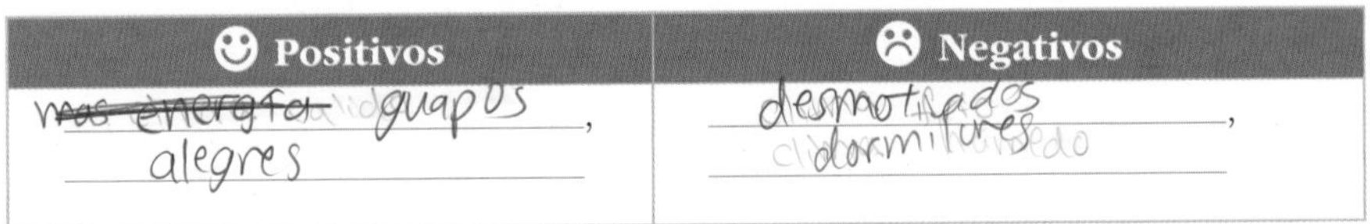

☺ Positivos	☹ Negativos
~~más energía~~ guapos,	desmotivados,
alegres	dormilones

C Lee el párrafo 2 y contesta a las preguntas con las palabras del texto.

1 ¿Cómo influye la luz solar en las personas?
2 ¿Qué sucede en países de largos inviernos?
3 ¿Cómo es, en general, la gente en los países de climas tropicales?

LÉXICO

Tipos de clima

- clima tropical
- clima cálido
- clima seco
- clima árido
- clima húmedo
- clima frío

*En el norte de Argentina el clima es **árido** en algunas regiones y muy **húmedo** en otras.*

D Lee el párrafo 3 y completa la tabla.

En la frase...	la palabra...	se refiere a...
"... por **sus** efectos..."	**sus**	*el clima*
"... y **su** combinación..."	**su**	su salud
"... dolores de cabeza, diarreas, asma, insomnio y **otras**..."	**otras**	enfermedades

E Lee el párrafo 4 y completa las frases utilizando las palabras del texto.

1 Hay problemas respiratorios y circulatorios si hace frío
2 Las enfermedades como la artritis o la artrosis pueden aparecer si hay mucha humedad ambiental
3 El aire se purifica si llueve o nieva.

Repasa La condición *si* + presente en la unidad 7.

F Lee el párrafo 5 y elige el significado de cada palabra.

1 Un hábito
- [x] a una costumbre
- [ ] b una celebración
- [ ] c una regla

2 Un horario
- [ ] a una comida
- [ ] b un clima
- [x] c el tiempo de trabajo

3 Habituales
- [ ] a extrañas
- [ ] b inusuales
- [x] c frecuentes

3 ¿Estás de acuerdo con el texto? ¿Cómo influye el clima en tu vida diaria?

Yo también tengo problemas respiratorios cuando hace frío.

Avanza Lee el artículo del ejercicio 2 otra vez y resalta la frase más importante en cada párrafo.

4 A ¿Sabes cómo se dicen los colores en español? Escribe los nombres. Puedes utilizar el diccionario o consultar a tu compañero.

negro • verde oscuro / claro • azul • gris • amarillo • blanco • naranja • rosa • rojo • marrón • violeta

1 ______

2 ______ *oscuro*

3 ______

4 ______

5 ______

6 ______

7 ______

8 ______

9 ______ *claro*

10 ______

11 ______ 12 ______

Avanza ¿Cómo se dicen en tu idioma *granate, azul marino, salmón, caqui, beis?*

B Relaciona los colores con las estaciones del año. Coméntalo con tu compañero.

Primavera: ______
Verano: ______
Otoño: ______
Invierno: ______

Para mí, el otoño se relaciona con el naranja, el amarillo...

C Completa. ¿Con qué palabras relacionas estos colores en tu cultura?

1 Blanco como *la nieve.*
2 Negro como ______.
3 Azul como ______.
4 Amarillo como ______.
5 Verde como ______.
6 Rojo como ______.

LÉXICO

Colores

- Algunos colores terminan en **-o** y cambian el femenino en **-a**:
  un autobús rojo / una bicicleta roja
- Otros colores son invariables (tienen solo una forma):
  un autobús ***verde*** */ una bicicleta* ***verde***

Estos colores son ***verde, azul, gris, naranja, violeta, marrón, rosa, salmón, granate, caqui*** y ***beis****.

* En Hispanoamérica se utiliza la forma original *beige*.

El clima perfecto

1 A ¿Cuál es el clima perfecto para tus vacaciones? Comenta con tu compañero.

B (46) Yanina y Antonio son novios y viven en Buenos Aires (ella es argentina y él es español). Ahora están en una agencia de viajes. Escucha la conversación. ¿Qué ciudad prefieren, Mar del Plata o Pinamar?

C (46) Escucha la conversación de Yanina y Antonio otra vez e indica si las oraciones son verdaderas (V) o falsas (F).

1 Mar del Plata es más turística que Pinamar. [V]
2 Pinamar es una ciudad más ruidosa y menos exclusiva que Mar del Plata. [ ]
3 Pinamar es más cara que Mar del Plata. [ ]
4 Mar del Plata es mejor porque está más cerca de Buenos Aires. [ ]
5 Pinamar tiene más medios de transporte que Mar del Plata. [ ]
6 Si llueve, hay tantos lugares interesantes en Pinamar como en Mar del Plata. [ ]
7 Las dos ciudades no tienen la misma gastronomía. [ ]
8 Mar del Plata y Pinamar tienen el mismo clima. [ ]

Repasa Los adjetivos en la unidad 3.

D Completa las siguientes frases sobre las dos ciudades.

1 Mar del Plata es una mejor opción si ______________________.
2 Si buscas tranquilidad ______________________.
3 Pinamar está más cerca si ______________________.
4 Si no quieres gastar mucho dinero ______________________.

COMUNICACIÓN

Hacer comparaciones

Podemos hacer comparaciones con ***más / menos ... que***:

- con adjetivos:

*Mar del Plata es **más** turística **que** Pinamar.*
*Pinamar es una ciudad **menos** ruidosa **que** Mar del Plata.*

- El comparativo de ***bueno*** es ***mejor***:
  *Pinamar es **mejor que** Mar del Plata porque está más cerca de Buenos Aires.*
- El comparativo de ***malo*** es ***peor***:
  *Para ir a Pinamar es **peor** el transporte **que** para ir a Mar del Plata.*

- con adverbios:

*Mar del Plata está **más** lejos de Buenos Aires **que** Pinamar.*
*Pinamar está **más** cerca de Buenos Aires **que** Mar del Plata.*

- con sustantivos:

*Pinamar tiene **menos** medios de transporte **que** Mar del Plata.*

Indicar igualdad

- ***tan*** + adjetivo + ***como***:
  *En Mar del Plata la gastronomía es **tan** variada **como** en Pinamar.*
- ***tanto / tanta / tantos / tantas*** + nombre + ***como***:
  *En Mar del Plata hay **tantos** sitios de interés **como** en Pinamar.*
- ***el mismo / la misma / los mismos / las mismas*** + nombre (+ ***que***):
  *Mar del Plata y Pinamar tienen **el mismo** clima.*
  *Las dos ciudades ofrecen **los mismos** entretenimientos **que** otras ciudades turísticas.*

E ¿Dónde quieres ir tú? Elige la opción que prefieres y explica a tu compañero por qué.

1 ¿Vacaciones en la playa o en la montaña?

2 ¿Londres o Barcelona?

3 ¿En avión o en coche?

4 ¿Con la familia o con los amigos?

Yo prefiero pasar las vacaciones en la playa porque me encanta nadar y es más divertida que la montaña...

2 Con tu compañero, elegid dos ciudades diferentes para ir de vacaciones; buscad información y decidid la mejor opción.

3 (47) Yanina es argentina y Antonio es español. Escucha y lee partes de su conversación. Observa cómo pronuncian las palabras resaltadas. ¿Qué diferencias hay?

1 Mar del Plata es más turística que Pinamar y ¡me encantan sus **playas**!
2 No, **Yanina**, a mí me gusta más Pinamar.
3 **Ya**, pero en Pinamar puedes estar más tranquilo y puedes descansar con una naturaleza sin contaminación, en **playas** limpias.
4 Sí, **ya** sé.
5 Si **llueve**, ¡hay tantas cosas interesantes en Pinamar!
6 Sí, ¡tantos lugares interesantes como en Mar del Plata..., si **llueve**!

ORTOGRAFÍA Y PRONUNCIACIÓN

LL / Y

- En muchas regiones de los países hispanos la ***ll*** se pronuncia como ***y***. Este fenómeno se llama ***yeísmo***.
- En algunas regiones de países hispanoamericanos, como, por ejemplo, en Argentina, la ***y / ll*** se pronuncian con una vibración especial.

4 (48) Escucha las siguientes expresiones. ¿Quién las dice, una argentina (A) o una española (E)?

1 Vamos en yate. ☐
2 A mí no me gusta nada la lluvia. ☐
3 ¿Dónde está la llave de tu casa? ☐
4 Esta es la calle que busco. ☐
5 Yésica va a mi clase de francés. ☐
6 Yo me llamo Daniela, ¿y vos? ☐

5 ¿Qué ocurre con el verbo *poder* en este fragmento de la conversación de Yanina y Antonio? Mira el cuadro de gramática y completa con los verbos que faltan.

ANTONIO: Ya, pero en Pinamar tú (1) ________________ estar más tranquilo y (2) ______________ descansar con una naturaleza sin contaminación, en playas limpias... Además, es mejor, porque está más cerca de Buenos Aires que Mar del Plata.

YANINA: Sí, pero Mar del Plata tiene más medios de transporte, vos (3) ______________ llegar en avión; a Pinamar no (4) ______________ volar.

GRAMÁTICA

El voseo

Es un fenómeno lingüístico que ocurre en algunos países de Hispanoamérica, como en el caso de Argentina. El pronombre de segunda persona de singular es *vos* y el verbo es diferente en algunos tiempos, como el presente.

	Voseo
tú **puedes**	vos **podés**
tú **eres**	vos **sos**
tú **vives**	vos **vivís**
tú **hablas**	vos **hablás**
tú **te llamas**	vos **te llamás**

Argentina

1 A ¿Qué sabes de Argentina? Elige la opción correcta.

1 Argentina está en...
- ☐ a América del Sur.
- ☐ b América Central.
- ☐ c América del Norte.

2 Argentina limita con...
- ☐ a Chile, Bolivia, Paraguay, Brasil y Venezuela.
- ☐ b Chile, Bolivia, Perú y Paraguay.
- ☐ c Chile, Bolivia, Paraguay, Brasil y Uruguay.

3 Argentina tiene...
- ☐ a 25 millones de habitantes.
- ☐ b 40 millones de habitantes.
- ☐ c 60 millones de habitantes.

4 La capital de Argentina es...
- ☐ a La Plata.
- ☐ b Buenos Aires.
- ☐ c Córdoba.

5 El idioma oficial de Argentina es...
- ☐ a el español, y tiene 25 lenguas indígenas.
- ☐ b el español, y el portugués.
- ☐ c el español, y tiene tres lenguas indígenas: el guaraní, el quechua y el aimara.

B (49) Escucha y comprueba tus respuestas.

2 A Lee este artículo informativo sobre el clima y el paisaje de Argentina y contesta a las siguientes preguntas.

1 ¿Por qué es diverso el clima en Argentina?
2 ¿Qué clima caracteriza a cada región?
3 ¿En qué región hace más calor?
4 ¿Qué es el clima pampeano?
5 ¿Dónde se produce uva?
6 ¿Por qué hay una gran producción de vinos en esta región?
7 ¿Dónde nieva?

B ¿Conoces otro país con un clima tan diverso como el de Argentina? Coméntalo con tu compañero.

El clima y el paisaje

El clima de Argentina se caracteriza por su diversidad debido a la amplia longitud y latitud del país. Argentina se divide en cuatro grandes regiones: norte, central, oeste y sur. La zona sur también es conocida como la Patagonia. Las cuatro tienen climas y paisajes muy diferentes.

1 Región norte

Esta región se caracteriza por veranos cálidos y húmedos, con inviernos secos y suaves. Existe una gran biodiversidad, que se desarrolla en selvas como la Misionera y la Yunga, en la provincia de Tucumán, aunque dentro de esta región también encontramos una meseta de gran altura muy fría y seca: la Puna. La temperatura aquí alcanza unos -25° en las noches de invierno.

2 Región central

Esta región tiene el clima templado húmedo, con veranos cálidos, de muchas lluvias, aunque encontramos también microclimas muy fríos en las zonas elevadas andinas. La Pampa (llanura, superficie sin árboles) es el paisaje más característico de esta región. El clima templado se llama clima pampeano.

3 Región oeste

Esta región se caracteriza por la presencia de montañas, sierras y campos. El clima, en general, es seco o árido con mucho sol. Este clima es ideal para el cultivo de la vid*. En esta región encontramos una gran producción de vinos, famosos en todo el mundo, en particular en la provincia de Mendoza.

* uva

4 Región sur (o la Patagonia)

Esta región se divide en dos grandes regiones: la Patagonia andina, donde está la cordillera de los Andes, con un clima árido y frío, y la región extraandina y tercio sur de Tierra del Fuego, con un clima frío, muy húmedo y con fuertes vientos. En toda la Patagonia nieva frecuentemente.

3 (50) **La situación geográfica y el clima de Argentina influyen en la inmigración a este país. Lee y escucha la entrevista a un historiador argentino y completa la tabla.**

Países de origen	Región	Características de la región
______	______	*clima templado* ______ ______
______	______	*viñedos y olivares* ______
______ ______	*norte*	______ ______
Inglaterra Alemania	______	______ ______

- En el programa de hoy entrevistamos a Santiago Biasi, el autor del libro *El clima y su influencia en nuestras vidas*. Buenos días y bienvenido.
- Buenos días, muchas gracias por invitarme.
- Señor Biasi, en su libro defiende que la inmigración y el clima en Argentina tienen relación. Es un tema muy interesante. ¿Qué relación tiene la geografía y el clima con la inmigración?
- Las características de las diversas regiones de Argentina atraen a los inmigrantes que vienen de distintos países, principalmente de Italia, España, Siria, Líbano, Alemania e Inglaterra, entre muchos otros. Estas características les recuerdan a sus países de origen.
- ¿Y cómo influyen esas características?
- Por ejemplo, los italianos van principalmente a las regiones del centro, que son regiones de clima templado, con diversidad de paisajes y zonas agrícolas y ganaderas, en particular, en La Pampa argentina…
- ¿Y los españoles?
- Los españoles viven en las regiones del oeste, en provincias como Mendoza o San Juan, donde hace calor y hay viñedos y olivares.
- ¿Y los árabes?
- Los sirios y libaneses prefieren climas más extremos, más cálidos, y paisajes más desérticos, como el norte de Argentina.
- ¿Y dónde se encuentran los inmigrantes alemanes?
- Los alemanes, como los ingleses, generalmente viven en el sur, donde nieva y hace más frío.
- ¿En la Patagonia?
- Sí, es muy curioso. En esta región vive una comunidad de Gales muy importante que conserva su lengua.
- Muy interesante. Muchísimas gracias, señor Biasi.

Acción - Reflexión

Todas estas fotos muestran diversos lugares de Argentina en los meses de verano (diciembre-marzo). ¿Cuál es tu lugar favorito? ¿Por qué? ¿En tu país el clima es diferente en estos meses del año? ¿Cómo cambian las estaciones en los distintos hemisferios?

Pinamar

Cataratas del Iguazú

Tucumán

La Pampa

Jujuy

Glaciar Perito Moreno

Acción

A En grupos pequeños, redactad un artículo informativo sobre un lugar con un clima ideal. El lugar puede ser inventado.

1 Elegid el clima ideal y el lugar.
2 Pensad en las estaciones que tiene, los tipos de clima, las características del lugar (*está lejos / cerca de... / hay montañas,* etc.), la naturaleza...
3 Decidid cómo influye el clima en la población y en la cultura.
4 Incluid elementos visuales (fotos, ilustraciones, etc.).
5 Tratad de ser originales y creativos.

B Votad entre todos para decidir cuál es el mejor artículo informativo. Justificad vuestra decisión.

Actitudes y valores

Responde *sí* o *no* con respecto al proceso de elaboración del artículo.

	Sí	No
- Me adapto a las decisiones de la mayoría.	☐	☐
- Acepto distintas opiniones.	☐	☐
- Aprendo mucho compartiendo distintos puntos de vista.	☐	☐

Reflexión

- ¿Qué influencia tiene el clima del lugar donde vives en tu vida diaria?

- ¿Cómo influye el clima en la cultura de un país?

- ¿Hay lugares que por su clima te parecen atractivos para vivir?, ¿cuáles?

9 Viajes

- Hablar sobre viajes y hábitos culturales
- Preguntar direcciones
- Describir experiencias en viajes
- Organizar un viaje con la clase
- Reflexionar sobre el significado de viajar
- País: México
- Interculturalidad: El respeto a otras culturas
- Actitudes y valores: Valorar la organización en las actividades

1 **Observa las fotografías: ¿conoces estos lugares?**

2 **¿Sabes en qué países están estos espacios naturales?**

3 **Imagina que puedes ir de vacaciones a uno de ellos: ¿a cuál vas?, ¿por qué?**

4 **¿Qué lugares especiales hay en tu país?**

Saber viajar

1 A **¿Qué actividades se realizan en los siguientes tipos de vacaciones? Coméntalo con tu compañero.**

vacaciones culturales • vacaciones de playa • vacaciones de aventura • vacaciones deportivas
vacaciones de salud • vacaciones familiares • vacaciones escolares

En unas vacaciones culturales se visitan...

Repasa Las actividades de ocio en la unidad 7.

B (51) **Yago y Yolanda son españoles y estudian en una universidad de México D. F. Tienen unos días de vacaciones y quieren hacer un viaje por el país. Escucha la conversación: ¿qué tipo de vacaciones quiere hacer cada uno?**

Yago quiere...
Yolanda quiere...

C (51) **Escucha la conversación otra vez y marca a quién se refieren las frases.**

	Yago	Yolanda
1 Quiere ir a Acapulco.		
2 No conoce Guadalajara.		
3 Conoce Guadalajara.		
4 Quiere conocer el Caribe.		
5 Conoce Puebla y Cuernavaca.		
6 Quiere ir a Playa del Carmen.		

D **Marca en el mapa los lugares que mencionan.**

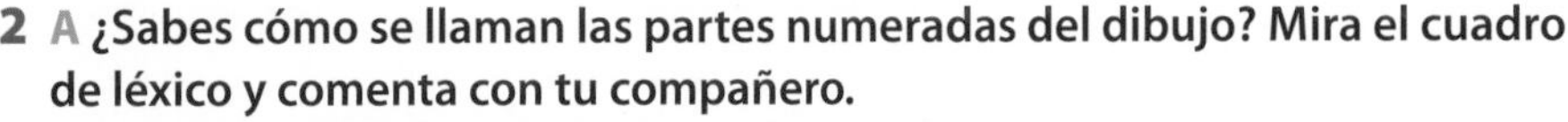

2 A **¿Sabes cómo se llaman las partes numeradas del dibujo? Mira el cuadro de léxico y comenta con tu compañero.**

El número 1 es una isla.

Avanza Haz tú un dibujo y añade otros accidentes geográficos.

B **Haz una lista de lugares de tu país que conoces y después pregunta a tu compañero si los conoce.**

- *¿Conoces el lago...?*
- *No, ¿y tú conoces...?*

LÉXICO

Geografía y accidentes geográficos

- lago	- isla	- bosque
- volcán	- playa	- valle
- desierto	- catarata	- iceberg
- río	- montaña	- península

3 A Yago y Yolanda están en Playa del Carmen y alquilan unas bicicletas. Lee la viñeta. Y tú, ¿sabes hacer estas cosas? Completa las frases y después pregunta a tu compañero.

Sé – No sé…

1 __________ ir en bicicleta.
2 __________ patinar.
3 __________ conducir un coche.
4 __________ montar a caballo.
5 __________ ir en moto.
6 __________ ir en monopatín.

● *¿Sabes ir en bicicleta?*
■ *Sí.*

B Señala qué actividad es importante saber hacer para viajar. Coméntalo con tu compañero y explícale por qué.

cocinar ● hablar muchos idiomas ● nadar ● hacer una maleta ● tocar un instrumento
conducir un coche ● bailar ● lavar la ropa ● interpretar un mapa ● ir en bicicleta
imprimir una tarjeta de embarque ● orientarse en un lugar desconocido

Para mí es importante saber hablar muchos idiomas porque…

4 Completa las frases con los verbos *saber* o *conocer*.

1 ● Sonia, ¿________ jugar al tenis?
■ No, pero ________ jugar al *squash*.
2 ● ¿Tú ________ quién es Walter?
■ No, no ________ a ese chico.
3 ● ¿Y vosotros, dónde vais a ir de vacaciones?
■ A Cancún, no ________ el Caribe.
4 Cuando viajo, siempre ________ gente nueva.
5 ¿Ustedes ________ cómo llegar al centro?
6 ● Lara, ¿________ al nuevo compañero de clase?
■ No, no lo ________.

5 Lee este artículo de una revista de unas líneas aéreas sobre hábitos culturales en el mundo. ¿Es igual en tu país?

Hábitos culturales

Saber viajar es también conocer y respetar las costumbres de un país extranjero. Es importante conocer sus hábitos culturales y comprender que algo que no es normal en tu país puede ser normal en otro. Hay actitudes o gestos que son de buena educación en un lugar y de mala educación en otro.

* ¿Sabes que en la India y en otros países asiáticos es ofensivo señalar a alguien con el dedo?

* ¿Sabes que en Japón las mujeres normalmente se tapan la boca con la mano cuando sonríen?

* ¿Sabes que en Rusia o en Japón, cuando vas a casa de alguien, te tienes que quitar los zapatos?

* ¿Sabes que en la India o en Pakistán siempre saludan o comen con la mano derecha?

* ¿Sabes que en Tailandia es ofensivo tocar la cabeza de una persona?

En mi país también es de mala educación señalar con el dedo a alguien.

Avanza ¿Conoces los hábitos culturales de otros países? Coméntalo con un compañero.

COMUNICACIÓN

Expresar capacidad y conocimiento

Saber* y *conocer

- ***No sé*** *patinar, pero* ***sé*** *montar a caballo.*
- *¿**Sabes** los números del 1 al 100 en árabe?*
- *¿**Sabes** que en la India es de mala educación señalar con el dedo?*
- *¡Quiero **conocer** a tu primo!*

● *¿**Conoces** las Islas Baleares?*
■ *Sí, pero solo **conozco** Mallorca.*

● *¿**Conoces** a Alfredo?*
■ *Sí, es el nuevo profesor de Gimnasia.*

La doble negación

No... ni...

No *sé* ***(ni)*** *patinar* ***ni*** *ir en moto.*

LÉXICO

Medios de transporte

(ir / viajar en) avión, tren, barco, autobús, coche, moto, bicicleta

GRAMÁTICA

Verbos irregulares en primera persona

conocer: **conozco** saber: **sé**

Otros verbos irregulares en primera persona:

conducir: **conduzco** hacer: **hago**
traducir: **traduzco** poner: **pongo**
salir: **salgo** traer: **traigo**

1 (52) **Yolanda está en el centro de México D. F. y quiere visitar el Templo Mayor. Fíjate en el plano. Lee y escucha los cuatro diálogos: ¿dónde está Yolanda en cada situación?**

A ☐
- Perdone, ¿sabe dónde está el Templo Mayor?
- Sí, **todo derecho*, al final de** esta calle.

B ☐
- Perdone, ¿el Templo Mayor?
- La segunda **a la izquierda**. Está **entre** el antiguo colegio de San Ildefonso y la catedral.

C ☐
- Disculpe, ¿el Templo Mayor está cerca?
- Sí, sí, está aquí **al lado, detrás de** la catedral.

D ☐
- Disculpe, ¿hay un templo azteca por aquí?
- Sí, el Templo Mayor. La segunda calle **a la derecha**.
- Muchas gracias.

*En España se dice «todo recto»

Repasa Los marcadores de lugar en la unidad 3.

2 A En parejas, uno es estudiante A y otro es estudiante B. Sitúa tus lugares en el plano.

Estudiante A
1 la Catedral
2 un hospital
3 el Museo de Arte Contemporáneo

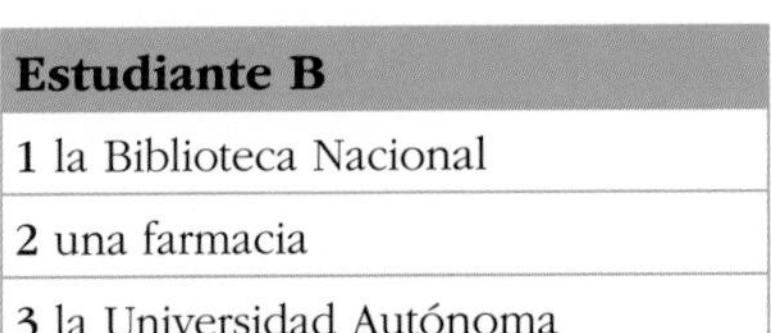

Estudiante B
1 la Biblioteca Nacional
2 una farmacia
3 la Universidad Autónoma

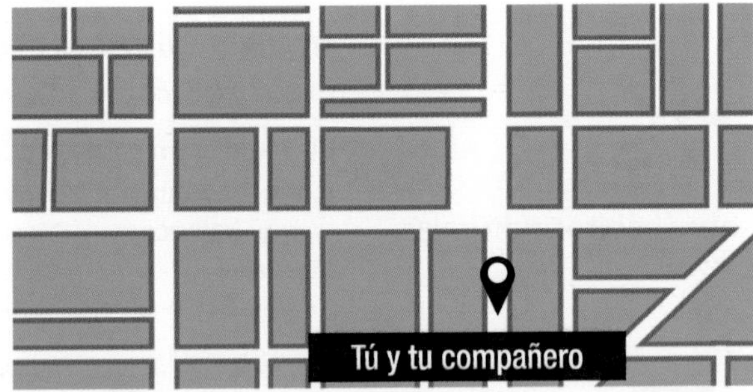

B Pregunta a tu compañero por sus lugares y sitúalos en este plano.
Estudiante B: *Perdone, ¿sabe dónde está la catedral?*
Estudiante A: *Sí, la tercera calle...*

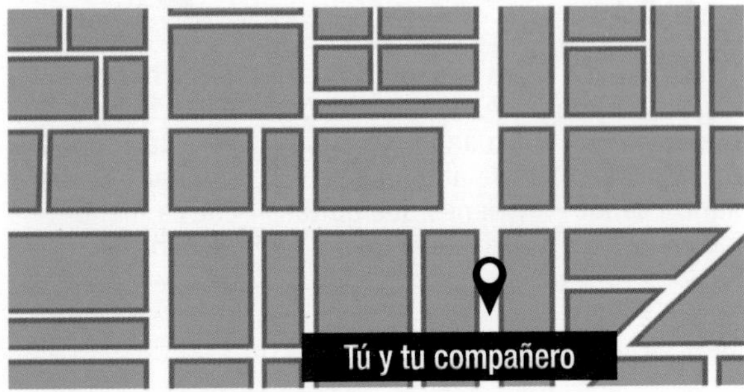

C Compara tu plano con el de tu compañero.

COMUNICACIÓN

Preguntar y dar direcciones

- ***Disculpe/-a,** ¿el Templo Mayor **está cerca**?*
- ***Perdone/-a,** ¿el Templo Mayor?*
- ***Disculpe/-a, ¿hay** alguna iglesia **por aquí**?*
- ***Perdone/-a, ¿sabe(s) dónde** está el Templo Mayor?*

- *Sí, **todo recto, al final de** esta calle.*
- *Sí, sí, está aquí **al lado, detrás de** la catedral.*
- *La segunda calle **a la derecha / a la izquierda.***
- *El Templo Mayor está **entre** el antiguo colegio de San Ildefonso **y** la catedral.*

LÉXICO

Números ordinales

- 1.º / 1.ª primero/-a
- 2.º / 2.ª segundo/-a
- 3.º / 3.ª tercero/-a
- 4.º / 4.ª cuarto/-a
- 5.º / 5.ª quinto/-a
- 6.º / 6.ª sexto/-a
- 7.º / 7.ª séptimo/-a
- 8.º / 8.ª octavo/-a
- 9.º / 9.ª noveno/-a
- 10.º / 10.ª décimo/-a

3 A Lee estas tarjetas de visita: ¿sabes qué significan las abreviaturas?

Josep Barniols Serra
DIRECTOR COMERCIAL

Avda. Diagonal, 530, 5.° 2.ª
C. P. 08029 Barcelona
Tel.: 834 231 008
jbserra@meil.com

B Escribe las siguientes direcciones. Utiliza las abreviaturas.

1 Calle Real, número 27, piso tercero, puerta C, Madrid, código postal 28017
2 Avenida República Argentina, número 65, piso segundo, puerta primera, Barcelona, código postal 08023
3 Plaza Mayor, número 8, piso tercero, León, código postal 37002

ORTOGRAFÍA Y PRONUNCIACIÓN

En las direcciones, muchas palabras se abrevian:

C/: calle
Avda.: avenida
Pza.: plaza
n.º: número
C. P.: código postal
dcha.: derecha
izda.: izquierda
tel.: teléfono
móv.: móvil

1.er / 3.er: primer* / tercer (piso)
1.ª: primera (puerta)
2.º / 4.º: segundo / cuarto
2.ª / 4.ª: segunda / cuarta

* *Vivo en el **primer / tercer** piso, pero Vivo en el **primero / tercero**.*

Otras abreviaturas:
sr.: señor
sra.: señora
ud.: usted
uds.: ustedes

4 A Verónica Boned tiene un blog para mujeres viajeras. Lee este fragmento, en el que habla sobre sus razones para viajar, y subraya tres que te parecen importantes.

Consejos de viajes | Mi blog | Guías | Noticias | Fotos

¿Por qué viajar?

(...) Viajar es mucho más que hacer turismo; es un ejercicio de aprendizaje constante que nos aleja de nuestra rutina, nos pone a prueba y permite conocernos mejor a nosotras mismas.
¿Por qué viajar? Las razones o excusas sobran: para romper con la rutina, para tomar distancia de tu realidad, para conocer y experimentar de primera mano nuevas culturas, para ver *ese* templo budista que tanto te ha hecho suspirar en fotos, para conocer gente, para conocerte, para conocer tus límites..., para empujarlos; por experimentar la adrenalina al 100 %, por amor a viajar, por el placer de lo desconocido, por miedo a lo desconocido, porque sí...
Porque te gusta. Porque no hay fronteras en tu imaginación ni en tus deseos (...). Porque no todo gira en torno a la carrera profesional. Porque el mundo es grande y bonito. Porque las culturas que lo habitan son excepcionales, únicas y hay que conocerlas para entenderlas. Porque viajar es un ejercicio de tolerancia, de paciencia, de audacia, de perspicacia... Porque viajar te da alas, te da libertad, te da energía, te llena de ideas nuevas, te cambia la perspectiva con la que usualmente miras tu mundo, te abre nuevas puertas. Porque viajar es aprender y equivocarse. Es perdonar y perdonarse. Es liberarse de ataduras: físicas, mentales, ideológicas, espirituales, religiosas, políticas, sociales... (...) Es transgredir la estructura política y social que nos agrupa y nos encadena a una rutina de 8:00 a. m. a 6:00 p. m., de lunes a viernes... Viajar es para muchas personas una necesidad; para algunas, una opción; para otras, un gran deseo.

Fragmento extraído de www.sinmapa.net

B Las siguientes expresiones están en el texto. Relaciona las palabras de las dos columnas y comenta con tu compañero su significado.

1 hacer	a de primera mano
2 ponerse	b turismo
3 romper	c la estructura política y social
4 tomar	d a prueba
5 conocer	e con la rutina
6 cambiar	f de ataduras
7 liberarse	g distancia
8 transgredir	h la perspectiva

Hacer turismo es viajar, ir de vacaciones...

C Elige tres expresiones del ejercicio 4B y escribe tres frases con ellas.

D Escribe qué es para ti viajar y redacta una entrada para el blog de Verónica Boned.

Repasa *Para* y *porque* en la unidad 3.

GRAMÁTICA

Por / Porque

Para expresar causa o motivo:
*Viajo **por** el placer de lo desconocido.*
*Viajo **porque** me gusta descubrir culturas diferentes.*

Para hablar de movimiento en un lugar:
*Me gusta viajar **por** mi país.*
*Mañana vamos a pasear **por** el centro.*

Para

Para expresar finalidad:
*Viajo **para** conocer gente.*

Para expresar opinión:
***Para** mí viajar es una aventura. ¿Y **para** ti?*

Experiencias

1 A Yolanda escribe a sus amigos de España un mensaje en Facebook sobre la visita de su amiga Laura a México D. F. ¿Qué han hecho esta semana? Lee el mensaje y márcalo en la siguiente lista.

1 Han visto la obra de Frida Kahlo. ☐
2 Han ido de excursión a la Pirámide del Sol. ☐
3 Yolanda se ha enamorado de Carlos Daniel. ☐
4 Yolanda ha visitado el Palacio de Bellas Artes. ☐
5 Yolanda ha ido a clase esta mañana. ☐
6 Han escuchado a los mariachis. ☐
7 Han comido tacos. ☐
8 Han salido con los amigos de Yolanda. ☐

Busca personas, lugares y cosas | Buscar amigos

Yolanda García
Editar perfil

Últimas noticias
Mensajes
Eventos
Buscar amigos

APLICACIONES
Juegos
Toques
Pixer
Guardado
Fotos
Música
Noticias de juegos

INTERESES
Páginas y personaj...

AMIGOS
Conocidos
Mejores amigos

Hola amigos:
Os escribo este mensaje para todos porque no tengo tiempo de escribir a cada uno. ¡Esta semana ha venido Laura! ¡Y hemos hecho muchas cosas! Hemos visitado el Museo de Frida Kahlo: ¡es un lugar precioso! Y también hemos ido al mercado y hemos comido unos tacos buenísimos. También hemos ido al Zócalo, a la gran plaza donde está la catedral. La plaza siempre está llena de gente, es puro México. Y hemos escuchado a los mariachis en la Plaza Garibaldi. ¡Qué música tan bonita y tan romántica! Esta mañana yo he ido a clase y Laura ha visitado el Palacio de Bellas Artes y ha visto los impresionantes murales de Diego de Rivera. Pero lo mejor es que esta semana hemos salido con mis amigos mexicanos todos los días (¡mis cuates!) y Laura ha conocido a Carlos Daniel, mi mejor amigo, y creo que se ha enamorado de él... ¡Hoy ha llamado a su familia y les ha dicho que el próximo año quiere venir a estudiar a México! ¡México lindo y querido!
Muchos besos,
Yolanda

Añadir archivo | Añadir foto | Pulsar "enter"... ☐ | Responder

B Subraya los verbos en pretérito perfecto que aparecen en el texto y después clasifícalos como en el ejemplo.

ESTA SEMANA	HOY	ESTA MAÑANA
Ha venido Laura		

2 A Escribe una actividad que has hecho tú.

1 Este año ____________.
2 Este mes ____________.
3 Esta semana ____________.
4 Hoy ____________.

B Ahora, pregunta a tu compañero y toma nota.

- *¿Qué has hecho este año?*
- *Este año he ido a México.*

1 Este año *David ha ido a México.*
2 Este mes ____________.
3 Esta semana ____________.
4 Hoy ____________.

Avanza Escribe otras frases sobre cosas que has hecho: *este fin de semana, estos días, este verano...* Una de ellas tiene que ser mentira. Tu compañero tiene que descubrir cuál es.

GRAMÁTICA

El pretérito perfecto

- Se usa para hablar de acciones y experiencias realizadas en el pasado y que están relacionadas con el momento en el que hablamos.
  Laura ***se* ha enamorado*** *de Carlos Daniel.*
  *Los pronombres van antes del verbo ***haber***.

	Presente de *haber*	+ participio
(yo)	he	
(tú)	has	
(él, ella, usted)	ha	escuchado
(nosotros/-as)	hemos	+ comido
(vosotros/-as)	habéis	salido
(ellos/-as, ustedes)	han	

- Normalmente, va acompañado de marcadores temporales: ***esta mañana, esta tarde, este fin de semana, estos días, esta semana, este mes, este año, hoy,*** etc.
  Esta mañana ***he ido*** *a clase.*
  Esta semana ***ha venido*** *Laura.*
- El participio se forma sustituyendo las terminaciones del infinitivo ***(-ar, -er, -ir).***
  - ar > ado *(viajado)*
  - er / ir > ido *(bebido / venido)*

Participios irregulares:

hacer: **hecho**
decir: **dicho**
abrir: **abierto**
romper: **roto**
ver: **visto**
escribir: **escrito**
poner: **puesto**
morir: **muerto**
volver: **vuelto**
descubrir: **descubierto**

Museo de Frida Kahlo

3 A (53) **Laura ha vuelto a España. Lee el resumen de lo que le cuenta a una amiga y escucha su conversación. ¿Cuáles de las siguientes informaciones son falsas?**

El viaje de Laura a México ha sido fantástico. Ha conocido a Carlos Daniel, un chico muy reservado que, aunque ha viajado mucho, no ha estado nunca en España. Ha tenido muchos trabajos en el cine como actor. También ha escrito cuatro libros y ha ganado tres veces un premio de literatura.

B (53) **Vuelve a escuchar la conversación, ¿dice Laura exactamente cuándo ha hecho Carlos Daniel todas esas cosas? ¿Qué tiempo verbal utiliza?**

C **Completa estas frases sobre ti.**

1 Yo nunca he __________.
2 He __________ solo una vez.
3 He __________ varias veces.
4 He __________ muchas veces.

4 A **Lee este foro sobre viajes. ¿Cómo crees que son las siguientes personas? Fíjate en el cuadro de léxico y después coméntalo con dos compañeros.**

Para mí las personas que viajan mucho son interesantes...

¿Y TÚ, CÓMO VIAJAS?

JUAN FRANCISCO, Madrid (España)
A mí me gusta mucho viajar por mi país porque hay lugares muy interesantes. Este año he estado en Santander, en el norte, con mis padres y mi hermana. Hemos alquilado una casita al lado de la playa y hemos visitado los pueblos de los alrededores. Todos los años vamos a un lugar diferente de España. Algunas veces alquilamos una casa o un apartamento, a veces alquilamos una caravana, otras veces vamos a un *camping* o a un hotel. Pero este año vamos a ir todos juntos de vacaciones en un crucero por el Mediterráneo.

ALFONSO, Cuernavaca (México)
Tengo dos carreras: Ciencias de la Comunicación y Relaciones Internacionales. He estudiado en España, en Inglaterra y en Estados Unidos. Me encanta conocer otras culturas y aprender idiomas. He vivido en residencias de estudiantes, en pensiones, en hostales, en pisos compartidos... He trabajado en cinco países y he escrito artículos en revistas y periódicos. No me gusta hacer turismo; yo siempre viajo por trabajo o para aprender.

ELENA, Tucumán (Argentina)
Me encanta viajar, pero no me gustan los lugares turísticos. Me gusta viajar sola; bueno, sola no, con mi mochila. He estado en muchos lugares, pero todos muy especiales: he dormido en tiendas de campaña en el desierto del Sahara, me he bañado en las Cataratas del Iguazú, he cruzado el río Amazonas, he trabajado en las islas Galápagos, he caminado sobre el volcán Popocatepetl en México, he recorrido países enteros en bicicleta... Y más de una vez he dormido en un parque.

Repasa Los adjetivos de carácter en la unidad 2.

B **¿A quién te pareces tú más, a Juan Francisco, Alfonso o Elena? ¿Por qué?**

C **¿Y tu compañero?, ¿es aventurero? Para averiguarlo, hazle preguntas con el pretérito perfecto sobre las siguientes actividades (puedes añadir otras).**

caminar sobre un volcán • bañarse en una catarata • dormir en un desierto • hacer un crucero
viajar solo • dormir en un *camping* • hacer un viaje largo en bicicleta • estudiar o trabajar en otro país

5 **Haz una lista en tu cuaderno con los diferentes alojamientos que han aparecido en el ejercico 4A. ¿En cuántos de esos lugares has dormido tú?**

GRAMÁTICA

Otros usos del pretérito perfecto

- Cuando hablamos de experiencias en el pasado a lo largo de la vida, pero no decimos cuándo.
- Lo usamos con los siguientes marcadores de frecuencia:

muchas veces	**dos veces**
varias veces	**una vez**
alguna vez	**nunca**

● *¿**Has estado alguna vez** en México?*
■ *No, **nunca*** **he viajado** a América.*

* *No* es obligatorio si *nunca* va después del verbo: *No, no he viajado nunca en América.*

*Xavi **ha estado** en México **muchas veces**.*

- También usamos el pretérito perfecto cuando hablamos de nuestra vida en general.

***He estudiado** en España y en Inglaterra.*

LÉXICO

Adjetivos de carácter

- abierto/-a
- conformista
- flexible
- independiente
- reservado/-a
- sociable
- sensible
- aventurero/-a
- irresponsable
- responsable
- solitario/-a
- valiente
- tradicional
- interesante

LÉXICO

Alojamientos

- reservar una habitación en **un hotel**
- alojarse en **un hostal**
- quedarse en **una pensión**
- alquilar **un apartamento**
- dormir en **un albergue**
- ir a **un *camping***

México

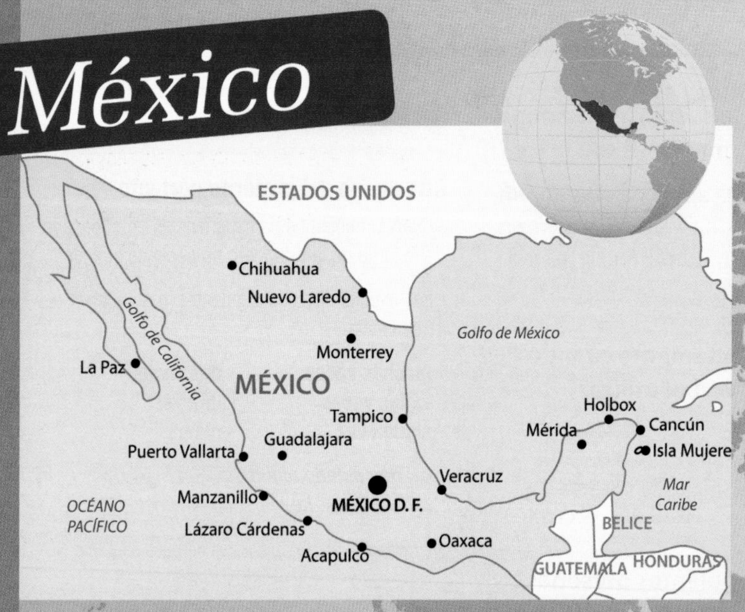

1 Completa la siguiente información sobre México.

Norte • Estados Unidos Mexicanos • Guatemala • Brasil
Estados Unidos • 67 • Argentina • Caribe • D. F. • 118

México se llama oficialmente (1) __________. Está situado en América del (2) __________. Limita al norte con los (3) __________ de América, al sureste con Belice y (4) __________, al oeste con el océano Pacífico y al este con el golfo de México y el mar (5) __________. Su capital es Ciudad de México, también llamada Distrito Federal o (6) __________. Es el tercer país más extenso de Latinoamérica después de Brasil y (7) __________, con una superficie cercana a los 2 millones de km^2, y el segundo más poblado, después de (8) __________, con una población aproximada de (9) __________ millones de habitantes. No existe un idioma oficial, pero el español y (10) __________ lenguas indígenas están reconocidas como lenguas nacionales.

2 Lee el reportaje «¡Como México no hay dos!», donde aparecen diez razones para visitar México y pon uno de estos títulos a cada una de ellas. ¿Qué es lo que más te interesa a ti?

- Sus tesoros arqueológicos
- Su gente
- Sus fiestas y tradiciones
- Sus bonitas ciudades coloniales
- Su gastronomía
- Sus espacios de aventura
- Sus playas paradisíacas
- Su gran biodiversidad
- Sus grandes ciudades
- Su música

3 Busca en internet una canción típica de México: un bolero o una ranchera. Elige una, busca la letra y compártela con tu compañero.

¡Como México no hay dos!

Hay mil razones para visitar México, pero diez son suficientes para recordar este país para siempre.

TEOTIHUACÁN

◄ __________

El México misterioso y místico lo podemos encontrar en sus tesoros arqueológicos. No te puedes perder lugares como Chichen Itzá, con la pirámide de Kukulkán, catalogada como una de las nuevas maravillas del mundo, o la ciudad de los Dioses de Teotihuacán, con sus increíbles pirámides dedicadas al sol y a la luna.

PEZ RAYA

▲ __________

Por su posición geográfica y gran variedad de ecosistemas, México tiene el diez por ciento de las especies del planeta, muchas de ellas habitan en reservas de la biosfera como Sian Ka´an, Kalakmul, Montes Azules o Cuatro Ciénegas.

▲

Para los aventureros existen muchas opciones, como adentrarse en los cenotes sagrados de los mayas y sumergirse en sus aguas cristalinas. México es un país perfecto para visitar la cima de un volcán, recorrer un río de rápidos o practicar el alpinismo y el senderismo en las numerosas montañas que hay en el país.

◀

Puebla, Morelia, Zacatecas, Guanajuato y Querétaro son algunos ejemplos de la arquitectura colonial del país. Ciudades antiguas, llenas de color y romanticismo.

▲

La cocina mexicana ha sido declarada recientemente por la Unesco Patrimonio Cultural de la Humanidad. Cada estado tiene sus propias recetas y tradiciones culinarias. Todas tienen en común sus ingredientes: el maíz, el chile, el frijol y el jitomate. Hay muchos platillos exquisitos en el país, uno de ellos es el chile en nogada (un chile relleno de fruta y carne bañado con una salsa de nuez y decorado con granada).

▲

Por sus tradiciones y sus fiestas se reconoce el carácter y la identidad del pueblo mexicano. A lo largo del año, se puede presenciar y participar en celebraciones como el Día de Muertos, la Semana Santa o el Aniversario de la Independencia.

▲

Las metrópolis más importantes de México, como la Ciudad de México, Monterrey o Guadalajara, ofrecen todo tipo de atractivos y eventos culturales para la gente que las visita: museos, teatros, mercados, restaurantes, parques...

◀

México tiene playas maravillosas en sus costas de norte a sur, desde el mar de Cortés, con su rica biodiversidad marina, hasta las playas con aguas cristalinas del Caribe mexicano, las más bellas del mundo.

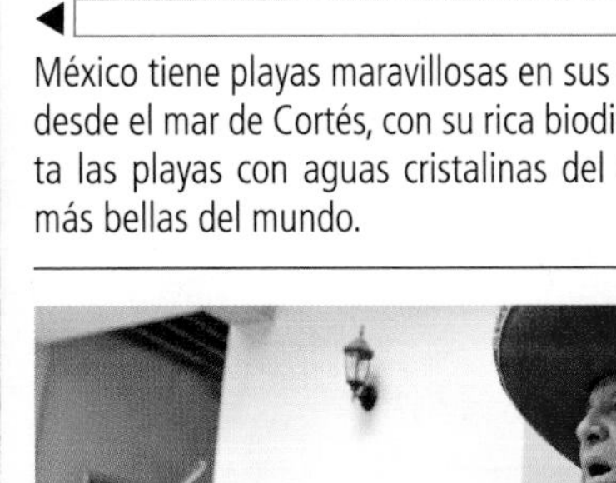

▲

México es también conocido por canciones como *Bésame mucho, Granada, Cielito lindo, La bamba* o *El rey*. Sus rancheras y sus boleros se cantan en todos los países de habla hispana y muchos de sus cantantes se escuchan en todo el mundo: Juan Gabriel, Luis Miguel, Alejandro Fernández, Lila Downs o Julieta Venegas.

◀

Los mexicanos son gente alegre y hospitalaria. El buen humor y las ganas de vivir son características muy propias de los mexicanos, y siempre reciben bien a sus visitantes. En México es muy fácil hacer amigos.

Mira estas fotos e imagina que has estado de vacaciones en uno de los siguientes lugares: ¿qué has hecho?

1

2

3

4

Acción

A En grupos de tres, organizad un viaje y elaborad vuestra propuesta para presentarla a la clase. Lo podéis hacer de forma oral o escrita.

1 Elegid un destino desconocido al que queréis ir los tres.
2 Pensad qué tipo de viaje queréis hacer.
3 Decidid cómo os vais a desplazar por la zona y en qué tipo de alojamiento vais a dormir.
4 Buscad información sobre algunas costumbres de la gente del lugar.
5 Pensad qué tipo de actividades queréis hacer en ese lugar.
6 Justificad el motivo de vuestro viaje.
7 Presentad vuestra propuesta a la clase de manera oral o escrita.
8 Decidid entre todos cuál es la mejor. Vuestros compañeros os dan una puntuación por vuestra propuesta entre 1 (-) y 10 (+).

Nuestro centro | **Foros** | Fotos | Opinión

Viaje de fin de curso

- Nosotros queremos ir a...
- Queremos hacer un viaje...
- Vamos a desplazarnos por la región en...
- Vamos a dormir en...
- La gente de allí...
- Vamos a pasar unos días allí para hacer...
- Queremos ir allí porque es un lugar...

B ¿Cuál es el viaje más votado?

Actitudes y valores

Haz un círculo en las tres sugerencias que te parecen más importantes.

Lo más importante cuando organizamos o preparamos una actividad es:

1 Gestionar bien el tiempo
2 No estresarse
3 Buscar información adecuada
4 Repartir los papeles en el grupo
5 Respetar las reglas
6 Tomar decisiones

Reflexión

- **¿Qué significa viajar para ti?**
- **¿Qué buscas cuando vas de vacaciones: cultura, nuevas experiencias, descanso, diversión...?**
- **¿Qué cosas te gusta descubrir cuando viajas?**

10 Educación

- Valorar las características de un buen alumno
- Intercambiar opiniones sobre sistemas educativos
- Hablar sobre otras formas de educarse
- Elaborar un decálogo del buen profesor
- Reflexionar sobre la importancia de la educación
- País: Bolivia
- Interculturalidad: La educación en otras culturas
- Actitudes y valores: Responsabilizarse del propio aprendizaje

1 Mira las fotografías. ¿Crees que representan parte de la educación de una persona?

2 ¿Qué hacen las personas de las fotografías?

3 ¿Qué foto crees que define mejor la educación?

4 ¿Puedes pensar en otras actividades educativas?

Aprender a aprender

1 ¿Cuál(es) de estas citas crees que define mejor lo que significa *educación*? Coméntalo con tu compañero.

1 «La educación es un proceso que no termina nunca», Josefina Aldecoa.
2 «La educación consiste en ayudar a un niño a llevar a la realidad sus aptitudes», Erich Fromm.
3 «Donde hay educación, no hay distinción de clases», Confucio.
4 «La vida debe ser una continua educación», Gustave Flaubert.
5 «La creatividad es tan importante en la educación como la alfabetización y, por eso, debemos tratarla con la misma importancia», Ken Robinson.
6 «La educación es el vestido de gala para asistir a la fiesta de la vida», Miguel Rojas Sánchez.

COMUNICACIÓN

Expresiones relacionadas con los hábitos de estudio

- ***Costar / Interesar***
  (A mí) ***Me cuesta*** *concentrarme.*
  (A mí) ***Me interesa*** *la música.*
  Las matemáticas no ***me cuestan****.*
- ***Aburrirse / Divertirse / Arriesgarse***
  Me aburro *con los ejercicios repetitivos.*
  Me divierto *cuando hacemos presentaciones.*
  Me arriesgo *cuando construyo frases diferentes.*
- **Otros verbos relacionados con el estudio:**
  Participo *en clase.*
  Tomo *apuntes.*
  Busco *nuevas estrategias.*
  Saco *buenas / malas notas.*
  Apruebo / Suspendo *un examen.*

2 A ¿Crees que eres un persona creativa en tu clase de español? Responde a las preguntas del test y averígualo.

¿Qué estrategias utilizas para aprender mejor?

1 Si el profesor explica un tema nuevo, ...
- ☐ a me cuesta concentrarme y me aburro.
- ☐ b siento mucha curiosidad, participo en clase y tomo apuntes.
- ☐ c a veces me interesa.

2 Si tengo que desarrollar ideas para una prueba escrita, ...
- ☐ a siempre escribo ideas sencillas.
- ☐ b tengo ideas originales y bastante complejas.
- ☐ c propongo alguna idea compleja, pero no me arriesgo demasiado.

3 Cuando hago las actividades en clase, ...
- ☐ a sigo siempre los mismos pasos.
- ☐ b busco nuevas estrategias para hacerlas y me adapto según la actividad.
- ☐ c a veces las realizo de forma diferente.

4 Si tengo que realizar un proyecto nuevo, ...
- ☐ a hago lo necesario para no suspender y siempre utilizo recursos que conozco.
- ☐ b utilizo diferentes ideas y recursos.
- ☐ c tengo algunas ideas nuevas, pero intento solo utilizar las que conozco bien.

5 Si tengo que escribir una redacción libre, ...
- ☐ a siempre elijo un tema que conozco bien.
- ☐ b soy original y escribo algo totalmente nuevo.
- ☐ c trato de escribir sobre algo interesante.

6 Cuando hago una presentación oral, ...
- ☐ a me cuesta utilizar ideas nuevas porque no quiero equivocarme y sacar una mala nota.
- ☐ b presento algo completamente nuevo y no tengo miedo a suspender.
- ☐ c intento variar algo, pero siempre quiero aprobar.

7 Mi cuaderno de trabajo para la clase de español es...
- ☐ a bastante funcional y sin nada personal.
- ☐ b original y muy personal.
- ☐ c bastante sencillo y con un toque personal.

8 Si tengo que hablar con un nativo, ...
- ☐ a me pongo muy nervioso, no me gusta hacer el ridículo.
- ☐ b disfruto y trato de comunicarme, no me importa si cometo errores. Me arriesgo.
- ☐ c intento tener una conversación, pero si puedo evitarla, mejor.

- Si la mayoría de las respuestas es *a*: no te arriesgas mucho, prefieres continuar con tus costumbres y lo que conoces bien para no equivocarte. No demuestras tu creatividad a menudo.
- Si la mayoría de las respuestas es *b*: te gustan el riesgo y las respuestas originales. No te importa equivocarte. Demuestras ser muy creativo.
- Si la mayoría de las respuestas es *c*: eres algo arriesgado y original, pero prefieres mantenerte en un territorio seguro. Demuestras creatividad, pero no toda de la que eres capaz.

Repasa El presente y los verbos reflexivos en la sección de Gramática al final del libro.

B Vuelve a leer el test y añade las palabras que van con los siguientes verbos.

1 explicar: *un tema*
3 buscar: __________
5 utilizar: __________
2 desarrollar: __________
4 hacer: __________
6 sacar: __________

C ¿Estás de acuerdo con el resultado del test? ¿Cuáles crees que son las mejores estrategias para aprender en la clase de español? Coméntalo con tu compañero y decididlo juntos.

D ¿Tienes buenos o malos hábitos de estudio en la clase de español? Te damos algunos ejemplos; añade tres más en cada columna.

Buenos hábitos	Malos hábitos
Participar en clase. *Tomar apuntes.*	*No hacer los deberes.* *No escuchar al profesor.*

Avanza Recoge los buenos hábitos de los compañeros y confecciona un póster con las contribuciones de todos los miembros del grupo.

3 A Lee este decálogo del buen alumno. Elige los tres puntos que consideras más importantes.

UN BUEN ALUMNO

1 Debe respetar a sus compañeros y a su profesor.
2 Debe hacer preguntas y ser curioso.
3 Debe cumplir con los plazos para entregar los trabajos.
4 Debe conocer sus capacidades y limitaciones.
5 Debe colaborar con el profesor y los compañeros.
6 Debe ser activo.
7 Debe explorar intereses personales.
8 Debe ser autónomo.
9 Debe tener una mentalidad abierta.
10 Debe reflexionar sobre su propio aprendizaje.

B ¿Cómo debe ser un buen músico, un buen pintor o un buen cantante? Elige uno de ellos y escribe tres puntos que tú consideras importantes.

LÉXICO

Las colocaciones

Las palabras aparecen normalmente en combinación con otras. Estas combinaciones reciben el nombre de colocaciones. Algunos tipos son:

- Verbo + sustantivo:
Elegir un tema
Cometer errores
Aprobar un examen

- Nombre + adjetivo:
Mentalidad abierta
Toque personal
Ideas originales

Conocer las colocaciones de las palabras es necesario para el uso correcto de la lengua.

COMUNICACIÓN

Expresar obligación

Deber

(yo)	**debo**	
(tú)	**debes**	
(él, ella, usted)	**debe**	**+ infinitivo**
(nosotros/-as)	**debemos**	
(vosotros/-as)	**debéis**	
(ellos/-as, ustedes)	**deben**	

Un buen alumno ***debe hacer*** *preguntas.*
Un buen alumno ***debe ser*** *responsable de su aprendizaje.*

Estrategias

Son procedimientos que utilizamos para aprender mejor. No todos tenemos las mismas estrategias, cada persona tiene las suyas.
- *Hacer asociaciones de palabras.*
- *Utilizar colores y dibujos.*
- *Deducir por el contexto.*
- *Preguntar a la persona que habla.*
- *Consultar una gramática o un diccionario.*
- *Usar ejemplos si no conocemos la palabra concreta.*
- *Subrayar.*
- *Contrastar con la lengua materna u otras lenguas.*
- *Planificar lo que queremos.*

Cambios en los sistemas educativos

1 A (54) **Escucha y lee esta entrevista a un experto en educación. Actualmente, ¿cuáles son los cambios en la educación y qué papel tiene el profesor?**

Es un honor tener con nosotros al experto en educación Eduardo Vallejo, que nos habla hoy de los cambios que están ocurriendo en la educación a nivel mundial. Vamos con la primera pregunta: ¿cuál cree que es el cambio más importante en la educación actual?

Creo que la educación está cambiando, principalmente por las tecnologías. Las TIC* están revolucionando la forma de enseñar.

¿Eso quiere decir que el rol del profesor está perdiendo importancia?

No, en absoluto; al contrario, el profesor sigue teniendo un papel muy importante, crucial, pero como guía, como facilitador del aprendizaje, y no como transmisor de conocimientos. El profesor debe promover el pensamiento crítico, es decir, los estudiantes deben cuestionar, analizar y criticar antes de tomar una decisión.

Está diciendo algo muy interesante, que me lleva a la próxima pregunta: ¿cuáles son los retos principales para este cambio que está sucediendo en la educación actual?

El alumno debe prepararse con diversas herramientas; estas herramientas son capacidades, actitudes o habilidades que ayudan a aprender a vivir en este mundo globalizado. Muchos gobiernos están invirtiendo en los sistemas educativos, pero su contribución debe ser mayor. La educación, en mi opinión, está cambiando positivamente en muchos países, pero, a la vez, está viviendo una crisis en muchos otros aspectos (...).

*Tecnologías de la Información y la Comunicación

B **Subraya en el texto anterior el gerundio de estos verbos. Hay dos irregulares, ¿cuáles son?**

cambiar • revolucionar • tener • suceder • perder • ocurrir • invertir • vivir • decir

C (54) **Escucha otra vez la entrevista y, sin leerla, completa las frases.**

Los gobiernos	1 ________	está cambiando a nivel mundial.
La educación	2 ________	están revolucionando la enseñanza.
Los profesores	3 ________	no están perdiendo importancia.
Las TIC	4 ________	están invirtiendo en los sistemas educativos.

GRAMÁTICA

El gerundio

Se forma sustituyendo las terminaciones del infinitivo ***(-ar, -er, -ir)*** por:
-ando: infinitivos terminados en ***-ar***
-iendo: infinitivos terminados en ***-er***, ***-ir***

*La educación está **cambiando**.*
*¿El rol del profesor está **perdiendo** importancia?*
*La educación está **viviendo** una crisis.*

Algunos gerundios irregulares:

decir: **diciendo**	oír: **oyendo**
contribuir: **contribuyendo**	leer: **leyendo**
pedir: **pidiendo**	ir: **yendo**
dormir: **durmiendo**	venir: **viniendo**

Perífrasis verbales con gerundio:

Son construcciones de un verbo + gerundio:
- ***Estar*** **+ gerundio:** expresa el desarrollo de la acción:
  ***Están ocurriendo** cambios en la educación.*
- ***Seguir*** **+ gerundio:** expresa el desarrollo sin interrupción de la acción:
  *El profesor **sigue teniendo** un papel importante.*

estoy / sigo **estás / sigues** **está / sigue** **estamos / seguimos** **estáis / seguís** **están / siguen**	**+ gerundio**

2 A **Estos alumnos opinan sobre los cambios en la educación en una revista de actualidad. Completa sus opiniones utilizando perífrasis verbales con gerundio.**

¿QUÉ ESTÁ CAMBIANDO Y QUÉ SIGUE IGUAL EN LA EDUCACIÓN?

B **¿Está cambiando la educación en tu comunidad? Coméntalo con tu compañero.**

3 A **Los siguientes títulos han sido extraídos de un artículo informativo sobre el sistema educativo en Bolivia. Lee el artículo y coloca los títulos. Compara tu respuesta con la de un compañero.**

La estructura del sistema educativo | La educación en Bolivia | El futuro | Algunos datos

Presente y futuro de nuestra educación

CARLOS MANUEL BLÁZQUEZ

(1) ______

El objetivo de la educación boliviana es formar al individuo integralmente para su realización como persona. A continuación, se presenta un resumen de la estructura del sistema educativo y la situación de la educación en este país.

(2) ______

La organización educativa está constituida por niveles y modalidades y tiene como fundamento el desarrollo psicosocial de los alumnos y las características de cada región del país.
Los niveles del sistema educativo son graduales en función de los diferentes estados de desarrollo de los alumnos. Estos son cuatro:
a) Educación Preescolar c) Educación Secundaria
b) Educación Primaria d) Educación Superior

Los niveles se aplican en modalidades de acuerdo con las características del alumno y las condiciones socioeconómicas del país. Estos son:
-De menores -De adultos -Especial

(3) ______

- La mayoría de los maestros en Bolivia son mujeres.
- La población escolar comprende alumnos de 4 a 6 años para la Educación Preescolar, y de 6 a 19 años para la Primaria y Secundaria.
- La Educación Primaria es obligatoria y gratuita, y dura 8 años; la Secundaria no es obligatoria. La escolaridad, para algunos, se prolonga más allá de los cuarenta años (Educación de adultos).
- 8 de cada 10 chicos y chicas de entre 6 y 19 años van a la escuela. Esto significa que hay miles que no disfrutan de este derecho.

(4) ______

Bolivia ha progresado a nivel educativo y ocupa un lugar importante entre los países latinoamericanos. Muchos centros educativos están estableciendo iniciativas para cambiar lo que se llama la educación tradicional boliviana. Los especialistas están hablando de tres conceptos claves para cambiar la situación de la educación en el país y como reto de la educación del futuro: investigación, innovación y cooperación.

Información obtenida de www.dgb.sep.gob.mx y *El timbrazo*

B **¿Es similar el sistema educativo en tu país? ¿Cómo son los niveles y las modalidades? Coméntalo con tu compañero.**

C **Lee la información en los dos últimos apartados del artículo y decide si estas afirmaciones son verdaderas (V) o falsas (F). Justifica tu respuesta con palabras del texto.**

		V	F
1	En Bolivia no hay maestros del sexo masculino. Justificación: *La mayoría de los maestros en Bolivia son mujeres.*	☐	☒
2	El período de escolaridad obligatoria es hasta los 19 años. Justificación: ______	☐	☐
3	Hay muchos chicos y chicas que no van a la escuela. Justificación: ______	☐	☐
4	El sistema educativo boliviano es mejor que antes. Justificación: ______	☐	☐
5	La educación en Bolivia ha sido siempre moderna. Justificación: ______	☐	☐

Avanza Escribe un breve artículo sobre la situación actual de la educación en tu país u otro país utilizando el artículo informativo de Bolivia como modelo.

LÉXICO

La estructura del sistema educativo

Niveles:
- Educación Preescolar
- Educación Primaria
- Educación Secundaria
- Educación Superior (Universitaria)

Modalidades:
- Educación de menores
- Educación de adultos
- Educación especial

Comunidad educativa:
- Alumno/-a / Estudiante
- Maestro/-a
- Profesor(a)
- Director(a)
- Padres / Madres

Instituciones educativas:
- La guardería
- El colegio
- La escuela
- El instituto
- La universidad

Otras formas de educarse

1 A Señala qué actividades has hecho alguna vez dentro o fuera de tu centro educativo.

baile • deporte • talleres de escritura / lectura • fotografía • teatro • danza
patinaje • escultura • cocina • canto • voluntariado en una ONG • acrobacia
gimnasia • idiomas • música • yoga • pintura • viajes • natación

B Mira las actividades que ha hecho David desde el comienzo de la escuela secundaria hasta ahora y relaciona las frases de la columna de la izquierda con los datos de la columna de la derecha.

1 David toca la guitarra y estudia francés **desde**	a poco tiempo
2 **Hace** años **que**	b 2009
3 Practica natación **desde hace**	c canta en un coro

C Pregunta a tu compañero qué actividades realiza y desde cuándo.

estudiar idiomas • practicar deportes • pintar • hacer deportes acuáticos • hacer gimnasia
practicar ciclismo • hacer yoga • jugar al ajedrez • tocar un instrumento musical • hacer teatro

- *¿Estudias italiano?*
- *Sí.*
- *¿Desde cuándo estudias italiano?*
- *Desde hace 2 años.*

2 A Mira la agenda de Marta y completa las frases.

16:00 *El lunes, **antes de** hacer el voluntariado en la ONG, Marta practica natación.*
18:00 *El lunes, **después de** practicar natación, Marta hace el voluntariado en la ONG.*

07:00 1 El lunes, antes de ________________, Marta ________________.
17:00 2 El martes, antes de ________________, Marta ________________.
18:00 3 El miércoles, después de ________________, Marta ________________.
07:00 4 El jueves, antes de ________________, Marta ________________.
17:00 5 El viernes, después de ________________, Marta ________________.

	Lunes 5	Martes 6	Miércoles 7	Jueves 8	Viernes 9
07:00	correr			yoga	
08:00	instituto	instituto	instituto	instituto	instituto
16:00	natación		teatro		clase de violín
17:00		curso de alemán			curso de alemán
18:00	voluntariado ONG		natación		
19:00		clase de violín			

Repasa Los días de la semana en la unidad 4.

COMUNICACIÓN

Expresar duración

- *Desde*
  Nos referimos a un punto concreto en el pasado, expresa el momento en que comienza algo: ***desde*** *ayer / 2013 / septiembre.*
  *Trabajo allí **desde** el año pasado.*
- ***Desde hace / Hace ... que***
  Nos referimos a todo el periodo de tiempo que ha transcurrido desde el comienzo de algo: **desde hace / hace** dos días / meses / años.
  - *¿Cuánto tiempo **hace que** / **Desde** cuándo estudias alemán?*
  - ***Desde hace** un año. / **Hace** un año **que** estudio alemán.*

Relacionar dos hechos en el tiempo

- ***Antes de / Después de*** **+ infinitivo:**
  ***Antes de** ir a la clase de alemán…*
  ***Después de** practicar yoga…*

B Escribe las actividades que haces durante la semana en una agenda similar a la de Marta e intercámbiala con tu compañero. Ahora, escribe cinco cosas que hace tu compañero utilizando *antes de* y *después de*.

Tim va a la clase de francés después de salir del instituto.

3 A (55) Mira los tableros de Marta en Pinterest y escúchala hablando sobre una actividad que es muy útil para su equilibrio físico y emocional. ¿De qué actividad habla?

B Marta le escribe un mensaje en Facebook a una amiga contándole su nueva actividad. Completa el texto con las formas adecuadas de los siguientes verbos.

acabar de • poder • tener que • empezar a • ir a

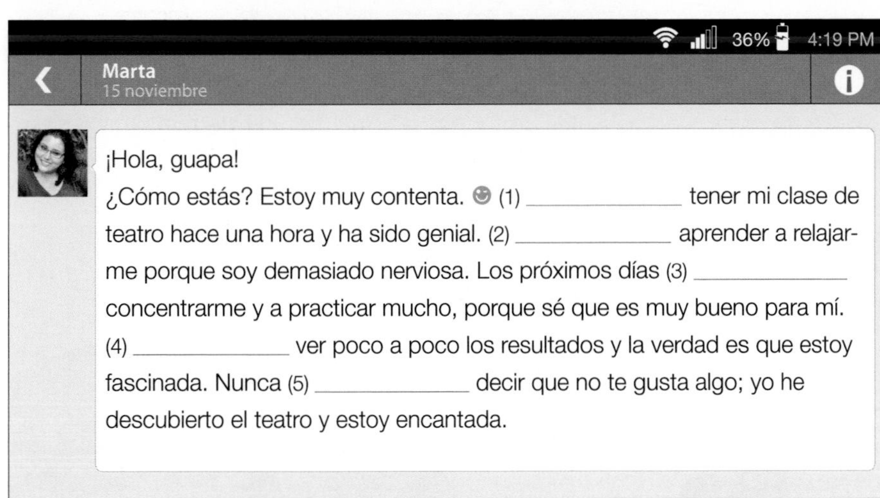

¡Hola, guapa!
¿Cómo estás? Estoy muy contenta. ☺ (1) ____________ tener mi clase de teatro hace una hora y ha sido genial. (2) ____________ aprender a relajarme porque soy demasiado nerviosa. Los próximos días (3) ____________ concentrarme y a practicar mucho, porque sé que es muy bueno para mí. (4) ____________ ver poco a poco los resultados y la verdad es que estoy fascinada. Nunca (5) ____________ decir que no te gusta algo; yo he descubierto el teatro y estoy encantada.

GRAMÁTICA

Perífrasis verbales con infinitivo

- ***Empezar a* + infinitivo:** expresa el comienzo de una acción.
  ***Empiezo a sentir** cambios.*
- ***Acabar de* + infinitivo:** expresa el final muy reciente de una acción.
  ***Acabo de salir** de mi clase de música.*
- **Otras perífrasis con infinitivo:**
  ***Deber* + infinitivo:** expresa obligación.
  ***Tener que* + infinitivo:** expresa obligación.
  ***Poder* + infinitivo:** expresa posibilidad.
  ***Ir a* + infinitivo:** expresa futuro.

4 A (56) Estas palabras de la unidad tienen las letras *b* y *v*. Escucha cómo se pronuncian. ¿Notas alguna diferencia entre la *b* y la *v*?

B Ahora, escribe *b* o *v* según corresponda.

1 creati_idad	5 ni_el	9 cam_iar	13 acro_acia
2 de_er	6 educati_os	10 in_estigacion	14 _iajes
3 alfa_etización	7 esta_lecer	11 inno_ación	15 aca_ar
4 _oli_ia	8 iniciati_as	12 acti_idades	16 _ida

Avanza Escribe palabras de la misma familia a partir de las siguientes: *nivel, innovar, investigación, cambiar.*

ORTOGRAFÍA Y PRONUNCIACIÓN

B / V

La ***b*** (be, be alta o be larga) y la ***v*** (uve, ve baja o ve corta) representan un mismo fonema (una consonante bilabial y sonora) y se pronuncian igual. La diferencia está en la ortografía:
- A principio de sílaba puede ser ***b*** o ***v***: *buscar / vida.*
- Se escribe ***b*** antes de ***l*** o ***r***: *hablar / abrir.*
- Al final de sílaba solo ***b***: *absoluto.*

Bolivia

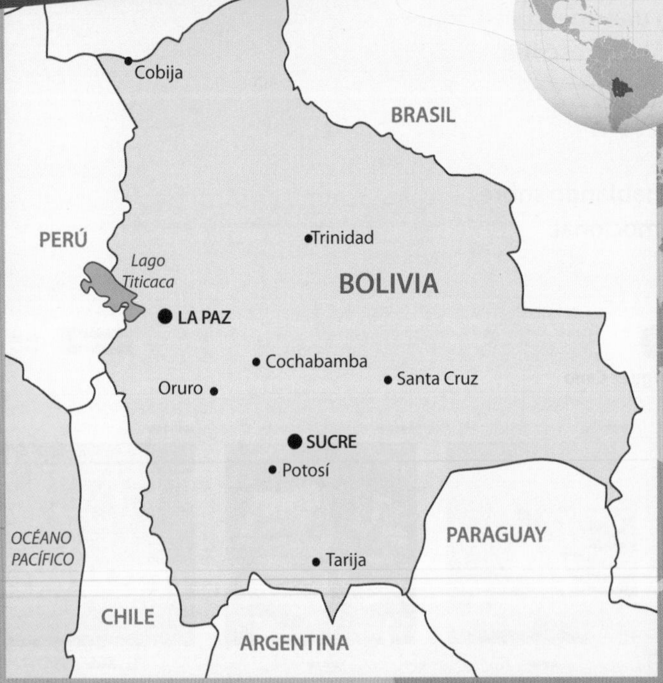

Cobija
BRASIL
PERÚ
Trinidad
Lago Titicaca
BOLIVIA
LA PAZ
Cochabamba
Oruro
Santa Cruz
SUCRE
Potosí
OCÉANO PACÍFICO
PARAGUAY
Tarija
CHILE
ARGENTINA

8

1 Relaciona las fotos de La Paz con las siguientes descripciones.

a El Palacio de Gobierno de Bolivia está situado frente a la Plaza Murillo y es de estilo neoclásico.

b La unidad militar del ejército boliviano recibe el nombre de *Colorados de Bolivia* y son escoltas del gobierno.

c Los pueblos indígenas bolivianos se agrupan en tres grandes regiones: la Amazónica, el Chaco y los Andes.

d Los amuletos son muy variados. Muchos son amuletos de la suerte y muchos otros, en honor a la *Pachamama* (de *pacha*, que en quechua significa 'tierra, universo, lugar', y *mama*, 'madre').

e La venta ambulante en las calles de La Paz es muy común. Se vende de todo, pero especialmente alimentos, como empanadas, frutas, zumos, etc.

f La industria textil es muy importante en Bolivia y muestra características de cada región y lugar donde se produce. En Bolivia encontramos tejidos muy típicos y coloridos. Son muy populares los llamados *ponchos*, conocidos en todo el mundo.

g Las calles de La Paz son una mezcla de tradición y modernidad.

h Los mercados callejeros son una parte muy importante de esta ciudad. En estos mercados se pueden encontrar una extensa variedad de productos: comida, artesanía, juguetes, libros, etc.

7 6 5 4

2 Lee el blog de Edi, un estudiante de español en Bolivia, y contesta a las siguientes preguntas.

1 ¿Por qué dice Edi que Bolivia es un vivo ejemplo de la unidad en la diversidad?
2 ¿Por qué se llama el curso *Idioma +*?
3 ¿Está contento Edi? ¿Por qué?
4 ¿En qué ciudad de Bolivia está Edi?
5 ¿Has hecho un curso de este tipo alguna vez?
6 ¿Crees que es importante aprender un idioma en el país donde se habla?

BLOG DE EDI GUZMÁN

CURSO IDIOMA +

(Potosí)

Bolivia es un vivo ejemplo de la unidad en la diversidad. Este país nos ofrece no solo bellos y diferentes lugares para visitar, sino una magnífica cultura representada por sus habitantes de decenas de etnias. En este contexto, he decidido inscribirme en un curso que se llama Idioma +. Este curso combina el aprendizaje de la lengua con la práctica de una actividad específica. Una lengua es el reflejo de una cultura, una civilización, y este curso ofrece acceso al descubrimiento de esa cultura a través de actividades como la música, la danza, el cine, la cocina, el deporte y muchas otras más. Estoy aprendiendo muchísimo y realmente estoy muy contento con esta forma de aprender la lengua. También tengo la posibilidad de hacer una parte del curso aquí en Potosí y la otra parte al lado del Lago Titicaca, ¡todo un lujo! ¡Muy recomendable!

3 En Bolivia se habla español, quechua, aimara, guaraní y muchas más lenguas indígenas. Lee con tu compañero las siguientes palabras, ¿puedes buscar alguna más?

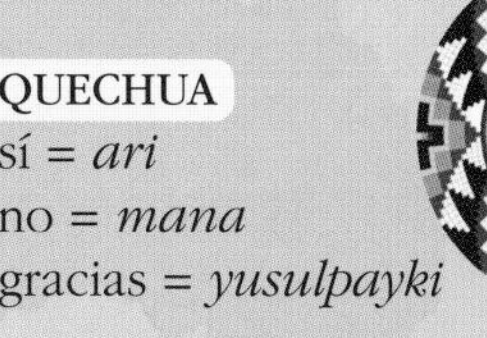

QUECHUA
sí = *ari*
no = *mana*
gracias = *yusulpayki*

AIMARA
sí = *jisa*
no = *jani*
gracias = *pachi*

GUARANÍ
sí = *hêe*
no = *ahániri*
gracias = *aguyje*

Acción - Reflexión

Mira las fotografías. ¿Qué tipo de actividad están haciendo en cada una? Y a ti, ¿qué tipo de actividad te gusta más hacer en clase?

Acción

En parejas, elaborad el decálogo del buen profesor para exponerlo en la clase. Toda la clase tiene que votar para elegir el mejor decálogo. Son importantes la lengua utilizada y la presentación.

1 Tened en cuenta el decálogo del buen alumno que hemos visto en la unidad.
2 Utilizad el vocabulario y la estructura lingüística apropiada.
3 Presentadlo oralmente con un formato original.

Actitudes y valores

¿Eres un estudiante responsable? Responde *sí* o *no*.

	Sí	No
- Realizo todas las tareas que me asigna el profesor.	☐	☐
- Trabajo bien en equipo.	☐	☐
- Pongo atención en todo lo que hago.	☐	☐
- Soy responsable a la hora de gestionar el tiempo.	☐	☐

Reflexión

- **¿Crees que la educación en la actualidad promueve el pensamiento crítico, es decir, ayuda a los estudiantes a cuestionarse y analizar las cosas, así como a formarse su propia opinión?**
- **¿Crees que tu educación te ayuda a ser mejor persona?**

11 Consumo

- Hablar sobre ropa y moda
- Ir de compras
- Valorar qué es el consumo responsable
- Reflexionar sobre el reciclaje y la moda
- Diseñar un catálogo de ropa
- País: Colombia
- Interculturalidad: La importancia de la ropa en las distintas culturas
- Actitudes y valores: Respetar los criterios y los gustos de los otros

1 **Observa las fotos, ¿con qué tipo de ropa te identificas más?**

2 **¿Es importante para ti la apariencia exterior: ropa, peinado, maquillaje, accesorios?**

3 **¿Llevas siempre el mismo tipo de ropa o depende de la ocasión?**

4 **¿Crees que los jóvenes de otros países visten de una forma diferente?**

La moda

1 A Antes de leer una entrevista a una bloguera, comenta las preguntas con tus compañeros en pequeños grupos.

1 ¿Dónde compras la ropa normalmente?
2 ¿Te gusta la ropa de marca?
3 ¿Compras en las rebajas?
4 ¿Crees que la moda es solo cosa de chicas?

B Ahora, marca si las siguientes frases son verdaderas (V) o falsas (F). Después, justifica tus respuestas señalando en qué líneas del texto se encuentra la información.

1 Los jóvenes de hoy en día tienen un criterio propio a la hora de elegir la ropa. ☐
2 Hay muchas opciones para comprar la ropa. ☐
3 A todos los jóvenes les gusta vestir de una manera diferente. ☐
4 En las rebajas la gente compra más ropa. ☐
5 La moda es más importante para las chicas. ☐

TEMAS DE MODA Virginia Pérez

Hoy entrevistamos a Isabel Casas, una conocida bloguera experta en moda.

¿Dónde compran la ropa los jóvenes actualmente?
Los hábitos en la manera de comprar han cambiado mucho en los últimos años. A muchos jóvenes de hoy no les interesan las marcas, no les gusta comprar la ropa que lleva todo el mundo. Quieren llevar ropa especial, diferente, pero no pueden gastar mucho y, por eso, van a mercadillos donde pueden encontrar ropa más barata, porque en muchos casos se trata de ropa de segunda mano o de diseñadores poco conocidos, pero mucho más original que la que encuentran en las tiendas. Otros utilizan internet para comprar. Existen muchas tiendas *on-line* que les ofrecen precios muy interesantes y en las que pueden comprar la ropa de su marca favorita. Pero también hay jóvenes que no quieren ser «diferentes» y prefieren comprar una prenda de la marca que les gusta y que saben que les queda bien; suelen ir a centros comerciales donde pueden encontrar la ropa que está de moda cada temporada. Es lo bueno de la moda: se adapta a la personalidad de cada uno.

¿Por qué compramos ropa que no necesitamos?
La publicidad influye mucho a la hora de consumir. La moda es una industria, y cada temporada se lleva un color diferente, un diseño diferente, una tela diferente… Si no vestimos *a la moda* no formamos parte del grupo y, en general, nadie quiere quedarse excluido. Además, hay épocas del año en que prácticamente todo el mundo compra ropa que no necesita: cuando hay rebajas. La mayoría de las marcas y las tiendas ofrecen el *stock* que no han podido vender durante la temporada con descuentos que pueden llegar hasta el 70%.

¿Crees que la moda es cosa de chicas?
En absoluto. A los chicos también les gusta la ropa y tener un estilo propio. Muchos prefieren un estilo más deportivo, más cómodo, pero todos, o casi todos, se miran al espejo y se prueban varias prendas antes de salir de casa, igual que las chicas. Es verdad que la moda para chicas es más variada, posiblemente porque tienen opciones que los chicos no tienen, como los vestidos o las faldas. Además, las chicas suelen llevar más accesorios…

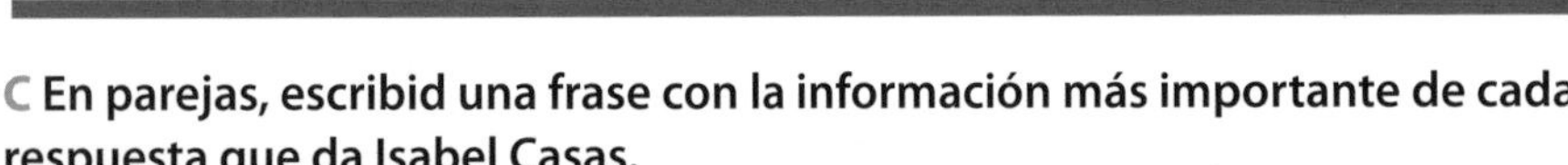

C En parejas, escribid una frase con la información más importante de cada respuesta que da Isabel Casas.

Avanza Subraya en el texto las palabras y expresiones relacionadas con la ropa.

2 A Lee estos pequeños diálogos y señala si B está de acuerdo con lo que dice A.

		De acuerdo
1	A Siempre voy a comprar cuando hay rebajas. B **Yo no**. A mí no me gustan nada las rebajas.	
2	A Yo no gasto mucho dinero en ropa. B **Yo sí**. Creo que gasto demasiado.	
3	A Siempre me pongo ropa deportiva. B **Yo también**. Me gusta la ropa cómoda.	
4	A Nunca compro ropa cara. B **Yo tampoco**. Prefiero gastar el dinero en otra cosa.	

LÉXICO

Comprar ropa

- ***Ir de compras / rebajas***
  *No me gusta nada **ir de compras**.*
- ***Gastar mucho / poco dinero***
  *Cuando voy de rebajas, **gasto** mucho dinero.*
- ***Probarse** una prenda*
  *Nunca **me pruebo** la ropa antes de comprarla.*
- ***Ponerse** una prenda*
  *Cuando voy a la playa, **me pongo** un sombrero.*
- ***Llevar** una prenda*
  *Voy a **llevar** el vestido rojo a la fiesta.*
- ***Quedar bien / mal** una prenda*
  ● *Este vestido me **queda muy mal**.*
  ■ *¡Que no, que te **queda muy bien**.*

B En parejas, leed las siguientes frases: uno lee una frase y el otro reacciona.

1 Voy de compras todas las semanas.
2 Siempre compro mi ropa por internet.
3 Yo nunca compro ropa en un centro comercial.
4 Nunca voy solo a comprar ropa.
5 Normalmente, me pruebo mucha ropa antes de comprar algo.
6 Yo siempre llevo accesorios.

yo también
yo tampoco
yo sí
yo no

Repasa *A mí también, a mí tampoco, a mí sí, a mí no* en la unidad 5.

3 A Observa cómo se llaman las prendas de vestir, ¿qué ropa llevas para cada una de estas ocasiones?

ir a una fiesta de un amigo • ir a una entrevista de trabajo • ir a una boda
dar un paseo por el campo en invierno • pasar un día en la playa

Yo para ir a una fiesta llevo un vestido...

MODA OUTLET

Ropa para hombre y para mujer con grandes descuentos. Envíos gratis por compras superiores a 29 euros.

MARCAS NIÑOS MUJER HOMBRE HOGAR OUTLET

ROPA

ROPA DE BAÑO / COMPLEMENTOS

ROPA INTERIOR

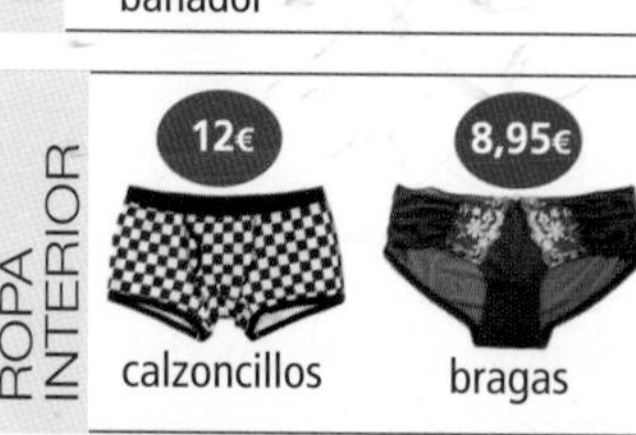

CALZADO

Repasa Los colores en la unidad 8 y los números en la unidad 5.

B (57) Algunas prendas de vestir se dicen de otra forma en cada país de habla hispana. Escucha y escribe cómo se dicen las siguientes prendas en Colombia.

1 zapatillas: ________
2 bragas: ________
3 pendientes: ________
4 sudadera: ________
5 bañador: ________
6 gorra: ________

COMUNICACIÓN

Reaccionar

De acuerdo 

- *Siempre compro en las tiendas de mi barrio.*
- ***Yo también.***
- *Nunca llevo gorras.*
- ***Yo tampoco.***

En desacuerdo

- *No voy nunca de compras con mis padres.*
- ***Yo sí.***
- *Siempre me pruebo mucha ropa antes de comprar algo.*
- ***Yo no.***

LÉXICO

La ropa

Materiales y estilos:

- *una chaqueta / un abrigo* **de piel / de lana**
- *una camiseta* **de manga corta / larga**
- *un jersey* **de cuello alto**
- *unos pantalones* **largos / cortos / de deporte**
- *un abrigo* **negro / de marca**
- *un vestido* **de fiesta / de segunda mano**
- *una camisa* **de rayas / de cuadros / lisa**
- *unos zapatos* **de tacón**
- *una gorra* **de béisbol**

Medidas:

- **talla pequeña / mediana / grande** (para ropa)
- **número** (para calzado)

Precios:

- *caro / barato*
- *rebajas*
- *descuentos*

Lugares:

- *una tienda*
- *un centro comercial*
- *un mercadillo*
- *una zapatería*

En cada país de habla hispana hay algunos nombres diferentes para las prendas de vestir. Por ejemplo, en Colombia: *calcetines = medias; sujetador = brasier; vaqueros =* jeans*; pantalones cortos = pantalonetas; medias = medias pantalón.*

De compras

1 A Lee el diálogo 1 y observa las palabras en negrita. Después, subraya el mismo tipo de palabras en el diálogo 2. ¿Qué cambios observas?

B Ahora escribe dos diálogos parecidos con las siguientes palabras.

1 camiseta – ir a la playa– ir a una fiesta
2 guantes – ir en moto – esquiar

Repasa Los pronombres de objeto directo en la unidad 6.

GRAMÁTICA

Qué / Cuál / Cuáles

Para elegir entre varias opciones, podemos preguntar con ***qué*** o ***cuál / cuáles***.

- ***qué*** + **sustantivo**
  *¿**Qué** bañador compro? / ¿**Qué** zapatos te gustan más?*
- ***cuál / cuáles*** + ***de estos/-as*** **(sustantivo / verbo)**
  Si la opción es singular, se usa ***cuál***:
  ● *(De estos vestidos) ¿**Cuál** te gusta más?*
  ■ *El vestido verde.*
  Si la opción es plural, se usa ***cuáles***:
  ● *¿**Cuáles** (de estos zapatos) te gustan más?*
  ■ *Los negros.*

2 A (58) Escucha y lee estos cuatro diálogos. Después, relaciónalos con los dibujos de la página siguiente.

A ☐
● Hola, ¿**le** puedo ayudar?
■ Hola, quiero un traje para ir a una boda.
● ¡Ah, muy bien! ¿Cómo **lo** quiere? ¿Gris, azul marino...?
■ No sé, ¿azul marino?
● Mire, ¿**le** gusta este?
■ ¿Es muy caro?
● Espere, que miro el precio en la etiqueta. Cuesta 150 euros. ¿Quiere probár**selo**?

B ☐
● ¿Y si **le** compramos este casco?
■ ¿No es muy caro?
● Pero somos cinco para el regalo, ¿no? ¿Y si **se lo** compramos juntos?
■ Vale, tienes razón. Vamos a comprár**selo**.

C ☐
● ¿**Les** gusta este vestido?
■ Sí, mucho, es muy bonito.
▲ Sí, **me** encanta, ¿cuánto cuesta?
● Antes, 60; ahora, 30 euros.
▲ ¡Qué barato!
■ ¿Por qué no **te lo** pruebas? Seguro que **te** queda muy bien.
▲ De acuerdo, voy a probár**melo**.

D ☐
● ¡Me gusta!
■ Sí, pero **te** queda un poco grande.
● Pero es que **me** gustan grandes. ¿**Me** puedes traer una talla más grande? ¡Por favor!
■ Vale, pero a mí **me** parece demasiado grande...

B En los diálogos hay muchos pronombres. Vuelve a leerlos y averigua a qué o a quién se refiere cada uno. Después, estudia el cuadro de gramática.

En «¿Le puedo ayudar?», «le» se refiere a «usted».

3 Completa las frases con los pronombres de OD o de OI que faltan.

1 Me gusta **esta chaqueta.** ¿Puedo probárme*la*?
2 **Le** vamos a regalar un sombrero **a Julián**. ¿______ lo damos en la fiesta?
3 Mira **esta camisa**. ¿Quieres probárte______?
4 Yo siempre me pongo **los pantalones** de mi hermano. Y siempre me ______ pongo para ir a bailar.
5 Estamos comprando el regalo de **Amanda**. ______ lo vamos a dar mañana.
6 Voy a comprar unas gorras **a los niños**. ¿______ las compro rojas o azules?

4 A La madre de Alejo ha ido de rebajas y ha comprado ropa para toda la familia. Construye las frases de Alejo según el modelo.

¿A quién?	¿Qué?	¿Cuándo?
A papá	Unos vaqueros	Después de la cena
A Alejo	Unas botas marrones	Como regalo de Navidad
A mi hermana	Una camiseta blanca y un cinturón negro	El domingo
A mi hermano	Una sudadera gris	Esta noche
A su amiga	Unas gafas de sol	El día de su cumpleaños

A papá le ha comprado unos vaqueros y se los va a dar después de la cena.

B Y tú, ¿a quién haces regalos normalmente? ¿Cuándo se los das? Escribe tres frases y coméntalas con tu compañero.

Yo siempre le hago un regalo a mi hermano por su cumpleaños. Se lo doy el día de su cumpleaños o la noche antes.

Avanza Con un compañero, imagina que estás en una tienda de ropa: uno es el cliente y el otro, el dependiente. Representad un diálogo.

GRAMÁTICA

Los pronombres de objeto indirecto (OI)

- El objeto indirecto (OI) es un complemento del verbo e indica la persona destinataria de una acción.
  Hemos regalado una bicicleta a mi sobrino.
- El pronombre de OI se usa para sustituir a la persona, cosa o animal que actúa como objeto indirecto en una oración:

me	*¡**Me** han regalado una camiseta!*
te	***Te** doy el regalo de cumpleaños.*
le (se)	*A Luisa **le** han comprado un vestido.* * **Se** lo han comprado sus padres.*
nos	*¿**Nos** podemos probar las botas?*
os	*¿**Os** compro un regalo a cada uno?*
les (se)	*A ellos **les** han regalado unas gorras.* ***Se** las han regalado en la fiesta.*

- Es habitual utilizar en la misma frase el OI y también el pronombre de OI:
  *A Lucía **le** han regalado unos pendientes.*

Pronombres de OI y su combinación con el OD

- Siempre va primero el OI y después el OD:
  ***Me lo** han regalado por mi cumpleaños.*
  OI OD
- Cuando el OI es el de tercera persona **(le, les)**, este se convierte en ***se***:
  ● *¿Quién le da el regalo a Juan?*
  ■ *~~Le~~ **lo** doy yo. → **Se lo** doy yo.*
  OI OD
- En las perífrasis con infinitivo o con gerundio los pronombres pueden ir delante o detrás:
  *Queremos regalár**selo** (un sombrero - a mi padre) = **Se lo** queremos regalar.*
  *Está probándo**selos** (unos pantalones - él) = **Se los** está probando.*

De segunda mano

1 A Lee el siguiente fragmento de una revista de ecología y responde a las preguntas.

1 ¿Qué se utiliza para la fabricación de la ropa?
2 ¿Qué propone hacer con la ropa vieja el autor del artículo?
3 ¿Cuál es la diferencia entre reciclar y reutilizar?

QUÉ HACER CON LA ROPA QUE NO QUEREMOS

J. PÉREZ DEL OLMO

¿Tienes el armario lleno de ropa que ya no te gusta? ¿Tus vaqueros son demasiado cortos o están pasados de moda? Antes de tomar una decisión, tienes que pensar un momento. ¿Sabes que, en general, la ropa está fabricada con fibras y colorantes y que si la tiras estás contaminando? ¿Sabes que en su fabricación se ha empleado una energía que puedes ahorrar?

Si eres una persona responsable con el medio ambiente, puedes hacer dos cosas con la ropa que no vas a usar, además de regalársela a algún amigo o vecino. Si las prendas están en buen estado, puedes ir a una tienda de segunda mano y así obtener algo de dinero a cambio. También puedes venderla por internet. Pero si es una prenda de ropa vieja, puedes reciclarla. Según los expertos en reciclaje, no es lo mismo reciclar que reutilizar. Si reutilizas una prenda de ropa, estás alargando su vida y evitando un exceso de consumo. Si con esa prenda haces algo útil, como un bolso o una falda, estás reciclando.

B ¿Qué haces con tu ropa usada? Responde a las siguientes preguntas con *sí* (S) o *no* (N). Después, pregunta a dos compañeros (A y B) y anota sus respuestas.

	Yo	A	B
1 ¿Regalas la ropa que no utilizas a algún familiar, amigo o alguien de tu comunidad?	☐	☐	☐
2 ¿Reciclas la ropa vieja para confeccionar nuevas prendas (faldas, *shorts* o bolsos…)?	☐	☐	☐
3 ¿Vendes tu ropa usada en tiendas de ropa de segunda mano o en mercadillos?	☐	☐	☐
4 ¿Intercambias tu ropa con tus amigos y conocidos?	☐	☐	☐
5 ¿La vendes a través de webs de compra de ropa de segunda mano?	☐	☐	☐
6 ¿La dejas en un contenedor de reciclaje?	☐	☐	☐

C ¿Cuál de los tres hace un uso más responsable de su ropa usada? ¿Por qué?

2 A En un portal colombiano organizan actividades para concienciar sobre un consumo sostenible. Lee el siguiente evento, ¿qué actividad proponen?

consumosostenible

CONSUMOSOSTENIBLE Es un portal interactivo que busca concienciar y formar a las personas sobre la importancia del consumo responsable a través de una herramienta participativa.

JORNADA DE TRUEQUE VIRTUAL

Descripción del evento - Esta actividad consiste en intercambiar aquellos objetos que están en buen estado, pero que ya no usamos. El trueque es una práctica que existe desde tiempos inmemorables. El ser humano siempre ha tenido la necesidad de cambiar aquellos objetos que posee, pero no necesita, por aquellos que realmente desea. En nuestros días se ha retomado el concepto del trueque como una forma de consumo solidario.

Actividad - Haz una lista de los objetos que tienes para ofertar y otra de los objetos que estás interesado en obtener. Deja un número de contacto o tu correo electrónico y espera la invitación de alguien para comenzar a intercambiar.

¿QUÉ OFRECES? ¿QUÉ BUSCAS?

#1 Alfredo Hernández 15 de julio
¡Hola! En mi casa tengo muchos cómics de los años setenta y ochenta y quiero intercambiarlos por videojuegos. Si estás interesado, puedes responder a este anuncio.

Extraído de www.consumosostenible.co

B Ahora, participa y escribe un comentario con lo que tú puedes ofrecer. Después, lee los comentarios de tus compañeros. ¿Puedes intercambiar algo con ellos?

A Robert le interesa mi casco y a mí me interesa su tableta...

3 A En este instituto han hecho un mercadillo para vender objetos y ropa de segunda mano para una organización benéfica. El mercadillo ha terminado y ahora no saben de quién son las cosas que no se han vendido. Subraya los posesivos que aparecen y clasifícalos en la tabla.

		Pronombres posesivos
yo	mi / mis	
tú	tu / tus	
él / ella / usted	su / sus	
nosotros/-as	nuestro / nuestros	
vosotros/-as	vuestro / vuestros	
ellos/-as / ustedes	su / sus	

B Ahora, todos dejáis un objeto o una prenda encima de una mesa. El profesor elige un objeto y pregunta a uno de vosotros de quién es. Tenéis que responder sin decir el nombre del propietario.

- *Peter, ¿de quién es esto?*
- *Es suyo.*

4 A Lee en voz alta las palabras que aparecen en la tabla y subraya en qué sílaba llevan el acento.

Agudas ___ ___ ___	Llanas ___ ___ ___	Esdrújulas ___ ___ ___
vestir	moda	hábito

B (59) Ahora, escucha las siguientes palabras y escríbelas en la columna correspondiente, según su sílaba acentuada.

Avanza Busca 20 palabras en la unidad y clasifícalas en agudas, llanas y esdrújulas.

GRAMÁTICA

Pronombres posesivos

Sustituyen a un sustantivo e indican el poseedor.

Objeto	Un poseedor	Más de un poseedor
1.ª persona	mío, mía, míos, mías	nuestro, nuestra, nuestros, nuestras
2.ª persona	tuyo, tuya, tuyos, tuyas	vuestro, vuestra, vuestros, vuestras
3.ª persona	suyo, suya, suyos, suyas	suyo, suya, suyos, suyas

- *¿El abrigo es **tuyo**?*
- *No, no es **mío**.*

ORTOGRAFÍA Y PRONUNCIACIÓN

El acento

Las palabras llevan el acento en diferentes sílabas.

- **Agudas:** llevan el acento en la última sílaba *(baña**dor**, cintu**rón**, algo**dón**, re**loj**)*.
- **Llanas:** llevan el acento en la penúltima sílaba *(**ro**pa, cami**se**ta, **go**rra)*. La mayoría de las palabras en español son llanas.
- **Esdrújulas:** llevan el acento en la antepenúltima sílaba *(**cá**mara, **nú**mero, **jó**venes)*.

Observa:

- Aguda: *com**prar***
- Llana: *com**prar**lo*
- Esdrújula: *com**prár**melo*

Colombia

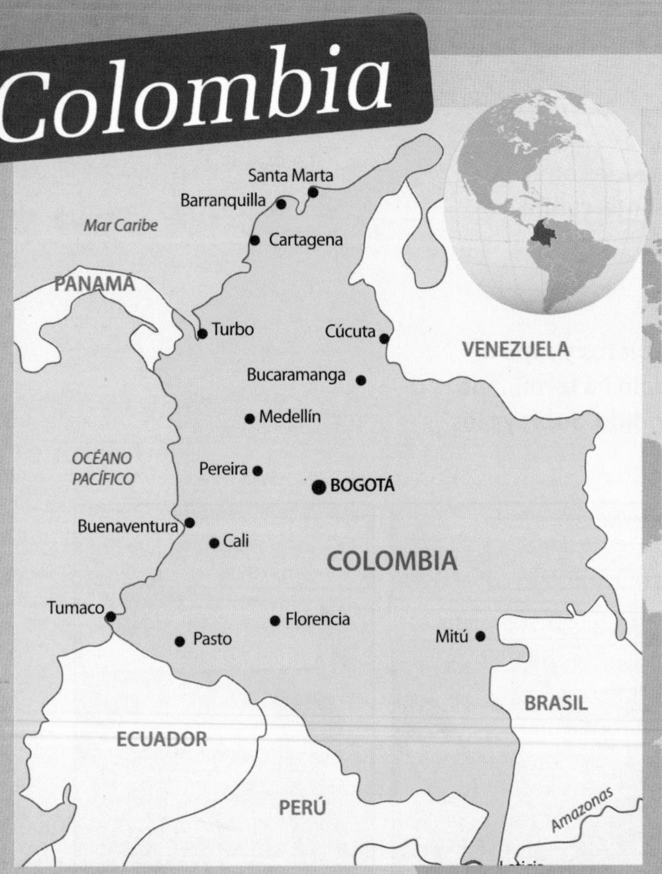

1 A Lee la siguiente información sobre Colombia y decide cuál es la opción correcta.

Colombia es un país situado en el noroeste de (1) **América del Sur / Centroamérica**. Tiene costas en el océano (2) **Índico / Pacífico** y también en el mar Caribe. Su nombre viene de Cristóbal Colón. Tiene casi (3) **cincuenta / veinte** millones de habitantes, que provienen del mestizaje entre europeos, indígenas y africanos. También hay inmigrantes de Oriente. En Colombia se habla español, que coexiste con más de (4) **sesenta / cinco** lenguas amerindias. Las ciudades más importantes son: Bogotá (la capital), Medellín, Santiago de Cali, Barranquilla y Cartagena de Indias. Escritores como Gabriel García Márquez y Álvaro Mutis, el artista Fernando Botero y los músicos (5) **Juanes y Shakira / Celia Cruz y Gloria Estefan** son colombianos. En Colombia se interpretan muchos tipos de música, pero el vallenato y la (6) **cumbia / salsa**, entre otros, son originarios de este país. Colombia es el tercer productor de (7) **café / aceite** del mundo.

B (60) Ahora, escucha y comprueba.

Cartagena de Indias

Salento (Eje Cafetero)

La cumbia

Bogotá

2 **Busca esta canción en internet de la cantante colombiana Shakira y escúchala. ¿Cómo termina la canción?**

PIENSO EN TI

Cada día pienso en ti,
pienso un poco más en ti.
Despedazo mi razón,
se destruye algo de mí.
Cada día pienso en ti,
pienso un poco más en ti.
Cada día pienso en ti,
pienso un poco más en ti.
Cada vez que sale el sol,
busco en algo el valor para
continuar así.

Y te veo así* no te toque,
rezo por ti cada noche,
amanece y pienso en ti.
Y retumba en mis oídos el
tic tac de los relojes
y ____________________
______________________.

* aunque

Fernando Botero

Taxis de Medellín

3 **A** **Las siguientes prendas son típicas de Colombia. ¿Qué prenda te gusta más? ¿Cuál te parece más útil?**

EL SOMBRERO VUELTIAO

El sombrero vueltiao es una prenda tradicional del Caribe colombiano, declarado Símbolo Cultural de la Nación en 2004. Está hecho con materiales vegetales de colores negro y beis, que se tejen en tramas geométricas. Muchos colombianos lo usan para protegerse del sol y del calor.

LA MOCHILA

La mochila es uno de los accesorios más usados y queridos por los colombianos. Se trata de un bolso de un tejido tradicional indígena que sirve para llevar objetos personales. Existen diversas clases de mochilas, pero las más populares son las de los indígenas wayúu (península de la Guajira) y las de los arhuacos (Sierra Nevada de Santa Marta). Estas mochilas se confeccionan con materiales vegetales que se tejen en dibujos geométricos.

EL CARRIEL

Este bolso de cuero de vaca es un accesorio típico de la región de Antioquia, situada en el noreste del país. El término *carriel* proviene de una adaptación de la expresión en inglés *carry all* (en español, *cargar todo*). El carriel se usa principalmente por los trabajadores de esta zona del país que se dedican a la ganadería y que montan a caballo.

B **¿Cuál es la prenda o complemento típico de tu país? Después, escribe un texto similar a los anteriores con su descripción.**

Mira estas fotos: ¿qué tienen todas en común? Elige una de ellas y habla sobre uno de estos temas:

- Dónde se produce y dónde se consume la ropa
- Las marcas
- La moda
- Los centros comerciales
- El dinero que se gasta la gente en ropa

1

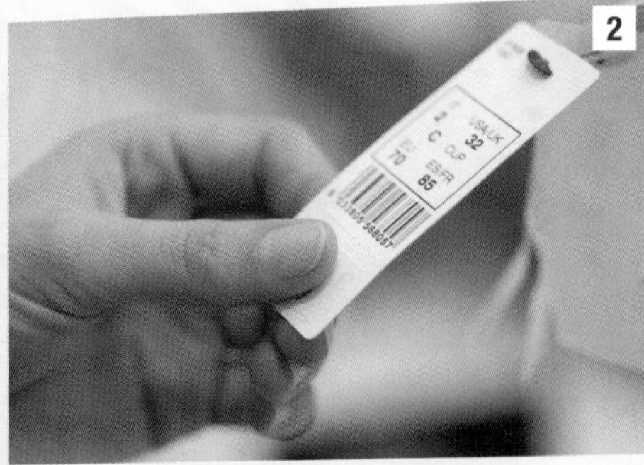
2

3

4

5

Acción

Vais a diseñar en pequeños grupos un catálogo de ropa para una temporada. Distribuid los siguientes trabajos entre los miembros del grupo:

1. Buscad información sobre catálogos *on-line*.
2. Decidid el diseño del catálogo y la forma en que vais a presentarlo.
3. Haced o buscad las fotos. Después, escribid los pequeños textos que acompañan a las fotos.
4. Corregid y revisad la versión final.
5. Presentad vuestro catálogo a la clase. ¿Qué catálogo os ha gustado más? Podéis seguir los siguientes criterios (u otros): originalidad, diseño, corrección lingüística...

VESTIDO DE RAYAS DE MANGA CORTA

Ideal para los días de verano

Colores: Blanco y negro

Tallas: de la 34 a la 44

Precio: **49 €**

Actitudes y valores

Responde a las siguientes preguntas.

En la elaboración del catálogo:
- ¿Has descubierto que tus compañeros tienen gustos parecidos o diferentes a los tuyos?
- ¿Has aceptado sus propuestas?
- ¿Te ha resultado fácil o difícil ponerte de acuerdo con ellos?

Reflexión

- **Mira las etiquetas que tienes en tu ropa. ¿De dónde es la ropa que llevas puesta? ¿Por qué crees que se fabrica en esos países? ¿Te parece bien? ¿Por qué?**
- **¿Cómo influyen la moda y el consumo en tu vida diaria?**
- **¿Crees que se recicla más en algunas partes del mundo que en otras? ¿Por qué?**

12 Trabajo

- Valorar aptitudes y habilidades para un trabajo
- Hablar de desarrollo profesional
- Informar sobre la vida laboral
- Elaborar un currículum
- Reflexionar sobre la importancia del trabajo
- País: Paraguay
- Interculturalidad: El trabajo en distintas culturas
- Actitudes y valores: Valorar la formación para el futuro laboral

1

2

3

4

1 **Observa las fotos, ¿qué profesiones tienen estas personas?**
2 **¿Qué hacen en sus trabajos?**
3 **¿Cuál de estos trabajos te parece más interesante?**
4 **¿Qué tipo de trabajo quieres tener en el futuro?**

5

6

Profesiones

1 A Lee el siguiente reportaje de una revista de tendencias. ¿Cuál es la profesión de estas tres personas?

asistente personal • creador(a) de aplicaciones • forense digital
bloguero/-a • probador(a) de videojuegos • cazador(a) de tendencias

¿Y TÚ, A QUÉ TE DEDICAS?

Actualmente, no todos somos médicos, abogados, contables o profesores. Cada día nacen nuevas profesiones, nuevas formas de ganarse la vida. Vivimos en un nuevo mundo y miles de personas en el planeta trabajan de otra forma. **BLANCA DÍAZ**

Jennifer, 21 años

Siento pasión por la moda y por la gente que viste de una manera diferente. Trabajo para una agencia de publicidad y me encanta mi trabajo. Lo bueno es que paso muchas horas en la calle, normalmente en el centro de las ciudades, y organizo mi horario como yo quiero. Soy como una detective: observo a la gente, analizo cómo visten, qué compran, a qué locales entran... Con una cámara pequeña o con mi móvil suelo hacer fotos a las personas que tienen un *look* especial. También paso parte de mi tiempo buscando información delante del ordenador.

Santiago, 26 años

Yo me dedico a un trabajo muy especial. Trabajo para un actor muy muy famoso y soy su secretario, recepcionista, chófer, agente de viajes, psicólogo, confidente, calendario y despertador. Para hacer mi trabajo, tienes que ser una persona muy organizada, tener un control absoluto de la agenda de tu jefe y, sobre todo, tener mucha paciencia. Lo bueno de mi trabajo es que viajo mucho y conozco a muchos famosos; lo malo es que no tengo un horario y no puedo separarme de mi ordenador ni de mi móvil, no tengo tiempo libre y tengo que estar siempre preparado porque en cualquier momento pueden llamarme. Suelo trabajar muchas horas al día, pero tengo un buen sueldo, me pagan muy bien.

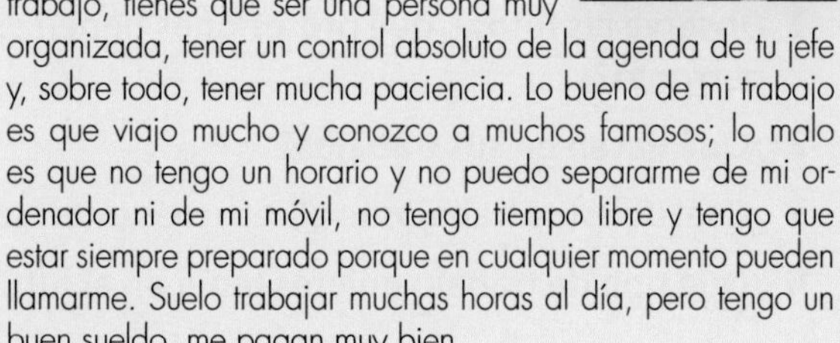

Andrés, 25 años

Lo mío es la informática, me encantan las nuevas tecnologías. Me dedico a identificar y descubrir información relevante en fuentes de datos como imágenes de discos duros, memorias USB, hago «autopsias» a ordenadores... Recupero y leo información digital para resolver ciberdelitos, un tipo de delincuencia que cada vez aumenta más. Suelo trabajar para clientes particulares, pero a veces también trabajo para empresas. Lo malo de mi trabajo es que no tengo un sueldo fijo cada mes, porque soy autónomo.

COMUNICACIÓN

Expresar hábitos

Soler + infinitivo

(yo)	suelo	+ infinitivo
(tú)	sueles	
(él, ella, usted)	suele	
(nosotros/-as)	solemos	
(vosotros/-as)	soléis	
(ellos/-as / ustedes)	suelen	

*¿A qué hora **sueles llegar** a casa? = ¿A qué hora llegas normalmente a casa?*

Expresar aspectos positivos

***Lo bueno** de mi trabajo **es que** viajo mucho.*

Expresar aspectos negativos

***Lo malo** de ser cocinero **es que** me levanto muy temprano.*

Para hablar del trabajo

- ***Siento pasión por** la moda.*
- ***Lo mío es** la informática / **son** las matemáticas.*
- ***Trabajo para** una agencia de publicidad.*
- ***Suelo trabajar** muchas horas al día.*
- ***Paso mi tiempo** en la calle / haciendo fotografías.*
- ***Me dedico a** descubrir información / un trabajo muy especial.*

LÉXICO

El mundo laboral

- empresa
- empresario
- sueldo
- jefe
- empleado
- cliente
- horario fijo / flexible
- (trabajador) autónomo
- prácticas
- experiencia laboral

Repasa Los hábitos en la unidad 4.

B Vuelve a leer el reportaje. ¿A quién corresponden las siguientes informaciones?

1 Se dedica a recuperar información. *Andrés*
2 Lo suyo es la moda. ____________
3 Suele viajar mucho. ____________
4 Tiene un horario de trabajo flexible. ____________
5 Siente pasión por los ordenadores. ____________
6 Pasa muchas horas con su jefe. ____________
7 Trabaja para empresas y particulares. ____________
8 Está contento con su sueldo. ____________

C ¿Sabes qué hace una persona que se dedica a estas profesiones? Imagina que tú tienes uno de estos trabajos. Escribe un texto como los anteriores.

dependiente • asesor de imagen • diseñador gráfico • sociólogo • enfermero

Avanza Inventa una profesión y describe qué hace una persona que se dedica a ella.

2 A Lee el siguiente texto extraído de internet. ¿En qué tipo de página web puedes encontrarlo?

- especializada en psicología ☐
- especializada en *marketing* ☐
- especializada en recursos humanos ☐
- especializada en orientación académica ☐

Inicio › Opinión › Empleo › Cursos › Contacta

PROCESO DE SELECCIÓN

Para encontrar un trabajo, además de tener la titulación necesaria para el puesto, es importante demostrar una serie de habilidades básicas durante el proceso de selección. En primer lugar, normalmente, se suele hacer una prueba de conocimientos generales y, después, una prueba de conocimientos específicos para el trabajo que quieres conseguir (por ejemplo, de matemáticas, de ciencias o de idiomas).

Existen otras habilidades que son más difíciles de demostrar, pero que son necesarias para el trabajo, como tener la capacidad de aprender, trabajar en equipo y tomar decisiones. Hay capacidades que las empresas suelen esperar de sus empleados, como ser responsable, tener autocontrol, tener habilidades sociales, ser honesto, ser creativo o tener la capacidad de adaptarse a situaciones nuevas. También es importante saber presentarse, saber negociar y mostrar sentido común.

En la entrevista de trabajo, algunos empresarios también valoran mucho si sus futuros trabajadores son simpáticos, tienen sentido del humor o buen gusto en el vestir. Es decir, en un proceso de selección para un trabajo, el equipo de recursos humanos no suele valorar solo los conocimientos o las habilidades profesionales y sociales del candidato, sino también las cualidades personales.

B Completa la tabla con expresiones del texto para hablar de habilidades y capacidades.

Tener...	*la titulación necesaria*
Tener capacidad de...	
Ser...	
Saber...	

C ¿Qué habilidades crees que tienes tú? ¿Tienes otras? ¿Cuáles son las más importantes para ti? Coméntalo con tus compañeros.

Yo soy muy responsable...

3 A (61) Escucha las siguientes profesiones y completa la sílaba que falta.

1 ____luquero
2 a____gado
3 ____señador
4 mé____co
5 ____licía
6 blo____ro
7 violinis____
8 ____loto
9 farmacéu____co
10 ____marero
11 ____bero
12 filólo____

Avanza Escribe las profesiones anteriores en femenino.

B (62) Escucha las formas familiares de estos nombres y escríbelas. Después, léelas en voz alta.

1 Francisco: ________
2 Catalina: ________
3 Antonio: ________
4 José: ________
5 Pilar: ________
6 Gabriel: ________
7 Bibiana: ________
8 Alberto: ________

ORTOGRAFÍA Y PRONUNCIACIÓN

Consonantes oclusivas

Cuando pronunciamos estas consonantes, lo hacemos en dos pasos: primero bloqueamos completamente el aire y después lo dejamos salir (excepto cuando ***b, d*** o ***g*** están entre vocales, en ese caso no se bloquea el aire completamente al principio).

- **Sordas** (no vibran las cuerdas vocales):
P: ***p**ublicista*
T: *doc**t**or*
C (K): ***c**onserje*

- **Sonoras** (vibran las cuerdas vocales):
B: *a**b**ogado*
D: *mé**d**ico*
G: *lo**g**opeda*

Desarrollo profesional

1 A (63) **Lee y escucha: ¿en qué situación están las dos personas que hablan? ¿De qué tema hablan?**

Situación:		**Tema:**	
- Entrevista de trabajo	☐	- El desempleo juvenil	☐
- Programa de radio	☐	- Las prácticas en empresas	☐
- Conversación entre amigos	☐	- Hechos que cambian la vida laboral	☐
- Concurso de televisión	☐	- La importancia de la formación	☐

- ● Tenemos la primera llamada de la mañana. Hola, buenos días.
- ■ ¿Hola?
- ● Hola. ¿Nos dices tu nombre?
- ■ Fátima, Fátima Rodríguez.
- ● Muy bien, Fátima. Dinos, ¿qué fue lo más importante que te pasó el año pasado en tu vida profesional?
- ■ Pues lo más importante fue que aprendí a conducir un autobús.
- ● ¿Y cómo aprendiste?
- ■ Me enseñó mi padre... Es que mi padre es conductor de autobuses... ¡Pero después fui a una autoescuela para sacarme el carné de conducir!
- ● ¿Y ahora estás trabajando como conductora de autobuses?
- ■ Sí, en la empresa de mi padre. ¡Y estoy encantada!
- ● Muchas gracias por tu llamada, Fátima. ¡Y enhorabuena!
- ■ Gracias. ¡Adiós!

B (64) **Ahora escucha la grabación completa y marca cuál de las siguientes cosas le ocurrió a cada uno.**

	Fátima	Alberto	Lucía
1 Ganó un concurso internacional de música.			
2 Vendió su coche para estudiar un máster.			
3 Descubrió su verdadera vocación.			
4 Aprobó el examen de entrada a la universidad.			
5 Abrió su propio restaurante.			
6 Aprendió a conducir un autobús.			

C Las personas anteriores, al referirse a un momento concreto en el pasado, utilizan el pretérito indefinido. Clasifica los siguientes verbos según sus terminaciones.

ganéaprendisteabrióaprendíabríganasteaprendióabristeganó

1.ª persona (yo)	**2.ª persona** (tú)	**3.ª persona** (él, ella, usted)

Avanza ¿Cómo traduces este tiempo verbal en tu idioma o en otro idioma que conoces?

D Y a ti, ¿qué fue lo más importante que te pasó el año pasado? Coméntalo con tu compañero.

- ● *Yo aprendí a bailar salsa.*
- ■ *Pues yo gané un premio de dibujo.*

GRAMÁTICA

El pretérito indefinido

- Se usa para hablar e informar sobre acciones y acontecimientos del pasado que se presentan finalizadas.
- Se suele utilizar con marcadores temporales como *ayer, el año / mes pasado, hace tres días / años / meses...*
  Entré *en esta empresa hace dos años.*
  El año pasado ***abrí*** *mi propio negocio.*
  Ayer, en la entrevista de trabajo, no ***comprendí*** *una pregunta.*

Verbos terminados en *-ar*:

entrar	
(yo)	entr**é**
(tú)	entr**aste**
(él, ella, usted)	entr**ó**
(nosotros/-as)	entr**amos**
(vosotros/-as)	entr**asteis**
(ellos, ellas, ustedes)	entr**aron**

Verbos terminados en *-er*:

comprender	
(yo)	comprend**í**
(tú)	comprend**iste**
(él, ella, usted)	comprend**ió**
(nosotros/-as)	comprend**imos**
(vosotros/-as)	comprend**isteis**
(ellos, ellas, ustedes)	comprend**ieron**

Verbos terminados en *-ir*:

descubrir	
(yo)	descubr**í**
(tú)	descubr**iste**
(él, ella, usted)	descubr**ió**
(nosotros/-as)	descubr**imos**
(vosotros/-as)	descubr**isteis**
(ellos, ellas, ustedes)	descubr**ieron**

2 A **¿A qué persona se refieren los verbos que están en negrita?**

yo • tú • él • usted • nosotros • vosotros • ellos

1 • ¿Y cuándo **acabaste** el máster? → *tú*
■ Lo **terminé** hace dos años. → ________
2 • ¿Cuándo **aprendió** tu hermano a cocinar profesionalmente? → ________
■ En 1980.
3 • ¿Y cuándo **empezasteis** las prácticas en la empresa? → ________
■ Las **empezamos** el martes pasado. → ________
4 • Tus abuelos **vivieron** en México, ¿no? → ________
■ Sí, hace muchos años. Creo que **emigraron** en los sesenta. → ________
5 • Fernando, ¿qué **estudiaste** cuando **acabaste** Bachillerato? → ________
■ No **estudié** nada, **trabajé** en un restaurante durante seis meses. → ________
6 • Señora Hernández, ¿cuándo **vendió** su empresa? → ________
■ No la **vendí**, la **cerré** en junio. → ________

B **Lee las frases anteriores y haz una lista con los marcadores temporales que aparecen. Después, escoge tres y escribe una frase con cada uno.**

3 A **Lee estas informaciones sobre personajes paraguayos: ¿cuál es su profesión?**

compositor(a) ☐ científico/-a y humanista ☐ político/-a ☐ futbolista ☐

1 Andrés Barbero (1877-1951)
Desarrolló la campaña de higiene más importante de Paraguay e hizo grandes aportaciones al servicio médico.

2 José Asunción Flores (1904-1972)
Creó el género musical autóctono de Paraguay: la guarania. Estuvo exiliado en Argentina desde 1954 hasta su muerte.

3 Arsenio Erico (1915-1977)
Fue uno de los mejores jugadores de Sudamérica de todos los tiempos y el más importante de Paraguay.

4 Carmen Casco de Lara Castro (1918-1993)
Fue una de las principales luchadoras a favor de los derechos humanos durante la dictadura de Stroessner (1954-1989). En esa época, entre otras cosas, defendió los derechos de los presos políticos y creó la Asociación Cultural de Amparo a la Mujer.

B **¿Qué otras cosas crees que hicieron los personajes anteriores? Relaciónalos con las siguientes informaciones.**

A Jugó durante varios años en el Independiente de Avellaneda de Argentina, país en el que tuvo sus mayores éxitos y donde alcanzó el récord como máximo goleador de la historia. ☐
B Fundó la Comisión Paraguaya de los Derechos Humanos. ☐
C Fundó la Cruz Roja Paraguaya. ☐
D Compuso la famosa canción *Recuerdos de Ypacaraí* y dio muchos conciertos en toda su vida. ☐

Avanza Busca en internet la letra de la canción *Recuerdos de Ypacaraí* y escúchala.

C **Subraya los verbos irregulares que aparecen en los textos y en las frases de los ejercicios 3A y 3B y lee la información del cuadro de gramática.**

D **Piensa en un personaje importante y escribe qué hizo (sin decir su nombre). Después, léelo en voz alta: tus compañeros tienen que adivinar quién es.**

GRAMÁTICA

Verbos irregulares en pret. indefinido

	tener
(yo)	tu**ve**
(tú)	tu**viste**
(él, ella, usted)	tu**vo**
(nosotros/-as)	tu**vimos**
(vosotros/-as)	tu**visteis**
(ellos, ellas, ustedes)	tu**vieron**

- Todos estos verbos con raíz irregular tienen las mismas terminaciones que *tener:*
estar: **estuv-** hacer: **hic-**
poner: **pus-** venir: **vin-**
poder: **pud-** saber: **sup-**
*Te **hice** una pregunta y no **supiste** qué contestar.*

- El verbo ***decir*** tiene una terminación diferente en la tercera persona del plural (**-jeron** en lugar de *-jieron*): *dije, dijiste, dijo, dijimos, dijisteis, **dijeron**.* Los acabados en *-ducir (traducir, introducir, conducir),* también: *tradu**jeron**, introdu**jeron**...*

- Estos verbos irregulares, a diferencia de los regulares, que llevan el acento en la última sílaba en primera y tercera persona *(trabajé / trabajó, comí / comió...),* se acentúan en la penúltima: *es**tu**ve / es**tu**vo, **pu**de / **pu**do...*

- Otros irregulares: los verbos ***ser*** e ***ir*** (que tienen la misma forma) y el verbo ***dar***.
***Fue** presidente entre 1990 y 1994.*
***Fui** a la universidad cuatro años.*
***Dio** los mayores éxitos a su equipo.*

	ser / ir	dar
(yo)	fui	di
(tú)	fuiste	diste
(él, ella, usted)	fue	dio
(nosotros/-as)	fuimos	dimos
(vosotros/-as)	fuisteis	disteis
(ellos, ellas, ustedes)	fueron	dieron

- Observa que los verbos que tienen una sola sílaba no llevan tilde: *fui / fue, di / dio.*

Vida laboral

1 A Graciela es una chica paraguaya que ha tenido una vida muy interesante. Relaciona las imágenes de su vida con las siguientes frases.

A 2 de febrero de 1986

B 1992

C 1995

D 2005-2008

E 2009-2010

F noviembre de 2010

G 2012

H 2014

1 Mi familia emigró a los Estados Unidos. ☐
2 Hice un máster en Sociología y Antropología en la Universidad de La Sorbona, en París. ☐
3 Me trasladé a Asunción con mi familia y aprendí a hablar español. ☐
4 Recibí un premio del gobierno paraguayo por mi trabajo en la defensa de la lengua guaraní. ☐
5 Volví a Paraguay y creé una editorial en lengua guaraní. ☐
6 Nací en el departamento de Amambay, en el norte de Paraguay, en una comunidad guaraní. ☐
7 Estudié Ciencias Políticas en la Universidad de Harvard. ☐
8 Pedí una ayuda al gobierno para mis publicaciones y traduje obras de la literatura universal al guaraní. ☐

B Ahora, lee el siguiente resumen sobre la vida de Graciela. Hay tres informaciones falsas, ¿puedes encontrarlas?

Graciela nació el 2 de febrero de 1986. **A los seis años**, cuando murió su padre, se trasladó a Asunción con su familia y aprendió español. **Cinco años después**, su familia emigró a los Estados Unidos. De 2005 a 2008 estudió Ciencias Políticas en la Universidad de Harvard. **Al año siguiente** se fue a Francia e hizo un máster en Sociología y Antropología en la Universidad de La Sorbona. Vivió en París **durante dos años**, hasta 2010, y **ese mismo año** regresó a su país y creó una editorial en lengua guaraní. **Al cabo de dos años** pidió una ayuda al gobierno para sus publicaciones y tradujo obras de la literatura universal al guaraní. **A los 30 años** recibió un premio del gobierno paraguayo por su trabajo en la defensa de la lengua guaraní.

C En el resumen anterior hay cinco verbos irregulares en pretérito indefinido, ¿puedes localizarlos?

COMUNICACIÓN

Situar acontecimientos del pasado

- *__A los 18 años__ terminó el Bachillerato.*
- *__Al año / mes / día siguiente__ encontró trabajó.*
- *__A la semana siguiente__ volví a la Universidad*
- *__Dos años / meses / días / semanas después__ se fueron a Berlín.*
- ***Al cabo de tres años / dos meses...***
- ***Ese mismo año / mes / día...***
- ***Esa misma semana...***
- *Estudié Medicina __de 1999 a 2004__.*
- *Estudié Medicina __hasta 2004__.*
- *Trabajó en la empresa __durante tres años__.*

GRAMÁTICA

Otros verbos irregulares en pretérito indefinido

Los siguientes verbos son irregulares en la tercera persona del singular y del plural:

	pedir (e > i)	dormir (o > u)	leer (i > y)
(yo)	pedí	dormí	leí
(tú)	pediste	dormiste	leíste
(él, ella, usted)	pidió	durmió	leyó
(nosotros/-as)	pedimos	dormimos	leímos
(vosotros/-as)	pedisteis	dormisteis	leísteis
(ellos/-as, ustedes)	pidieron	durmieron	leyeron

- Otros verbos con la misma irregularidad:
e > i: *repetir, sentir, seguir, competir, elegir, medir, preferir, servir*
o > u: *morir*
i / e > y: *oír, caer*

2 A Lee el currículum de un chico español, ¿en qué apartado incluyes las informaciones de la derecha?

Currículum vítae

DATOS PERSONALES

Nombre y apellidos: Julio García León
Lugar y fecha de nacimiento: Málaga, 13/5/1988
Dirección: C/ Rosalía de Castro, 17, 3.º 1.ª, Cádiz
Teléfono: 669 00 34 56
(A) ______

FORMACIÓN ACADÉMICA

2004-2006: Estudiante de Bachillerato en el IES María Zambrano de Málaga
(B) ______
2011-2013: Universidad de Virginia (Estados Unidos). Máster en Administración Hotelera y Turismo

EXPERIENCIA LABORAL

2010: Prácticas en el Hotel Arts, Barcelona
(C) ______
2014-actualidad: Organización de eventos y congresos para Jerez Plus, S. L.

IDIOMAS

Español: lengua materna
Inglés: nivel avanzado
Alemán: nivel básico
Francés: nivel avanzado
Italiano: nivel intermedio
(D) ______

OTROS DATOS DE INTERÉS

Carné de conducir
(E) ______
Amplios conocimientos de informática y de gestión hotelera
Gran capacidad para la comunicación y para la resolución de problemas

1 2011-2013: Recepcionista en Richmond Hilton Hotel, Virginia
2 Disponibilidad para viajar
3 Correo electrónico: juliogarle@mail.com
4 2006-2010: Universidad de Sevilla. Grado en Turismo.
5 Japonés: nivel básico

B Completa las frases con la información del currículum de Julio.

1 Estudió en el instituto María Zambrano **de** ______ **a** ______.
2 Estudió en la Universidad de Sevilla **hasta** ______.
3 **Ese mismo** ______ hizo unas prácticas en un hotel en Barcelona.
4 **Al** ______ **siguiente** comenzó un máster en Estados Unidos.
5 Trabajó de recepcionista en un hotel en Virginia **durante** ______ años.
6 **A los** ______ años de empezar el máster lo terminó.
7 Trabaja organizando eventos en Jerez Plus **desde** ______.

3 A (65) Escucha esta conversación entre dos estudiantes de Bachillerato sobre su experiencia laboral y responde a las preguntas.

1 ¿Ha trabajado Sofía alguna vez?
2 Y Javier, ¿dónde trabajó?
3 ¿De qué trabajó?
4 ¿Cuándo trabajó?
5 ¿Cuánto tiempo trabajó?

B Pregunta a tu compañero por su experiencia laboral. Puedes usar las preguntas anteriores como modelo. Si no has trabajado nunca, imagina que lo has hecho alguna vez.

- *¿Has trabajado alguna vez?*
- *Sí, en agosto trabajé en la tienda de mi tía...*

LÉXICO

Trabajos temporales

- Hacer de canguro
- Dar clases particulares a niños
- Cortar el césped
- Pasear perros
- Trabajar (en verano) en una tienda
- Trabajar (los fines de semana) de camarero

Catedral de Asunción

Ruinas jesuíticas de Jesús y Trinidad

Tereré

Ciudad del Este

Hidroeléctrica

Palacio Presidencial (Asunción)

Moneda oficial

1 Completa las frases con la información de la columna de la derecha.

COSAS DE PARAGUAY

1 Paraguay es bilingüe,
2 Es el mayor exportador de
3 El 40 % de la población actual de Paraguay
4 La moneda oficial
5 Paraguay se independizó de
6 Las cataratas del Iguazú están a 20 kilómetros de
7 La capital del país
8 El tereré (mezcla de agua fría con 5 hierbas refrescantes) es una bebida

a energía eléctrica del mundo.
b España en 1811.
c se habla español y guaraní.
d es de origen italiano.
e típica de Paraguay.
f Ciudad del Este, la segunda ciudad más grande de Paraguay.
g es el guaraní.
h es Asunción.

2 A **¿Sabes quién es Augusto Roa Bastos? Lee su biografía y anota qué profesiones tuvo a lo largo de su vida.**

«El ver no es todavía saber. Nada se sabe mientras no se penetra en lo íntimo de las cosas».

ODA CONFIDENCIAL VI

Esto, mi compañero;
esto, no más,
sobre tu nombre quiero,
quiero inscribirlo.
Quiero, porque te quiero.

AUGUSTO ROA BASTOS

J. JAVIER MARTÍN

Augusto Roa Bastos (Asunción, Paraguay, 1917-2005), autor de novelas, cuentos, poesía o guiones para películas, recibió el prestigioso Premio Cervantes en 1989.

De origen vasco, portugués y guaraní, Augusto Roa Bastos nació el 13 de junio de 1917 en Asunción y pasó su infancia en Iturbe, un pequeño pueblo de la región del Guairá, en una cultura bilingüe guaraní y castellana.

A los 15 años, en 1932, cuando estalló la guerra entre Paraguay y Bolivia (conocida como guerra del Chaco), escapó con otros compañeros del colegio para ir a la guerra y trabajar como enfermero. A partir de ese año empezó a escribir teatro y trabajó como periodista para el diario paraguayo *El País*. Viajó muchas veces a Europa, en particular a Inglaterra.

En 1944 formó parte del grupo Vy'a Raity (*El nido de la alegría* en guaraní), decisivo para la renovación poética y artística de Paraguay en la década de los cuarenta.

En 1945 pasó un año en Inglaterra invitado por el British Council y, como corresponsal de guerra, entrevistó al general De Gaulle y asistió al juicio de Nüremberg en Alemania.

En 1947 tuvo que abandonar Asunción, amenazado por el gobierno paraguayo, y se fue a Buenos Aires, donde trabajó de empleado para una compañía de seguros; en Argentina publicó la mayor parte de su obra.

En 1976, a causa de la dictadura argentina, se trasladó a Francia, invitado por la Universidad de Toulouse, y vivió y trabajó en esta ciudad como profesor universitario de literatura y guaraní hasta 1989. Ese mismo año regresó a su país después del derrocamiento del presidente de Paraguay, Alfredo Stroessner. Hasta sus últimos días escribió una columna de opinión en el diario *Noticias de Asunción*. Murió en Asunción el 26 de abril de 2005.

A lo largo de su carrera, Roa Bastos recibió varios premios: el premio del British Council (1948), el Premio de las Letras Memorial de América Latina (Brasil, 1988), el Premio Cervantes (1989), el Premio Nacional de Literatura Paraguaya (1995) y distinciones de otros países. La última que recibió fue la condecoración José Martí, del gobierno cubano, en el año 2003.

B **Busca las siguientes informaciones en el texto.**

1 Guerra entre Paraguay y Bolivia. *Guerra del Chaco*
2 Diarios paraguayos. ____________
3 Grupo de teatro en los años cuarenta. ____________
4 Lengua de Roa Bastos, además del castellano. ____________
5 País donde Roa Bastos publicó casi toda su obra. ____________
6 País al que se trasladó durante la dictadura argentina. ____________
7 Nombre del presidente del Paraguay hasta 1989. ____________
8 Premio que recibió Roa Bastos en 1989. ____________

3 **Lee el siguiente texto sobre el idioma guaraní. Después, busca una palabra guaraní en internet y explica a tus compañeros qué significa.**

La lengua guaraní (en guaraní, *avañe'ẽ*) pertenece a la familia tupí-guaraní y la hablan aproximadamente ocho millones de personas en el Cono Sur. Junto con el español, es uno de los dos idiomas oficiales en Paraguay desde 1992, y es también idioma oficial en Bolivia. Se habla minoritariamente en el noreste de Argentina y es lengua oficial (junto con el español) en la provincia de Corrientes.

Acción - Reflexión

Mira las fotos: ¿a qué se dedican estas personas? ¿Crees que hay trabajos para hombres y trabajos para mujeres? ¿Por qué?

Acción

Vas a imaginar y escribir tu futuro currículum (CV). Después, tus compañeros de clase van a leerlo y van a decidir quién lo ha escrito.

1. Imagina que han pasado 10 años. ¿En qué año estamos?
2. Imagina dónde vives, qué has hecho y qué haces actualmente (formación académica, experiencia laboral, idiomas…).
3. Escribe tu CV, pero sin escribir tu nombre. Recuerda que tienes que añadir otros datos de interés.
4. Entrega el CV a tu profesor (tu profesor pone un número en cada CV y los expone en la clase).
5. Lee los CV de tus compañeros, toma nota del número de cada uno y escribe el nombre del compañero que crees que lo ha escrito. ¿Cuántos has acertado?

Actitudes y valores

Valora la actividad que has realizado. Responde *sí* o *no*.

	Sí	No
- Imaginar mi futuro me ayuda a saber qué quiero hacer profesionalmente.	☐	☐
- Elaborar mi currículum me permite proyectar mi futuro laboral.	☐	☐
- La actividad me sirve para conocer mejor a mis compañeros de clase.	☐	☐

Reflexión

- ¿Qué importancia tiene el trabajo en la vida de una persona?

- ¿Qué crees que es lo más importante en un trabajo: el sueldo, el tiempo libre, la motivación...?

13 Salud

- Conocer el cuerpo humano
- Hablar de problemas de salud y dar consejos
- Leer sobre la medicina naturista
- Escribir un artículo de opinión
- Reflexionar sobre qué significa una vida sana
- País: Nicaragua
- Interculturalidad: El concepto de vida sana en diferentes culturas
- Actitudes y valores: Valorar nuestro cuerpo y llevar una vida sana

1 Lee estos eslóganes relacionados con la salud y emparéjalos con las fotos.

a Comida sana, vida sana. 4 ☐
b Con amor, se vive mucho mejor. 2 ☐
c La fuente de la vida: el agua. 5 ☐
d Sin amigos no hay equilibrio emocional. 3 ☐
e Hacer deporte y en pareja… ¡perfecto! 6 ☐
f Para relajarse, nada mejor que hacer yoga o meditación. 1 ☐

El cuerpo humano

1 **A** **¿Conoces tu cuerpo? Señala si estas frases son verdaderas (V) o falsas (F). Comparte tus opiniones con un compañero y luego comprobad vuestras respuestas.**

¿CONOCES TU CUERPO?

1. El cuello de una jirafa tiene el mismo número de huesos que el cuello humano.
2. Tenemos 38 dientes.
3. Por la mañana eres unos centímetros más bajo que por la tarde.
4. El agua es el principal componente del cuerpo humano, que posee 75 % de agua al nacer y cerca del 65 % en la edad adulta.
5. La mayoría de las personas cierra los ojos 15 veces por minuto.
6. Más del 70 % de las personas tienen una pierna más larga que la otra.
7. La comida pasa de una a dos horas en el estómago.
8. Los dedos de los pies tienen una huella dactilar única, como los dedos de las manos.
9. Hay muchas más mujeres zurdas (que utilizan la mano izquierda con preferencia a la derecha) que hombres.
10. Un pelo de la cabeza tiene de dos a seis meses de vida.

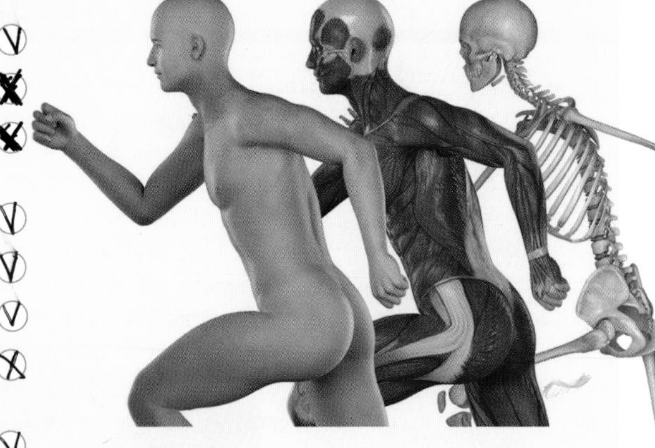

Soluciones: 1 verdadero; **2** falso (tenemos 32 dientes); **3** falso (eres más alto); **4** verdadero; **5** verdadero; **6** verdadero; **7** falso (está de tres a cinco horas); **8** verdadero; **9** falso (hay más hombres); **10** falso (tiene de dos a seis años)

LÉXICO

Las partes del cuerpo

la mano
el dedo
la cabeza
el hombro
el brazo
el pie
el cuello
el pecho
el vientre*
la pierna
la rodilla

la nariz
la oreja
la boca
la frente
el ojo
los dientes

* *vientre* es la parte exterior, *estómago* es la parte interior

Avanza ¿Te interesa saber cómo se llaman otras partes del cuerpo? Búscalas en el diccionario.

B **¿Qué partes del cuerpo se trabajan más en estas actividades? Coméntalo con tu compañero.**

nadar • bailar • tocar el piano • leer • comer • pasear • jugar al tenis
montar a caballo • subir escaleras • practicar yoga • estudiar

Cuando nadamos, utilizamos los brazos y las piernas.

Repasa Las actividades y los deportes en la unidad 5.

2 A Lee este artículo sobre la vida de tres personas. ¿Quién te parece que lleva una vida más sana? Coméntalo con tu compañero.

ESTILO DE VIDA por Marcos Moreno

MARIELA

Sé que la mayoría de los jóvenes van al gimnasio; yo no. A mí lo que más me gusta es correr. Voy al parque que está al lado de mi casa dos veces por semana. Estoy al aire libre, hago ejercicio, me encuentro con los amigos y ¡todo gratis! ¡Es perfecto! Eso sí, siempre llevo una botella de agua y, cuando termino, me siento, bebo y me relajo antes de volver a casa. Soy programadora y estoy mucho tiempo sentada, por eso correr es tan importante para mí. Mi problema es que no tengo tiempo para cocinar y compro casi siempre comida precocinada. Mis amigas hacen yoga, pero a mí no me gusta, me parece muy aburrido. Si estoy nerviosa o tensa, llamo a una amiga y nos vamos a dar un paseo.

MIGUEL ÁNGEL

Yo trabajo muchas horas y solo tengo tiempo para hacer deporte los domingos. Voy al gimnasio y estoy casi tres horas, y así estoy en forma. También hago pausas en el trabajo y hago ejercicios de meditación y relajación que aprendí en un curso de la empresa. Desde entonces, he aprendido a respirar y a estar mucho más relajado. No tengo tiempo para cocinar y al mediodía siempre voy a un bar y como algo rápido, de pie. Bueno, y los fines de semana voy a casa de mis padres a comer. ¡Eso sí que es comida casera! Mi problema es que trabajo mucho y duermo muy pocas horas.

FÁTIMA

Yo no hago mucho deporte, pero voy todos los días a la universidad en bicicleta. Cuido mucho lo que como: compro siempre en un supermercado que tiene productos biológicos. Como muchas verduras y frutas y poca carne. El pescado no me gusta mucho, la verdad. Casi todos los días, cuando vuelvo a casa, voy a dar un paseo con mi perro. Bueno, los miércoles hago yoga. En casa paso mucho tiempo sentada, estudiando, y sí, también tumbada viendo la televisión. ¡Me encantan las películas de terror!

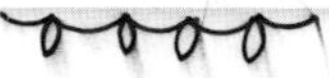

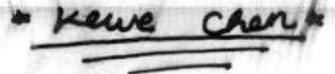

B Escribe ahora tú un texto como el de la revista sobre tus rutinas de comida y ejercicio.

3 A (66) Escucha este *podcast* con un ejercicio para relajar el cuerpo y la mente que te va a servir para trabajar mejor. Cierra los ojos y hazlo.

B Ahora lee el podcast del ejercicio anterior y practica con un compañero.

Buenos días, hoy te invitamos a realizar un ejercicio de relajación con nosotros.
Debes buscar una silla cómoda, colocar la espalda recta y los pies en el suelo. Si prefieres, puedes cerrar los ojos. Debes llevar la atención a tu cuerpo. Ahora, vas a respirar varias veces para llevar más oxígeno a tu cuerpo. Puedes observar los pies que tocan el suelo: ¿qué sensaciones tienes?, ¿calor, frío, tensión? ¿Cómo están tus piernas?, ¿están relajadas? ¿Y tus rodillas? ¿Y tus pies?, ¿están relajados?
Debes observar tu espalda en contacto con la silla: ¿está recta? ¿Cómo está tu estómago? Si está tenso, debes respirar profundamente. ¿Cómo están tus manos? ¿Y tus dedos? Debes relajarlos, igual que los brazos y los hombros. Si notas alguna tensión, tienes que respirar y relajar esa parte. Después, puedes observar el cuello, la cara; todo debe estar relajado. Ahora sientes todo tu cuerpo y puedes respirar una vez más. Si estás totalmente relajado, puedes abrir los ojos: tu cuerpo ya está preparado para trabajar.

LÉXICO

Estados físicos, mentales y de ánimo

- **Estar** tenso / nervioso / relajado
- **Estar** en forma
- **Estar** sentado / tumbado / de pie

- relajarse – la relajación
- meditar – la meditación
- respirar – la respiración
- cuidar(se) – el cuidado

Problemas de salud

1 A (67) Escucha y lee estas conversaciones. Después, relaciónalas con los dibujos. ¡Hay dos diálogos de más!

1 ● ¡Ay, me duele el pie, creo que me lo he torcido!
■ Pero ¿qué te ha pasado?
● Pues..., jugando al baloncesto...

2 ● ¡Estoy muy mareada!
■ ¿Has desayunado bien?
● ¡Ay, no! Me voy a la cafetería a comer y a beber algo. ¡Me duele la cabeza también!

3 ● ¿Qué te pasa?
■ No sé, me duele mucho el estómago. Creo que tengo un virus...

4 ● ¿Te encuentras mal?
■ Sí, creo que tengo fiebre. Y también tengo mucha tos.
● Seguro que tienes un catarro...

5 ● ¿Te encuentras bien, David?
■ No, ¡estoy agotado! Duermo unas nueve horas y me levanto cansado... ¿Qué crees que me pasa?
● No lo sé, pero debes ir al médico.

6 ● ¿Qué te ha pasado?
■ Me he caído, y me duele mucho el brazo. ¡Creo que me lo he roto!

B Ahora, practica los diálogos anteriores con un compañero. Puedes cambiar algunas palabras.

2 A (68) Escucha y lee este diálogo de David con una nutricionista. ¿Qué problemas tiene? ¿Qué consejos le da la nutricionista? Después, con un compañero, añade dos consejos más.

● Buenos días, ¿qué le pasa?
■ Me encuentro muy cansado, duermo mal, no tengo ganas de comer...
● ¿Tiene mucho estrés últimamente?
■ Pues sí. Estoy estudiando y trabajando y tengo muy poco tiempo libre.
● ¿Y come bien?
■ Pues, la verdad, no, porque no tengo tiempo de cocinar...
● ¿Y café? ¿Toma usted café?
■ Creo que demasiado, sí.
● Bueno, le voy a hacer unos análisis, pero, para empezar, es conveniente cambiar algunas cosas en su vida. Debe cuidar más la comida. Tiene que intentar tomar siempre productos frescos.
■ Sí, sí, de acuerdo...
● ¡Ah!, y debe dejar de tomar café, al menos durante unos meses.
■ Está bien, puedo tomar té, eso no es un problema...
● Muy bien. Además, lo mejor es practicar algún tipo de ejercicio de relajación contra el estrés. Puede hacer yoga, o meditación, pero hay muchas otras técnicas... ¿Por qué no se apunta a algún curso?
■ Sí, tengo amigos que hacen yoga y puedo ir con ellos.

Repasa El verbo *gustar* en la unidad 5, que funciona como el verbo *doler*.

COMUNICACIÓN

Expresar malestar, sensaciones físicas y estados de ánimo

● ***¿Qué te pasa? ¿Qué te ha pasado?***
■ ***¿Te encuentras bien / mal?***

Me duele *la cabeza / el brazo / el estómago.*
Me duelen *las piernas / los ojos.*
Tengo *fiebre / tos / gripe / catarro / un virus.*
Tengo dolor de *cabeza / estómago.*
Estoy *cansado / agotado / enfermo / mareado / resfriado.*
Me he torcido *el pie.* / ***Me he roto*** *el brazo.*

Dar consejos

- ***¿Por qué no...?***
  *¿**Por qué no** duermes un poco?*
- ***Debe(s)*** **+ infinitivo**
  Debe dejar *de tomar tanto azúcar.*
- ***Tener que*** **+ infinitivo**
  Tiene(s) que beber *más agua.*
- ***Lo mejor es*** **+ infinitivo**
  Lo mejor es tomar *esta infusión.*
- ***Es necesario / importante / conveniente*** **+ infinitivo**
  Es necesario hacer *ejercicio.*

LÉXICO

Remedios

- ***Tomar*** *una infusión / vitaminas.*
- ***Hacer*** *dieta / ejercicio.*
- ***Hacerse*** *unos análisis.*
- ***Ponerse*** *una crema / una bolsa de agua caliente.*
- ***Quedarse*** *en la cama / en casa.*
- ***Dejar de tomar*** *azúcar / café.*

B En parejas, representad un pequeño juego de rol: uno explica el problema (paciente) y el otro da consejos (médico). Después, cambiad los papeles.

- Saludar
- Preguntar por el problema
- Contar el problema
- Dar una solución / consejo
- Despedirse

Avanza Podéis filmar o grabar el diálogo para analizar vuestra interacción oral.

3 A Leed este artículo y comentad en grupos si en vuestra lengua, o en otras lenguas que conocéis, hay pronombres, verbos u otros recursos que determinan un uso formal o informal del lenguaje y en qué ocasiones se utilizan.

¿Cuándo se usa *tú* y cuándo se usa *usted*? Silvia Navarro

La diferencia entre *tú* y *usted* es clara desde el punto de vista gramatical. *Tú* se conjuga con la segunda persona de los verbos y *usted,* con la tercera, pero no es tan sencillo explicar cuándo se utiliza una u otra. Es verdad que se puede empezar diciendo que se utiliza *tú* (se tutea) en un registro informal, y *usted,* en un registro formal, pero en la práctica, ¿qué significa esto?

Usar una u otra forma depende de muchos factores, y por eso es imposible dar reglas universales. En primer lugar, la utilización de *tú* y *usted* es muy diferente en cada país. En muchos países hispanoamericanos se utiliza más *usted* que *tú*. Además, en Argentina, Bolivia, Costa Rica, El Salvador, Nicaragua, Paraguay, Uruguay y Venezuela se utiliza el *vos* en lugar del *tú*, aunque la frecuencia de uso no es igual en cada uno de estos países. En toda Hispanoamérica, *vosotros* es reemplazado por *ustedes*.

En general, en España se utiliza *tú* más que en el resto de países de habla hispana, pero también depende de la parte de España y de las situaciones. Los factores que más cuentan son:

- **La edad:** normalmente, los jóvenes se tutean incluso si no se conocen, y las personas mayores tutean a los jóvenes, aunque estos responden normalmente con *usted*.
- **La distancia:** a veces se utiliza *usted* porque se quiere marcar una distancia (entre jefe y empleados o en servicios públicos); es una cuestión social.
- **El respeto:** en general, siempre que queremos mostrar respeto a una autoridad, a una persona mayor, en un comercio, en un restaurante, etc., se utiliza *usted*.

Nuestro consejo para las personas que están aprendiendo español es que, en caso de duda, utilicen *usted*. Si el interlocutor prefiere tutearte, te lo va a decir. En muchos casos, los españoles utilizan *tú,* pero muestran el respeto con otros recursos como la entonación, los gestos e incluso la sonrisa. Estas cuestiones se aprenden poco a poco, por eso recomendamos empezar con *usted*.

Repasa Los saludos con los dos registros en la unidad 1.

B Imagina que estás en estas situaciones: ¿cómo tratarías a estas personas, de *tú* o de *usted*? Comentadlo en grupos. No hay una única solución.

1 En una tienda de ropa; el dependiente tiene unos veinte años.
2 En un banco donde vas a abrir una cuenta; la chica que te atiende tiene unos treinta años.
3 En un correo electrónico a una escuela, para preguntar por cursos de verano.
4 En un curso de español, al profesor.
5 En la calle, preguntas la dirección a una pareja de chicos de unos 18 años.
6 En un centro comercial, preguntas algo a una persona mayor de cincuenta años.
7 En una carta a la directora del instituto.

1 A **Comenta con tus compañeros lo que sabes sobre este tipo de medicina y toma nota. Después, lee el artículo para comprobar vuestros conocimientos y aprender más. ¿Qué has aprendido o qué te ha sorprendido más?**

Repasa El léxico de la unidad 6 sobre hábitos alimenticios.

La medicina naturista en Nicaragua

SEBASTIÁN NICOYA

El papel de la medicina naturista* se está revalorizando y, hoy en día, se presenta como una buena alternativa ante los problemas de salud. Uno de los países donde esta medicina ocupa un lugar muy importante es Nicaragua.
Nicaragua es un país donde se combina la medicina indígena con otros tipos de medicina para crear una medicina natural. Existe ya una carrera en la universidad que se llama Medicina Naturista, y es que en Nicaragua existe la primera ley de medicina natural del mundo. Esta medicina incluye ramas como la acupuntura, la aromaterapia, la cromoterapia, la homeopatía, la hipnosis y los masajes. A continuación, exploramos el origen de este tipo de medicina, su influencia en Nicaragua y, finalmente, describimos la materia prima utilizada en este tipo de medicina.

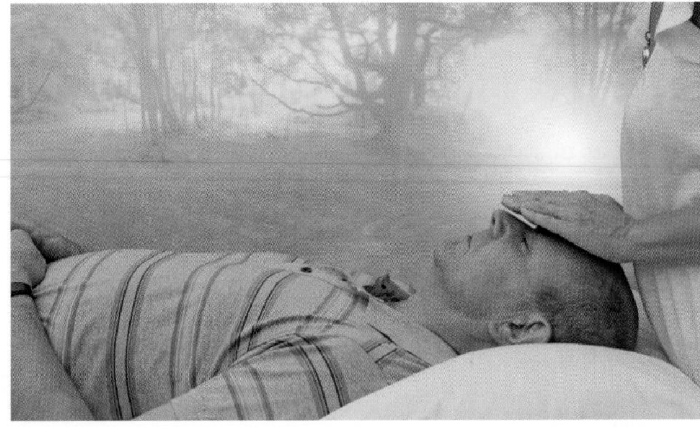

En primer lugar, es interesante conocer que el origen de la medicina naturista se remonta al comienzo de la humanidad, es decir, es la medicina más antigua. La medicina naturista considera a la persona como un todo, no como partes, ya que todo en nuestro ser está relacionado. Además, considera que la naturaleza puede sanar por sí misma.

En segundo lugar, se sabe que en las tribus indígenas desde siempre han existido los chamanes**, conocedores de muchos productos naturales. En Nicaragua, generalmente, esta persona siempre ha sido una mujer llamada *ticit*, que literalmente significa 'abuela iluminada'. Este tipo de medicina busca el equilibrio entre la mente y el cuerpo. Por eso, tanto los ejercicios de relajación y meditación como hacer ejercicio físico, estar en contacto con la naturaleza o tomar el sol son muy importantes. En resumen, la base está en disfrutar de un buen estado físico, mental y emocional.

Por último, con respecto a la materia prima empleada, esta medicina utiliza solamente remedios de origen natural, basados principalmente en el poder curativo de las plantas, y no utiliza ningún tipo de producto químico. Por otra parte, en este tipo de medicina se recomienda beber varios tipos de agua: agua de mar (medio litro al día, como mínimo), agua con chile (considerado energético) y agua de lluvia *agüiagüite*, para las enfermedades de la piel.

En conclusión, la medicina naturista puede ser una buena y fácil opción para ayudar a conseguir una vida sana y un equilibrio físico y emocional.

* *naturista* viene de naturaleza
** *el chamán* es una persona que supuestamente tiene poderes sobrenaturales para curar a los enfermos, invocar a los espíritus o adivinar el futuro...

B Ahora, vuelve a leer el artículo y completa esta tabla con la idea general de cada parte.

Título	
Introducción	
En primer lugar	
En segundo lugar	
Por último	
Conclusión	

Repasa Los conectores que se han estudiado en la unidad 2 *(y, o, pero, también)* y en la unidad 4 *(primero, luego, después…)*.

C Busca en el artículo anterior conectores, subráyalos y clasifícalos en esta tabla.

organizar ideas	*en primer lugar*
añadir	
expresar causa	
expresar consecuencia	
aclarar	
concluir	

Avanza ¿Conoces más tipos de conectores? Haz un mapa mental con ellos.

D Según el artículo anterior, ¿estas frases son verdaderas (V) o falsas F)? Indica dónde encuentras la información en el texto.

1 Hay que crear una carrera universitaria de medicina naturista. ☐
2 Tenemos que buscar un equilibrio entre la mente y el cuerpo. ☐
3 Hay que tratar el cuerpo por partes. ☐
4 Debemos estar mucho tiempo al aire libre. ☐
5 Tenemos que utilizar también productos químicos. ☐
6 Hay que beber mucha agua. ☐

Repasa El verbo *deber* + infinitivo, que también puede expresar obligación, en la unidad 10.

E Con un compañero, escribe otras tres frases sobre la vida sana que expresen obligación.

____
____
____

2 A Lee el cuadro de ortografía y pronunciación. Después, observa en el artículo anterior las palabras que llevan tilde y clasifícalas en esta tabla.

agudas	llanas	esdrújulas

B Con un compañero, ¿podéis añadir más palabras de la unidad en la tabla anterior?

COMUNICACIÓN

Unir partes de una frase: conectores

- Para organizar ideas: ***en primer lugar, en segundo lugar, por una parte / por otra parte, por último (finalmente)…***
- Para añadir: ***y, además, también…***
- Para expresar causa: ***y es que, ya que, porque…***
- Para expresar consecuencia: ***por ello, por eso…***
- Para aclarar: ***es decir, o sea…***
- Para concluir: ***en conclusión, en resumen, para resumir…***

COMUNICACIÓN

Expresar obligación

- ***Hay que*** **+ infinitivo**
  Hay que comer *de forma variada.*
  No hay que estar *mucho tiempo sentado.*

- ***Tener que*** **+ infinitivo**
  Tengo que beber *más agua.*
  No tienes que preocuparte *tanto por las calorías.*

ORTOGRAFÍA Y PRONUNCIACIÓN

La tilde

Algunas veces las palabras llevan acento gráfico, llamado *tilde*. Se siguen estas reglas:

- Llevan tilde las **agudas** si terminan en *n, s* o vocal *(a,e,i,o,u)*:
  *est**á**, as**í**, educaci**ó**n, estr**é**s*
- Llevan tilde las **llanas** que NO terminan en *n, s* o vocal *(a,e,i,o,u)*:
  *az**ú**car, **f**á**cil***
- Las **esdrújulas** llevan TODAS tilde:
  *est**ó**mago, **qu**í**mico, m**é**dico*

Nicaragua

1 Lee el correo electrónico que Vicky le envía a su familia desde Nicaragua y relaciona las fotos con los números.

Mensaje nuevo

Para **Familia** Cc Cco

Asunto **Hola**

Querida familia:

¡Ya hace una semana que estoy en Nicaragua! Al principio tuvimos algunos problemas, porque la mayoría de las calles no tienen nombre y nos perdimos muchas veces. Cuando preguntas por una dirección, te dicen: «Sí, sí, camine dos calles hacia arriba y después de unos cinco minutos verá un árbol; pues a la derecha». Muy poético, pero muy difícil. Papá, te gustaría este país: aquí **(1) juegan mucho al béisbol**, aunque también juegan al fútbol.

Es un país precioso, **(2) volcánico** y tropical a la vez. El martes fuimos a pasar el día al **(3) lago Managua** o, como lo llaman aquí, Xolotlán. Aquí hay **(4) muchos indígenas,** como los miskitos, creoles y sumos. A veces los oyes hablar sus lenguas, pero todos hablan español. Muchos también hablan inglés. Abuela, te encantaría estar aquí, por la **(5) medicina natural.** Voy a comprar algunas hierbas para ti.

Vamos a quedarnos dos semanas más. Queremos ir a **(6) la selva tropical** del río San Juan. Dicen que se pueden ver muchos **(7) jaguares**, ¡e incluso **(8) quetzal!** A ver si puedo hacer fotos... Después, vamos a ir a una playa a descansar unos días. Hay unas **(9) playas maravillosas,** y casi desérticas... Desde aquí nos vamos a Costa Rica, y después, por supuesto, a descansar en una pequeña isla del Mar Caribe.

Bueno, os escribo desde Costa Rica.

¡Os quiero mucho!

Besos,

Vicky

Enviar

F

G

H

I

2 **En Nicaragua se aprobó la primera ley de medicina natural en el mundo. Comenta en un grupo pequeño las siguientes preguntas.**

1 ¿Son legales las terapias naturales en tu país?
2 ¿Están incluidas en los seguros médicos?
3 ¿Se puede estudiar medicina natural en la universidad?

Ley de medicina natural de Nicaragua (Ley 774)
Artículo 5. Derecho de acceso a la medicina y a las terapias complementarias
La población, conforme al marco legal del país, tiene igual derecho al acceso y uso de la medicina natural, terapias complementarias y productos naturales, como al de las instituciones, establecimientos, servicios y programas de medicina convencional dentro del sistema Nacional de Salud.

3 **Leed estos fragmentos de unos poemas de Rubén Darío y, en grupos, comentad el significado que tienen para vosotros. ¿Podéis añadir algún dibujo? Después, podéis recitarlos. Tenéis que concentraros en la pronunciación y en la entonación.**

RUBÉN DARÍO (1867-1916)
Poeta y periodista. Es el personaje más internacional de los nicaragüenses. Es el máximo representante del movimiento literario llamado modernismo.

Abrojos

¡Día de dolor,
aquel en que vuela para siempre el ángel
del primer amor!

*****

Yo soy aquel que ayer no más decía

Yo supe de dolor desde mi infancia,
Mi juventud… ¿fue juventud la mía?
Sus rosas aún me dejan su fragancia…
Una fragancia de melancolía…

*****

Canción de otoño en primavera

Juventud, divino tesoro,
¡ya te vas para no volver!
Cuando quiero llorar, no lloro...
y a veces lloro sin querer...

*****

Mira estas fotografías: ¿De qué trastornos o problemas tratan? ¿Qué consejos puedes dar a estas personas?

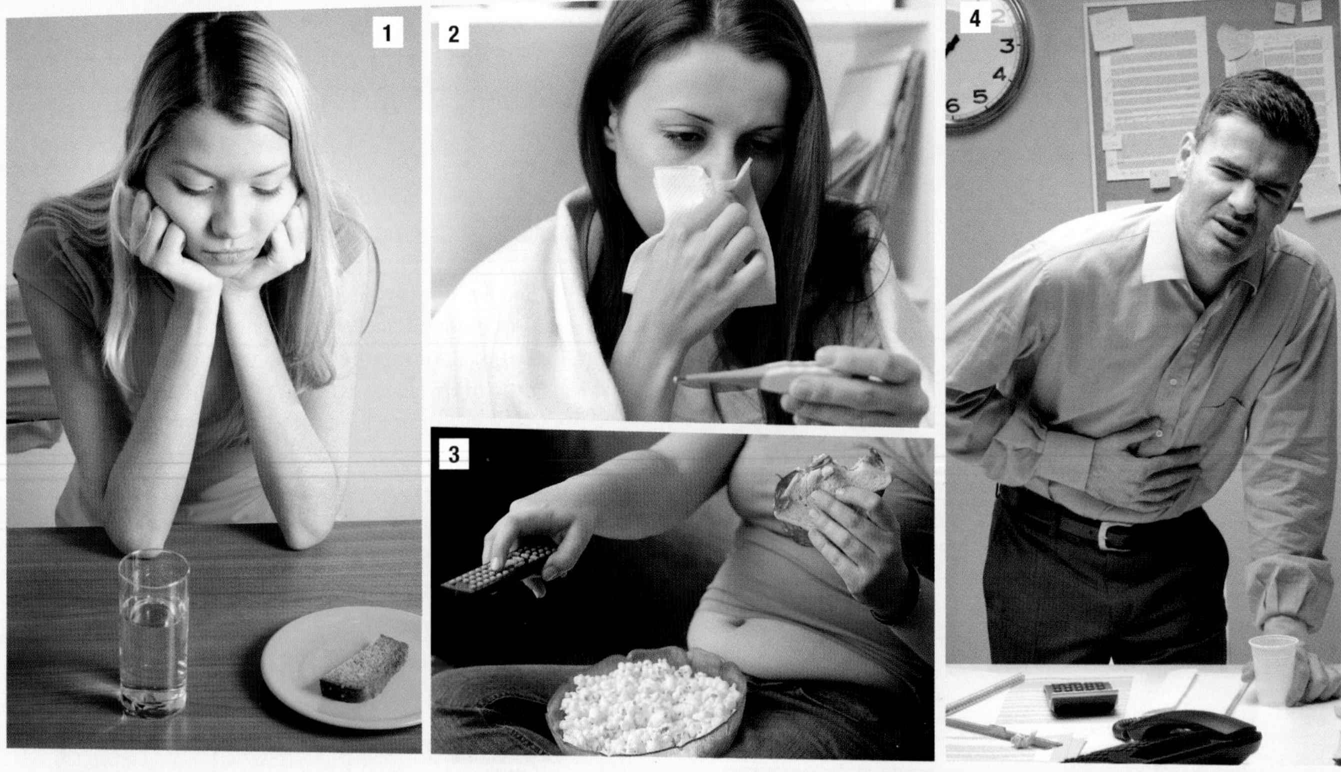

Acción

Escribe un artículo para una revista del instituto sobre el tema «¿Qué hay que hacer para llevar una vida sana?».

1 Escribe las ideas para cada párrafo.
2 Piensa cómo vas a conectar los párrafos usando los conectores.
3 Acuérdate de incluir una introducción y una conclusión.
4 Pon un título y firma el artículo.

Actitudes y valores

Lee las frases, reflexiona sobre tu salud y responde.

	siempre	a veces	nunca
- Estoy contento con mi cuerpo.	☐	☐	☐
- Cuando estoy enfermo, utilizo remedios naturales.	☐	☐	☐
- Llevo una vida sana.	☐	☐	☐

Reflexión

- En tu opinión: ¿qué es una vida sana?

- ¿Cómo puedes ayudar a una persona con malos hábitos?

- ¿Qué importancia tienen los buenos hábitos, el ejercicio, la comida y la relajación?

14 Comunicación

- Entender noticias escritas
- Redactar una entrevista
- Comunicarse en las redes sociales
- Publicar una portada en un periódico
- Reflexionar sobre el poder y la fiabilidad de los medios
- País: Puerto Rico
- Interculturalidad: Las redes sociales y la cultura global
- Actitudes y valores: Mostrarse crítico ante la información de los medios

1 **Mira las fotos, ¿con cuál o cuáles de estos medios te informas tú?**

2 **¿Por qué prefieres unos medios a otros?**

3 **¿Qué tipo de personas crees que utilizan cada uno de estos medios (edad, profesión, etc.)?**

4 **¿Cuál te parece más fiable? ¿Por qué?**

La prensa escrita

1 A ¿Qué funciones crees que debe tener la prensa? Coméntalo con tu compañero.

informar | opinar | motivar | emocionar | entretener | educar
hacer una crítica | reflejar la realidad | estimular la imaginación | aconsejar

Yo creo que la prensa debe...

B ¿Qué diferencias hay entre la prensa en papel y digital? ¿Cuáles son sus características? Clasifícalas en la siguiente tabla.

multimedia • interactiva • pantalla • continuamente actualizada • sin batería
sin problemas de conexión • hipertexto • virtual • sin cables

Prensa en papel	Prensa digital

Avanza Añade alguna diferencia más a los dos tipos de prensa.

2 A Relaciona estas secciones de un periódico con sus contenidos.

1 Sucesos
2 Sociedad
3 Ciencia
4 Cultura
5 Política nacional e internacional
6 Deportes
7 Economía

a Gobierno, leyes, partidos políticos...
b Bolsa, finanzas, mercado, empresas...
c Teatro, cine, música, libros...
d Investigación, descubrimientos científicos...
e Accidentes, crímenes, catástrofes naturales...
f Competiciones, partidos, deportistas...
g Personajes famosos, bodas, fiestas, ...

B Ahora, lee estos titulares de periódicos de Puerto Rico y relaciónalos con sus secciones. ¡Cuidado, hay una sección que tiene un titular y otra sección que tiene dos!

1 Nuevo descubrimiento del origen del istmo de Panamá.
2 Accidente en la autopista por las fuertes tormentas.
3 Actor famoso deja propina de 5000 $ en restaurante.
4 ¡Pasaporte a la semifinal de béisbol!
5 Fábrica de soluciones ante la crisis económica.
6 Descubierto un nuevo planeta como Saturno.
7 El grupo musical Calle 13 ayuda con una donación de 30 mil dólares a dos escuelas de San Juan.

- ▸ POLÍTICA NACIONAL E INTERNACIONAL
- ▸ ECONOMÍA
- ▸ CIENCIA
- ▸ CULTURA
- ▸ SOCIEDAD
- ▸ DEPORTES
- ▸ SUCESOS

C En parejas, escribid un titular más para cada sección.

D Vuelve a leer los titulares, observa las estructuras y clasifícalas.

Verbo	Sustantivo	Participio
	Nuevo descubrimiento	

Repasa Los participios irregulares en la unidad 9.

LÉXICO

Secciones de los periódicos

- Política (nacional e internacional)
- Opinión
- Economía
- Ciencia
- Tecnología
- Cultura
- Deportes
- Sociedad
- Televisión
- El tiempo
- Viajes

COMUNICACIÓN

Los titulares

Son la primera frase de la noticia. Son cortos, impactantes y motivadores:
Aparece el niño con vida.

Las estructuras más utilizadas son:
- **Verbos en presente:** ***Desaparecen*** *dos adolescentes /* ***Comienza*** *la campaña electoral.*
- **Sustantivos:** *Más* ***becas*** *para estudiantes /* ***Accidente*** *en la autopista.*
- **Participios:** ***Finalizada*** *la manifestación /* ***Detenidas*** *tres personas.*

3 A Comentad estas preguntas en grupos.

1 ¿Lees revistas en papel o revistas digitales?
2 ¿Qué tipos de revistas lees: de deportes, de música, de entretenimiento…?
3 ¿Con qué frecuencia lees revistas?
4 ¿Hablas de los contenidos de estas revistas con tus amigos o tu familia?

B Lee estas dos noticias y señala cuáles de estas frases son verdaderas (V). Después, localiza en las dos noticias el titular, la entradilla y el cuerpo.

Las dos noticias…
1 se refieren a insectos. ☐
2 tratan del chikunguña. ☐
3 tienen a estudiantes como protagonistas. ☐
4 hablan de una campaña. ☐
5 tratan de prevenir una enfermedad. ☐
6 mencionan el número de muertos. ☐
7 tienen el apoyo del Departamento de Salud. ☐
8 hablan del pasado. ☐

A

TRES NUEVAS MUERTES
Asciende a ocho el número de muertos por chikunguña en Puerto Rico

San Juan - Tres nuevas muertes elevaron el año pasado a ocho el número de fallecidos en Puerto Rico por chikunguña, según datos facilitados por la secretaria del Departamento de Salud, Ana Ríus Armendáriz.
La funcionaria informó ayer, a través de un comunicado, de que en el último informe semanal de vigilancia de chikunguña se confirmó la muerte de tres personas con edades comprendidas entre los 20 y los 85 años, todas fallecidas en septiembre.

B

CAMPAÑA DE SALUD
Estudiantes se convierten en portavoces contra los mosquitos

Gran cantidad de jóvenes han participado este año de la campaña «Pícale 'alante' al mosquito». Los estudiantes de las escuelas públicas de Carolina y San Juan se han convertido en portavoces en sus hogares y comunidades para prevenir la picada de los mosquitos portadores de los virus del dengue y el chikunguña, como parte de un esfuerzo legislativo con los departamentos de Salud y de Educación.
Los estudiantes han inventado en los últimos meses nuevas maneras de llevar el mensaje de prevención a través de música, dibujos y otras manifestaciones del arte.

Extraído de www.puertorico.univision.com

Repasa El pretérito perfecto en la unidad 9 y el pretérito indefinido en la unidad 12.

C Busca en las dos noticias verbos en pretérito perfecto y pretérito indefinido y analiza con un compañero por qué creéis que se usa uno u otro. ¿Qué marcadores temporales acompañan a los verbos?

D Completa estas frases con el pretérito perfecto o el pretérito indefinido.

1 ¡Nunca ________ (estar) nuestro equipo tan cerca del trofeo como en este campeonato!
2 Este año ________ (llover) más que nunca en nuestro país.
3 Hace un año que ________ (tener) lugar la manifestación masiva en el centro de la ciudad.
4 Científicos aseguran que ________ (descubrir) una medicina para el sida.
5 Ayer ________ (empezar) un nuevo incendio en el bosque.
6 En agosto ________ (registrarse) el mayor número de turistas en el país.

4 Vais a comentar en clase las noticias más importantes de la actualidad. Cada uno busca una noticia y escribe un resumen para contarla.

COMUNICACIÓN

Estructura de una noticia

La noticia incluye:
- **un titular:** información esencial para atraer la atención.
- **una entradilla:** resumen del contenido más importante.
- **un cuerpo:** desarrollo de la noticia con todos los detalles.

Características
- Los datos más importantes van al principio.
- Las noticias suelen ir con imágenes, infografías y, en caso de ser digitales, con material multimedia.
- Se utiliza con frecuencia la forma impersonal o la tercera persona.

GRAMÁTICA

El contraste del pretérito perfecto y el pretérito indefinido

- Utilizamos el **pretérito perfecto** para hablar de acciones y experiencias realizadas en el pasado y que están relacionadas con el momento en el que hablamos:
  Esta semana ***he leído*** *un artículo muy interesante sobre el chikunguña.*
- Utilizamos el **pretérito indefinido** para hablar de acciones y experiencias realizadas en el pasado sin relacionarlo con el presente:
  Yo también ***leí*** *un artículo sobre el chikunguña la semana pasada.*

  El tiempo de ***esta semana*** está relacionado con el presente (todavía estamos en la misma semana), pero el de la ***semana pasada*** no está relacionado (es otra semana).

- Los marcadores de tiempo más comunes son:
  Pretérito perfecto: ***hoy, este/-a mañana / semana / mes / año, alguna vez / muchas veces, nunca.***
  Pretérito indefinido: ***ayer, la semana / el mes / el año pasado/-a, en 2011, el día de mi cumpleaños, hace un año.***

La radio y la televisión

1 A Responde este test sobre radio y televisión y coméntalo con tus compañeros.

1 Escucho la radio…
a ❍ todos los días
b ❍ una vez a la semana
c ❍ muy pocas veces
d ❍ tu opción: ______

2 En la radio escucho…
a ❍ las noticias
b ❍ música
c ❍ el tiempo
d ❍ tu opción: ______

3 Veo la televisión…
a ❍ todos los días
b ❍ dos o tres días a la semana
c ❍ solo los fines de semana
d ❍ tu opción: ______

4 En la televisión veo…
a ❍ las noticias
b ❍ los concursos
c ❍ las películas
d ❍ tu opción: ______

B (69) Escucha estas noticias de la radio y contesta a las siguientes preguntas.

1 ¿Por qué se aconseja a los ciudadanos quedarse en casa?
2 ¿Qué cantó Ricky Martin en el concierto?
3 ¿Cuáles han sido los logros sobre la malaria?
4 ¿Qué hicieron el domingo y qué han hecho hoy los dos equipos de fútbol?

C (69) Vuelve a escuchar las noticias y di qué frase es la correcta.

1 ☐ a) Ya ha pasado el peligro de las tormentas.
☐ b) Todavía no ha pasado el peligro de las tormentas.

2 ☐ a) Ya ha tenido lugar el concierto.
☐ b) Todavía no ha tenido lugar el concierto.

3 ☐ a) Los avances en la lucha contra la malaria ya han conseguido reducir el número de víctimas.
☐ b) Los avances en la lucha contra la malaria todavía no han conseguido reducir el número de víctimas.

4 ☐ a) Los futbolistas ya se han hecho las fotos.
☐ b) Los futbolistas todavía no se han hecho las fotos.

D Escribe tres cosas que ya has hecho este mes y otras tres que todavía no has hecho. Después, coméntalas con tu compañero.

● *Yo ya he leído dos de los libros para la clase de literatura.*
■ *Pues yo todavía no he terminado el primero…*

COMUNICACIÓN

Expresar un cambio de situación

Ya

Cuando confirmamos que la acción está realizada. Indica un cambio de estado o situación:
*Hoy **ya** he escuchado las noticias.*

Todavía no

Cuando la acción no está realizada pero se piensa realizar. Indica que no hay cambio de estado o situación:
***Todavía no** he visto la televisión hoy.*

2 A Mira las viñetas y observa las estructuras para reaccionar. ¿Con cuál de las siguientes informaciones relacionas cada diálogo?

1 Los precios ahora son más altos.
2 Ahora puede conducir legalmente.
3 Mañana va a hacer más frío.
4 Un compañero se fue a estudiar a otro país.

B Tu compañero te cuenta estas noticias. Reacciona con *qué* seguido de una de las siguientes palabras.

miedo • horror • pena • desastre • tontería • bien • interesante • injusticia

¿Te has enterado de que...
1 se ha escapado un tigre del zoo?
2 hay tres personas heridas en un accidente de autobús?
3 existen más de 250 000 toneladas de plástico en el océano?
4 el ruido de los aeropuertos cambia las costumbres de los pájaros?
5 mañana llega un huracán a la ciudad?
6 J. K. Rowling ha escrito un nuevo libro de Harry Potter?

C En parejas o en pequeños grupos, escribid una noticia para la radio o la televisión.

Avanza Podéis grabar las noticias para hacer un pequeño informativo.

3 A ¿Conoces a Benicio del Toro? ¿Sabes qué películas ha hecho? Lee esta presentación que hacen de él en un programa de televisión y contesta si las frases son verdaderas (V) o falsas (F).

Benicio del Toro...
1 nació en España. ☐
2 tiene la nacionalidad española. ☐
3 se crió en España. ☐
4 ganó un Óscar. ☐

CINE

BENICIO DEL TORO

Sus ojeras son las más famosas del mundo. Es misterioso, lo llaman la pantera negra. Su nombre es Benicio del Toro. Nació en Puerto Rico, se crió en los EE. UU. y ahora tiene, además, la nacionalidad española. Es el primer actor que ganó un Óscar con una interpretación en español.

B Ahora, lee un fragmento de esta entrevista publicada en un periódico. ¿Cómo crees que es Benicio del Toro?

ENTREVISTA

¿Quién es Benicio del Toro?
Un soñador solitario.

A propósito de sueños, ahora que lo tiene todo, o casi todo, ¿qué busca en la vida?
Lo que todos. El sueño americano, el sueño del amor, el sueño de la felicidad, el sueño de la plenitud, el sueño del autoconocimiento, el sueño de la libertad, el sueño de ser un hombre. Yo busco el sueño total. Y no olvidar de dónde vengo y quién soy.

Para usted, ¿qué es el cine?
Personalmente, creo que el cine es la literatura del siglo XX y del XXI, un arte total. Busco películas que hagan justicia al arte. Por eso hice *21 gramos*.

Extraído de www.elmundo.es

C Imagina que puedes entrevistar a Benicio del Toro en la televisión. Escribe otras dos preguntas.

Avanza Con un compañero, escribid una entrevista a un personaje famoso o ficticio.

COMUNICACIÓN

Comentar noticias
- *¿Te has enterado de que...?*
- *¿Sabes que...?*

Reaccionar
- ¡*Qué* + adjetivo!
  ¡*Qué* raro / interesante / bonito!
- ¡*Qué* + adverbio!
  ¡*Qué* bien / mal / despacio!
- ¡*Qué* + sustantivo!
  ¡*Qué* miedo / vergüenza / injusticia / horror / pena / desastre / tontería!
- ¡*Qué* + sustantivo + *tan* / *más* + adjetivo!
  ¡*Qué* tiempo **tan** horrible!
  ¡*Qué* concierto **más** largo!

Mensajes escritos

1 A ¿Qué medios utilizas para hacer estas cosas? Coméntalo con tu compañero.

1 INFORMARME DE LAS NOTICIAS
2 ENTERARME DE LAS TENDENCIAS DE MODA
3 ESCUCHAR MIS CANCIONES FAVORITAS
4 PREGUNTAR ALGO A MIS PADRES
5 QUEDAR CON MIS AMIGOS
6 VER VÍDEOS, SERIES Y PELÍCULAS

Yo me informo a través de Twitter, y los fines de semana leo el periódico.

B (70) Escucha y ordena estas redes sociales según hablan de ellas.

☐ Twitter ☐ Instagram ☐ Skype ☐ LinkedIn ☐ Facebook

C ¿Puedes añadir otra red social que tú conoces y definirla? Tus compañeros tienen que adivinar de qué red social hablas.

2 A Mía, una profesora que vive en Nueva York, tiene que viajar a Puerto Rico y ha escrito a tres personas para comunicarles su viaje. ¿A quién va dirigido cada texto?

A una amiga: ___
A una profesora: ___
A una directora de instituto: ___

Nueva York, a 27 de febrero de 2015

Estimada señora Oquendo:

Después de nuestra conversación telefónica, le confirmo mi asistencia a la reunión del día 12 de marzo a las 10:00.

Llevo conmigo todos los documentos solicitados y espero poder llegar a un acuerdo sobre el intercambio en nuestros respectivos institutos. Espero comenzar muy pronto esta cooperación entre nuestros dos países, que significan tanto para mí.

Le saluda atentamente,

Mía Morales
Directora de Los Pinos School

1 Carta / Correo formal

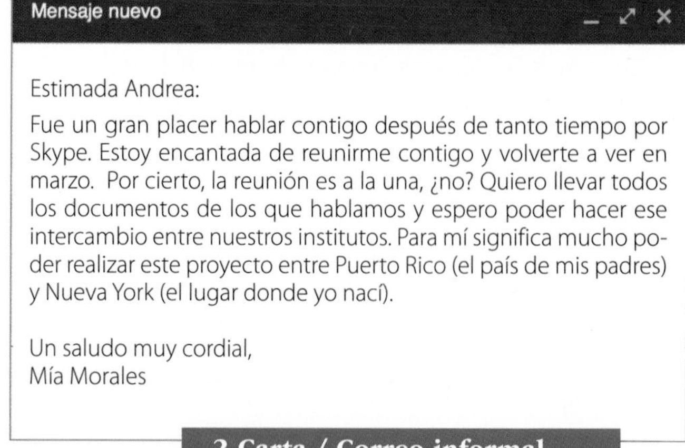
Mensaje nuevo

Estimada Andrea:

Fue un gran placer hablar contigo después de tanto tiempo por Skype. Estoy encantada de reunirme contigo y volverte a ver en marzo. Por cierto, la reunión es a la una, ¿no? Quiero llevar todos los documentos de los que hablamos y espero poder hacer ese intercambio entre nuestros institutos. Para mí significa mucho poder realizar este proyecto entre Puerto Rico (el país de mis padres) y Nueva York (el lugar donde yo nací).

Un saludo muy cordial,
Mía Morales

2 Carta / Correo informal

36% 4:19 PM

¡Hola, bonita! ¿Qué es lo que hay?
¡Qué *cool* fue hablar contigo por teléfono! Mira, entonces nos vemos a las 10. ¡¡¡Llevo fotos y también todos los papeles que necesitamos para el intercambio!!! ¡Qué chévere volver a Puerto Rico!
Besos, Mía

3 Mensaje de Facebook

B Vuelve a leer los textos y observa y anota las diferencias que hay entre un registro formal, un registro informal y un registro muy informal.

Repasa La diferencia entre *tú* y *usted* en la unidad 13.

C Ahora, cambia el registro de estos textos.

A

B

Valencia, a 25 de marzo de 2015

Muy señor mío:
Por la presente, me dirijo a usted para comunicarle que su solicitud de trabajo ha sido aceptada y que quedamos a la espera de una reunión para concretar los pasos a seguir.
Atentamente,

Salvador Hermosilla
Director de Recursos Humanos

1 Convierte el mensaje del texto A en una carta / correo formal. Imagina que te invitan al cumpleaños de los padres de un amigo.
2 Convierte la carta formal del texto B en un mensaje de Facebook en el que cuentas a tus amigos que te han llamado para una entrevista en el trabajo que solicitaste.

3 A Daniela Hernández, especialista en medios de comunicación, escribe en su blog sobre el poder y la fiabilidad de los medios. Lee y resume en una frase cada párrafo.

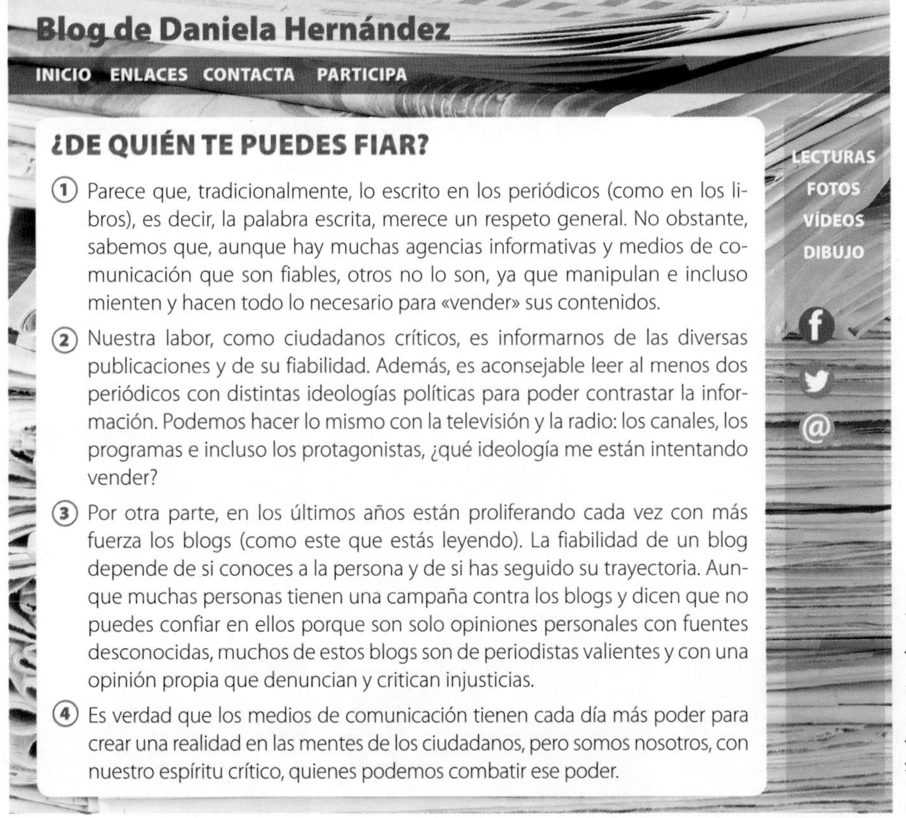

Blog de Daniela Hernández

INICIO ENLACES CONTACTA PARTICIPA

¿DE QUIÉN TE PUEDES FIAR?

(1) Parece que, tradicionalmente, lo escrito en los periódicos (como en los libros), es decir, la palabra escrita, merece un respeto general. No obstante, sabemos que, aunque hay muchas agencias informativas y medios de comunicación que son fiables, otros no lo son, ya que manipulan e incluso mienten y hacen todo lo necesario para «vender» sus contenidos.

(2) Nuestra labor, como ciudadanos críticos, es informarnos de las diversas publicaciones y de su fiabilidad. Además, es aconsejable leer al menos dos periódicos con distintas ideologías políticas para poder contrastar la información. Podemos hacer lo mismo con la televisión y la radio: los canales, los programas e incluso los protagonistas, ¿qué ideología me están intentando vender?

(3) Por otra parte, en los últimos años están proliferando cada vez con más fuerza los blogs (como este que estás leyendo). La fiabilidad de un blog depende de si conoces a la persona y de si has seguido su trayectoria. Aunque muchas personas tienen una campaña contra los blogs y dicen que no puedes confiar en ellos porque son solo opiniones personales con fuentes desconocidas, muchos de estos blogs son de periodistas valientes y con una opinión propia que denuncian y critican injusticias.

(4) Es verdad que los medios de comunicación tienen cada día más poder para crear una realidad en las mentes de los ciudadanos, pero somos nosotros, con nuestro espíritu crítico, quienes podemos combatir ese poder.

LECTURAS
FOTOS
VÍDEOS
DIBUJO

Extraído de www.ite.educacion.es

B ¿Estás de acuerdo con todas las opiniones del blog? Coméntalo con tu compañero.

C Vuelve a leer el blog y resalta todos los signos de puntuación que aparecen.

Avanza Compara los signos de puntuación con tu lengua u otras lenguas que conoces. ¿Hay diferencias?

COMUNICACIÓN

Comunicarse por carta o correo electrónico

Saludo
- *Muy señor(es) mío(s):*
- *Estimado/-a…:*
- *Querido/-a:…*
- *¡Hola!*

Comienzo de la carta / correo
- *Me dirijo a usted para…*
- *El motivo de mi carta es…*
- *Te escribo para…*

Despedida de la carta / correo
- *Sin otro particular, esperando noticias suyas, …*
- *Me despido atentamente, …*
- *Un cordial saludo, …*
- *Un abrazo, …*
- *Besos, …*
- *Recuerdos / Saludos a…*

ORTOGRAFÍA Y PRONUNCIACIÓN

Los signos de puntuación

- **Los signos de interrogación** ***(¿ ?)*** **y los signos de admiración** ***(¡ !)*** siempre son dobles (al principio y al final):
¿Qué tal? / ¡Hola!

- Se usa **coma**:
  - Para hacer una pausa en la pronunciación: *Hizo el trabajo, aunque era difícil.*
  - Para separar elementos de una enumeración o serie: *blogs, artículos, entrevistas*
  - Con los decimales: *4,8 %*

- Se usan **dos puntos**:
  - Para introducir elementos de una enumeración o serie: *Debe enviar: las fotos, los documentos, los programas, etc.*
  - En los encabezamientos de cartas y correos: *Querida abuela:*

- Se usan los **paréntesis** ***( )*** para hacer una aclaración:
Puerto Rico (el país de mis padres) y Nueva York (el lugar donde yo nací).

Puerto Rico

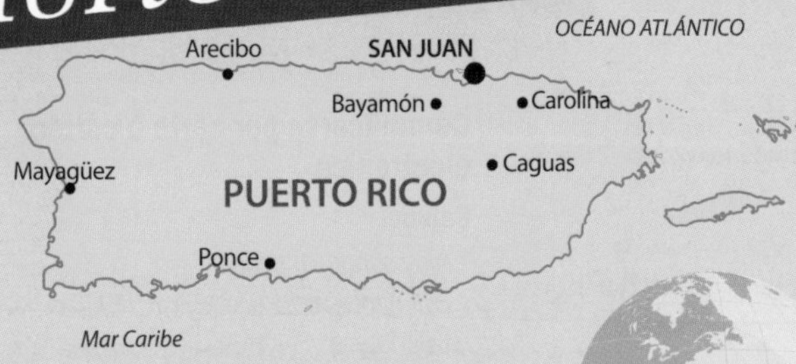

1 Ana está de vacaciones en Puerto Rico. Mira las fotos y relaciónalas con estos comentarios de Instagram.

1 **ana_puertorico** Una vista de San José, la capital de Puerto Rico. Aquí hemos pasado el fin de semana. #SANJOSE #FINDESEMANA

2 **ana_puertorico** Me gustó lo moderno que es el país. Hay muchos edificios altos. #MODERNIDAD #EDIFICIOSALTOS

3 **ana_puertorico** Con mi hermana, viendo la puesta de sol en una de sus bonitas playas... #PUESTASOL #CONMIHERMANA #PLAYA

4 **ana_puertorico** De excursión por uno de los bosques lluviosos... #BOSQUE #LLUVIA

5 **ana_puertorico** Aprendiendo a bailar salsa en el hotel... #SALSA #ABAILAR

2 A Lee este texto sobre Puerto Rico. Hay tres informaciones que no son verdaderas, ¿cuáles son?

PUERTO RICO

Puerto Rico es una isla que está en el mar Caribe. Es la isla más grande de las Antillas y está situada al este de la República Dominicana y al oeste de las islas Vírgenes. A pesar de su pequeño tamaño, posee diversidad de ecosistemas: bosques secos y lluviosos, montañas, costas y, por supuesto, playas.

Puerto Rico es el estado número 51 de los Estados Unidos desde 1979. El país tiene un clima tropical, con una temperatura media de entre 20 y 30 grados, aproximadamente.

Cuando los españoles llegaron a la isla, los habitantes de Puerto Rico eran los indios taínos. Por eso a Puerto Rico se le llama también Borinkén, que es una palabra taína. Actualmente, los dos idiomas oficiales son el español y el inglés.

En Puerto Rico, los deportes más populares son el baloncesto y el béisbol. Los boricuas* también son grandes amantes de la música, y fueron los que popularizaron el tango en Nueva York.

* *boricua*: de Puerto Rico

B 71 Escucha el texto con la información correcta y comprueba tus respuestas.

A ☐

B ☐

C ☐

D ☐

E ☐

3 A **¿Sabes qué es el espanglish? Coméntalo con tu compañero y, después, lee el artículo para comprobar vuestros conocimientos.**

El espanglish

Es una mezcla de español e inglés hablada en muchos países con gran contacto con Estados Unidos o por las personas de origen latino que viven en Estados Unidos. La persona que utilizó el término por primera vez fue el humorista puertorriqueño Salvador Tió, el 28 de octubre de 1948. En su teoría, Tió explica que el espanglish es la españolización del inglés. No es una variante oficial, sino coloquial.

El espanglish está muy extendido no solo en el habla popular, sino en la música y la literatura. Hay autores que solo escriben en espanglish, como la puertorriqueña Giannina Braschi que escribió la novela *Yo-Yo Boing!*

Los puertorriqueños representan un 50,3 % de los hispanos de Nueva York. «Nuyorriqueño» es una composición (lingüística) de los términos *Nueva York* (en inglés, *New York*) y *puertorriqueño*, y se refiere a los miembros, o a la cultura, de la migración puertorriqueña a Nueva York. Debido a esta fuerte presencia existen también varios medios de comunicación en Nueva York en lengua hispana.

- En ocasiones se alternan palabras en inglés y en español:

JENNIFER: Hola, *good evening*, cómo estás?
VALERIO: *Fine*, y tú? Te retrasaste...
ANITA: Ay, sí, *sorry*, pero tuve problemas parqueando *and then* el guachimán* de la puerta, que ha chequeado tres veces todo....
VALERIO: Bueno, *you are here now*...

- Otras veces se crean formas nuevas, una mezcla de las dos lenguas:

ESPAÑOL	ESPANGLISH	INGLÉS
calla	cierra p'arriba	*shut up*
depende de ti	está p'arriba de ti	*it's up to go*
comprobar	chequear	*to check*
una oportunidad	una chansa	*a chance*
volver a llamar	llamar para atrás	*to call back*

B **Busca tres ejemplos de palabras espanglish en internet.**

C **Lee esta información sobre el origen taíno de algunas palabras. Después, escribe cómo se dicen en tu lengua las siguientes palabras.**

barbacoa • canoa • caimán • hamaca • huracán
iguana • piragua • tiburón • maíz • yuca

En Puerto Rico, existen muchas palabras que provienen de los indios taínos, los habitantes de la isla antes de la llegada de los españoles. Muchas de estas palabras son internacionales: *barbacoa, canoa, caimán*...

4 **Muchos famosos tienen sus orígenes en Puerto Rico, pero trabajan y viven en Estados Unidos. ¿Conoces a estas personas? ¿Sabes qué profesión tienen? ¿Conoces a otras personas famosas de Puerto Rico?**

Michele Rodríguez
Calle 13
Héctor Elizondo
Jennifer López

5 **Lee el siguiente fragmento de una canción de Ricky Martin. ¿Qué frase te parece que se corresponde más con la letra de la canción?**

1 El cantante está muy contento de aparecer en los medios de comunicación.
2 Los medios de comunicación ofrecen una versión falsa de la realidad.

ASK FOR MORE (PIDE MÁS)

Las portadas de revistas,
la radio y televisión,
todas lucen tan bonitas,
pero son una ilusión.
Mi guitarra es mi tierra
y mi gente mi canción,
lucharé la vida entera
por mi sueño, vámonos.
La historia de mi vida,
es un viaje sin final,
es un fuego que me quema,
me domina y me pide más (pide más).
Por el mundo voy andando...
Pide más (pide más).
Por un sueño voy buscando...

Mira estas fotos, ¿con cuáles de estos aspectos de la comunicación las relacionas? Escoge una y habla sobre ese tema.

- ☐ aislamiento
- ☐ falta de vida privada
- ☐ aprendizaje de la tecnología
- ☐ falta de comunicación real

1

2

3

4

Acción

Vais a publicar una portada de periódico con noticias inventadas.

1 En grupos, elegid cinco de estas secciones y escribid una noticia para cada una.

- ▶ SUCESOS
- ▶ SOCIEDAD
- ▶ CIENCIA
- ▶ CULTURA
- ▶ POLÍTICA NACIONAL E INTERNACIONAL
- ▶ DEPORTES
- ▶ ECONOMÍA
- ▶ EL TIEMPO

2 Recordad que cada noticia tiene un titular.

3 Podéis hacer la portada en papel o utilizar un programa de ordenador.

Actitudes y valores

¿Te muestras crítico ante la información transmitida en los medios?

	Siempre	A veces	Nunca
- Escojo con mucho cuidado los medios de los que recibo la información.	☐	☐	☐
- Contrasto la información que recibo en varios medios.	☐	☐	☐
- Valoro la importancia de los medios de comunicación en mi vida diaria.	☐	☐	☐

Reflexión

- ¿Podrías vivir sin los medios de comunicación?

- ¿Qué características deberían de tener los medios de comunicación?

- ¿Qué papel tienen las redes sociales en tu vida diaria?

15 Medio ambiente

- Analizar las consecuencias del calentamiento global
- Valorar los recursos naturales
- Expresar opiniones sobre la educación medioambiental
- Preparar un debate sobre el medio ambiente
- Reflexionar sobre nuestra contribución al medio ambiente
- País: Venezuela
- Interculturalidad: La cultura en la conciencia ambiental
- Actitudes y valores: Valorar los recursos naturales

1 **¿Cuáles crees que son los principales problemas que sufre nuestro medio ambiente?**

2 **Mira las fotos y relaciónalas con los siguientes temas.**

La extinción de los animales	☐	El calentamiento global	☐
La deforestación	☐	La contaminación ambiental	☐

3 **¿Qué foto te impresiona más? ¿Por qué?**

4 **¿Crees que los jóvenes están concienciados para proteger el medio ambiente?**

El calentamiento global

1 A **¿Qué sabes sobre el calentamiento global? Marca las expresiones que crees que están relacionadas con este fenómeno y coméntalo con tu compañero.**

El efecto invernadero	☐	La extinción de los animales y las plantas	☐
La energía solar	☐	El uso de internet	☐
El descenso de la natalidad	☐	El aumento de la temperatura de la Tierra	☐
El uso de la electricidad	☐	La quema de combustibles	☐

B **Lee esta entrevista sobre el calentamiento global a un experto en medio ambiente. Completa cada respuesta con las siguientes palabras.**

espacio • planeta • fósiles • luz • Tierra • temperatura • energía • electricidad

Fernando Arana

VIERNES, 22 DE MAYO • DE 12:00 A 13:00

Experto en medio ambiente charla con los lectores

¿Qué es el calentamiento global?

Es el aumento de la (1) __________ del planeta Tierra **a causa de** las actividades humanas.

¿Qué provoca el calentamiento global?

El problema surge **porque** nuestra sociedad quema combustibles (2) __________, como el petróleo, el carbón y el gas natural. Al quemar estos combustibles **para** producir (3) __________ y energía para nuestros coches, aviones, fábricas y hogares, se liberan grandes cantidades de gases de efecto invernadero, que acumulan enormes cantidades de calor.

¿Cómo funciona nuestra atmósfera?

Cuando la (4) __________ solar llega a la Tierra, parte de su energía es reflejada por las nubes; el resto atraviesa la atmósfera y llega al suelo. **Sin embargo**, no toda la energía solar es aprovechada, **porque** una parte es devuelta al (5) __________.

¿Qué consecuencias tiene el aumento de los gases?

Los gases no solo atrapan la (6) __________, **sino que** provocan un aumento de la temperatura de la Tierra.

¿Qué necesitamos para poder vivir en nuestro planeta?

Los gases de efecto invernadero absorben la energía como una esponja, calentando tanto la superficie del (7) __________ como el aire que lo rodea. **Por eso, para** tener una temperatura habitable en la (8) __________, es importante el equilibrio de los gases.

Extraído de www.revolucion21.org

Avanza Leed la entrevista en voz alta (uno es el entrevistador y el otro, el entrevistado).

2 Lee el folleto sobre medio ambiente y elige el conector más adecuado.

¿SABES QUE…

- el CO_2 (dióxido de carbono) es el gas que produce un mayor efecto invernadero (1) **porque / sino** su proporción en la atmósfera es de un 64 %?
- los medios de transporte generan el 31 % de gases de efecto invernadero y, (2) **por eso / sin embargo**, muchos nos negamos a utilizar la bicicleta o simplemente a caminar?
- los productos que utilizamos a diario en casa nos llegan después de viajar miles de kilómetros en barcos, aviones, trenes y camiones que no solo han quemado grandes cantidades de combustibles, (3) **a causa de / sino** que también han quemado toneladas de CO_2 y desperdicios? (4) **Por eso, / Porque,** si es posible, es importante consumir productos locales.
- (5) **a causa del / pero el** uso de la electricidad en nuestras viviendas (6) **para / sin embargo** hacer funcionar nuestros electrodomésticos se produce un derroche muy importante de energía?

COMUNICACIÓN

Para expresar causa

Porque, a causa de (que):

La temperatura de la Tierra aumenta ***porque*** *hay más gases invernadero.*

La temperatura aumenta ***a causa de*** *la actividad humana.*

Para expresar finalidad

Para **+ infinitivo**:

Se queman los combustibles ***para*** *producir electricidad.*

Para expresar oposición

Las construcciones adversativas se utilizan con dos frases que se oponen: ***pero, sino (que), sin embargo***:

Parte de la energía solar llega al suelo, ***sin embargo****, no toda esa energía es aprovechada.*

Para expresar consecuencia

Por eso:

Los gases de invernadero absorben la energía, ***por eso*** *es importante tener un equilibrio de gases para poder vivir.*

3 A Lee la infografía sobre las consecuencias del calentamiento global y coloca los siguientes títulos.

- Derretimiento del hielo *G*
- Cambios en los sistemas marinos ☐
- Fenómenos climáticos extremos ☐
- Cambios en las precipitaciones ☐
- Aumento de la desertificación ☐
- Aumento de sequías ☐
- Huracanes más fuertes ☐

EL CALENTAMIENTO GLOBAL CAMBIA NUESTRA FORMA DE VIDA PORQUE, ADEMÁS DE GENERAR UN AUMENTO DE LA TEMPERATURA, PROVOCA CAMBIOS EN LAS PRECIPITACIONES, LA ELEVACIÓN DEL NIVEL DEL MAR Y EL INCREMENTO EN LA FRECUENCIA E INTENSIDAD DE FENÓMENOS CLIMÁTICOS EXTREMOS, COMO SEQUÍAS, HURACANES E INUNDACIONES.

CONSECUENCIAS DEL CALENTAMIENTO GLOBAL

A ____________
La temperatura media de la superficie de la Tierra ha aumentado más de 0,6 grados durante los últimos cien años. Los años más cálidos de la historia han sido los últimos veinte, y este aumento genera cada día más sequías.

B ____________
No solo genera una mayor evaporación de los océanos, sino que también aumenta la evaporación de la humedad y provoca la desertificación del terreno.

C ____________
En algunos lugares va a llover cada vez más y se van a producir más inundaciones; sin embargo, en otros va a llover cada vez menos. Por eso, muchas zonas que ahora son fértiles, en el futuro van a ser improductivas.

D ____________
Cada vez hay más climas extremos. Se experimentan temperaturas máximas más altas, más días calurosos y menos días fríos. En las zonas más frías, las nevadas van a ser más intensas y en menos épocas del año. Las consecuencias: incendios forestales, nevadas extremas y ciudades aisladas.

E ____________
Cuando la atmósfera se calienta, también lo hacen los océanos. Como consecuencia, aumenta la humedad de la atmósfera, y el viento y las tormentas son más grandes. Cuando los huracanes pasan sobre aguas cálidas, absorben esa energía y se vuelven más poderosos.

F ____________
A causa del aumento de la temperatura de los océanos y la disminución del oxígeno, se están registrando cada vez más zonas muertas en los mares. Es decir, zonas donde las especies ya no pueden sobrevivir por la falta de oxígeno. Esto afecta directamente al ecosistema.

G *Derretimiento del hielo*
La capa de hielo del Ártico ha disminuido en un 40 %. Los científicos creen que puede derretirse por completo dentro de quince años, durante los veranos del hemisferio Norte.

B Subraya la información más importante de cada párrafo y comenta con tu compañero cómo crees que ha afectado o va a afectar al lugar donde vives.

Yo creo que el calentamiento global afecta a los sistemas marinos y va a…

C Lee estos titulares y redáctalos de nuevo cambiando el verbo por el sustantivo o viceversa.

1 La capa de hielo del glaciar Perito Moreno **se derrite** cada año.
Hay un derretimiento de la capa de hielo del glaciar Perito Moreno cada año.
2 **Aumento** de las precipitaciones en toda Europa en los últimos años.
3 El calentamiento global **cambia** la temperatura de los océanos.
4 Hay un **incremento** de los huracanes en las zonas tropicales.
5 La temperatura de los océanos **se eleva**.
6 **Disminución** de la masa de hielo en la Antártida.

D Elige uno de los titulares anteriores y busca con un compañero un ejemplo de ese fenómeno en alguna región del mundo.

LÉXICO

Fenómenos naturales

- la sequía
- la precipitación
- la desertificación
- el huracán
- el derretimiento de la capa de hielo
- la inundación
- la tormenta
- la nevada
- el incendio
- la evaporación (de los océanos)

GRAMÁTICA

Nominalización de los verbos

Algunos sustantivos derivan de verbos.

- Terminan en ***-ción*** (son siempre femeninos):

verbo	sustantivo
elevar	eleva**ción**
disminuir	disminu**ción**

- Terminan en ***-o*** (son siempre masculinos):

verbo	sustantivo
cambiar	cambi**o**
aumentar	aument**o**

- Terminan en ***-miento*** (son siempre masculinos):

verbo	sustantivo
derretir	derreti**miento**
calentar	calenta**miento**

Los recursos naturales

1 A (72) **Una bióloga venezolana habla sobre problemas ambientales en el planeta. Escucha la conferencia y numera las fotos según el orden en que las escuchas.**

Repasa El léxico de la geografía y los accidentes geográficos (*montañas, ríos*, etc.) en la unidad 9.

B (72) **Escucha la conferencia de nuevo y relaciona las siguientes informaciones. Después, compáralo con tu compañero.**

1 Deforestación
2 Contaminación del aire
3 Contaminación del agua
4 Crecimiento de la población
5 Contaminación de lugares turísticos
6 Tráfico de especies

a Residuos sólidos, como el plástico, en montañas, playas y ríos
b Cautiverio de animales en zoológicos y casas particulares
c Ampliación de terrenos para la agricultura
d Emisiones de gases tóxicos de las industrias
e Más necesidad de recursos para vivir
f Aguas residuales de hogares e industrias

C **En pequeños grupos, cada uno presenta a los demás una de las fotos anteriores.**

La foto F muestra el tráfico de especies: es un pájaro exótico en una jaula. La gente colecciona estas especies y las saca de su hábitat natural…

2 En parejas, comentad y reaccionad ante estas afirmaciones.

estoy de acuerdo • estoy de acuerdo en parte • no estoy de acuerdo • estoy seguro de (que)

1 La deforestación puede justificarse.
- *Creo que la deforestación puede justificarse en algunos casos.*
- *Yo no estoy de acuerdo. No podemos justificar la desaparición de los bosques. Estoy seguro de que en un futuro muy próximo se va a prohibir la utilización de la madera para muchas cosas.*

2 No podemos evitar la extinción de animales.
3 Los científicos aseguran que en 2050 la temperatura en muchos lugares del planeta va a ser de 40 grados.
4 El cuidado del medio ambiente es una tarea de todos.
5 El crecimiento poblacional no influye en los problemas ambientales.
6 La flora y la fauna de muchas partes de nuestro planeta están en peligro.

COMUNICACIÓN

Expresar acuerdo / desacuerdo

- ***Estar*** (totalmente) ***de acuerdo / en desacuerdo*** (con algo o con alguien):
  Estamos *todos* ***de acuerdo*** *con esta afirmación.*
- ***Estar de acuerdo en parte / parcialmente*** (con algo o con alguien).
  Estoy de acuerdo *con vosotros* ***en parte.***
- ***No estar de acuerdo*** (con algo o con alguien):
  Laura ***no está de acuerdo*** *con Alberto.*

Expresar certeza

Estar seguro (de algo):
Estoy seguro *de que la gente va a cambiar sus hábitos en todo el mundo.*

3 A Con un compañero, observad en el cuadro de comunicación las partes de una conferencia. Después, elaborad un esquema similar para preparar una conferencia sobre los problemas ambientales de un país de vuestra elección.

COMUNICACIÓN

Estructura de una conferencia

1. Saludo inicial
- *Buenos días*
- *Señoras, señores / Estimado público*
- *Gracias por invitarme*
- *Es un placer estar aquí*

***Buenos días** a todos y **muchas gracias por invitarme** a participar en esta conferencia.*

2. Introducción al tema
- *Como sabemos, ...*
- *Todo el mundo dice...*

***Como sabemos,** nuestro planeta es rico en recursos naturales.*

3. Presentación de la problemática
- *Sin embargo, ...*
- *El problema es...*
- *La cuestión a discutir es...*
- *A continuación, voy a hablar de...*

***Sin embargo,** creo que todos conocemos los problemas ambientales.*

***A continuación, voy a hablar de** los principales problemas ambientales*

4. Diferentes puntos a tratar
- *En primer / segundo / tercer / último lugar, ...*
- *El primer / segundo / tercer / último problema...*
- *Lo primero / segundo / tercero / último...*

***El primer problema** es el crecimiento poblacional. Precisamente, este es **nuestro segundo problema:** la deforestación.*
***Nuestro tercer problema** es la contaminación.*
***El último problema** que voy a mencionar es el tráfico de especies.*

5. Conclusión
- *Como vemos...*
- *Resumiendo...*
- *Para terminar...*

***Como vemos**, nuestro planeta sufre graves problemas ambientales.*

6. Saludo final (cierre)
- *Muchas gracias...*
- *Agradezco su participación...*
- *Ha sido un placer...*

***Muchas gracias**. Comencemos con las preguntas.*

B En parejas, escribid la conferencia a partir de vuestro esquema.

Avanza Podéis practicar las conferencias y después grabarlas.

4 A ¿Sabes qué es un diptongo? Mira el cuadro de ortografía y pronunciación y completa las columnas con otras palabras de la unidad.

vocal abierta *(a, e, o)* + vocal cerrada *(i, u)*	vocal cerrada *(i, u)* + vocal abierta *(a, e, o)*	vocal cerrada *(i, u)* + vocal cerrada *(u, i)*
	*calentam**ie**nto*	

B ¿Existen los diptongos en otras lenguas que conoces? Coméntalo con un compañero.

ORTOGRAFÍA Y PRONUNCIACIÓN

El diptongo

- Es la unión de dos vocales en la misma sílaba. Se forma cuando se combina:
  - vocal ***a, e, o*** + vocal ***i, u*** **átona***: *a**i**sladas*
  - vocal ***i, u*** **átona** + vocal ***a, e, o***: *calenta-m**ie**nto.*
  - vocal ***i, u*** + vocal ***u, i***: *c**iu**dades.*
- No hay diptongo en las combinaciones ***a, e, o*** + ***i, u*** **tónica**** o ***i, u*** **tónica** + ***a, e, o***. En estos casos, siempre se escribe tilde: *Ra**ú**l* (Ra-úl) / *energ**í**a* (e-ner-gí-a).
- La ***y*** al final de una palabra suena como la vocal ***i*** y forma diptongo*: mu**y** / le**y**.*

* átona: no acentuada
** tónica: acentuada

La educación medioambiental

1 A Lee el eslogan de la organización Revolución 21* y comenta con un compañero las siguientes preguntas.

1 ¿Qué crees que significa *cambio ambiental global*?
2 ¿Por qué somos «el problema»?

NOSOTROS SOMOS EL PROBLEMA, PERO TAMBIÉN SOMOS LA SOLUCIÓN

Extraído de www.revolucion21.org

* Revolución 21: movimiento que trabaja para una Latinoamérica sustentable.

B (73) Lee y escucha lo que dice Charly Alberti, el fundador de esta organización, y comprueba tus comentarios.

R2I* LATINOAMÉRICA SUSTENTABLE

El cambio ambiental global es la sumatoria de todas las acciones destructivas que el ser humano genera sobre la tierra día a día. Por eso es tan importante que vos participes, porque con pequeños cambios en tu rutina diaria podemos lograr la solución. Participá, sé parte del cambio.

Charly Alberti es un músico muy famoso en Argentina y Latinoamérica, fue batería de la mítica banda de rock Soda Stereo.

2 Lee este blog sobre el uso de la energía renovable en una isla del Caribe venezolano y contesta a las siguientes preguntas.

1 ¿Cuánto tiempo hace que se desarrolló el sistema?
2 ¿Por qué se decidió generar energía renovable?
3 ¿Qué produce la energía alternativa?
4 ¿La gente de Bonaire va a pagar más o menos electricidad?
5 ¿Para qué sirve el nuevo proyecto?

ENTRADAS RECIENTES

- abril
- marzo
- febrero
- enero
- diciembre

Bonaire:
en el camino de la energía renovable

La hermosa isla de Bonaire, muy conocida por sus arrecifes marinos, tiene desde 2005 un sistema para producir energía limpia. Con una población de 18 000 habitantes, la demanda eléctrica de Bonaire es de aproximadamente 11 MW. En 2004, la única central eléctrica de Bonaire se quemó, por lo que el gobierno de la isla decidió restaurar el sistema de generación de energía y generarla a partir de fuentes 100 % renovables.
En 2007, EcoPower instaló turbinas de viento de 330 KW en Sorobón (un gran lugar para practicar *windsurf* y *kitesurf*). Además, crearon un sistema de generación de energía alternativa para producir biodiésel a partir de algas*.
Con este nuevo sistema, la gente en Bonaire puede esperar de un 10 % a un 20 % de descuento en su factura de electricidad.
Este emocionante proyecto de Bonaire ayuda a generar un entorno verde y a mantener nuestros arrecifes. ¡Ven a Bonaire y disfruta de emocionantes actividades cerca de un mar limpio!

*Plantas que viven en el agua

Extraído de www.cuanto.nl

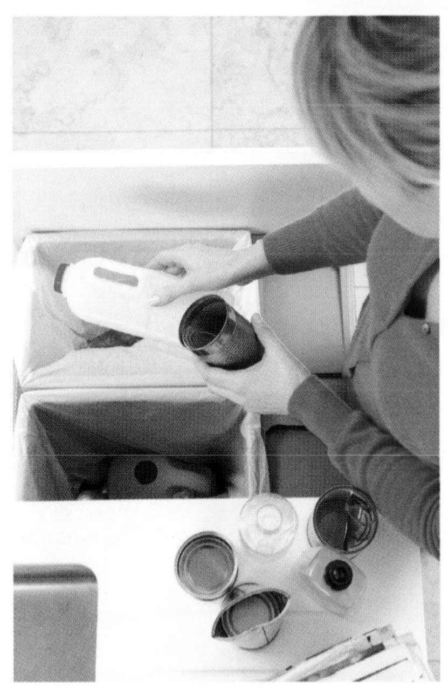

3 **A** **¿Cómo podemos contribuir a la educación medioambiental? ¿Qué cosas podemos cambiar en nuestra rutina diaria? Aquí hay algunos ejemplos. En grupos, añadid tres más.**

- *Apagar las luces de casa cuando salimos.*
- *Reciclar papel, metal y plástico.*
- *Evitar las bolsas de plástico.*

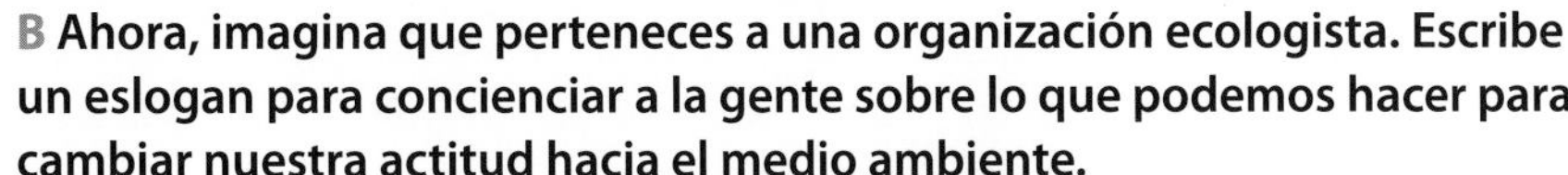

B **Ahora, imagina que perteneces a una organización ecologista. Escribe un eslogan para concienciar a la gente sobre lo que podemos hacer para cambiar nuestra actitud hacia el medio ambiente.**

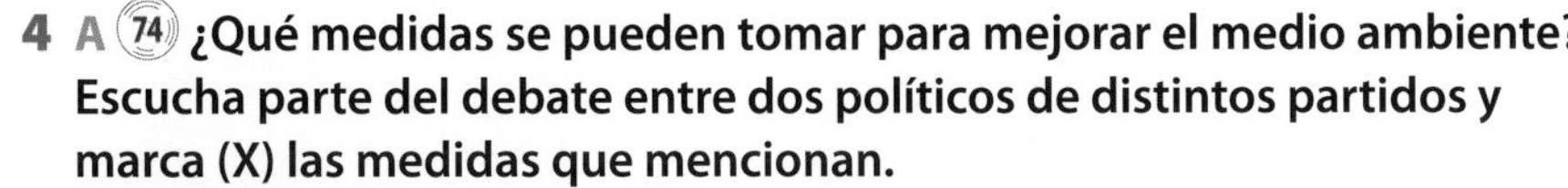

4 **A** (74) **¿Qué medidas se pueden tomar para mejorar el medio ambiente? Escucha parte del debate entre dos políticos de distintos partidos y marca (X) las medidas que mencionan.**

B (74) **Vuelve a escuchar el debate y subraya en el cuadro de comunicación todas las expresiones que se mencionan.**

Repasa Los conectores textuales en la unidad 13.

Avanza Continúa el argumento de la señora Estévez en el debate.

COMUNICACIÓN

Expresiones para el debate

- **Organizar la información**
  En primer lugar, ... / Lo primero, ... / Por último, ...
  Por un lado, ... / Por otro, ...
  Y además, ...

- **Expresar opiniones**
  Pienso que...
  Me parece que...
  En mi opinión, ...
  Desde mi punto de vista, ...
  Para mí, ...

- **Presentar y desarrollar argumentos**
  Un problema es... / Uno de los mayores problemas es...
  La verdad es que...
  Es importante / innegable / necesario...
  Hay ventajas y desventajas / puntos a favor y en contra...

- **Expresar acuerdo o desacuerdo**
  Estar (totalmente) de acuerdo / en desacuerdo (con)...
  Estar de acuerdo en parte (con)...
  Ya, pero...

- **Resumir / Concluir**
  Para resumir, ...
  En resumen, ...
  En conclusión, ...

Venezuela

1 ¿Qué sabes de Venezuela? Resuelve el crucigrama. Utiliza las siguientes palabras para completar las filas horizontales. ¿Qué ciudad se encuentra escondida en la columna vertical?

Maldonado • Ángel • Caribe • español • Caracas • cinético • Herrera

HORIZONTAL
1 Piloto venezolano de Fórmula 1.
2 Apellido de una famosa diseñadora venezolana.
3 Capital de Venezuela.
4 Idioma oficial del país.
5 Nombre de una corriente artística con manifestaciones presentes en Caracas; una de ellas es la Esfera de Soto.
6 Nombre del salto de agua más alto del mundo.
7 Famoso mar al norte del país.

VERTICAL
1 Nombre de una ciudad que se llama igual que una ciudad famosa de España.

2 **Mira las fotos de Álex en este tablero de Pinterest y completa con las siguientes palabras los recursos naturales que hay en Venezuela.**

minerales • playas • fauna • montañas • flora

Buscar | Álex

Recursos naturales en Venezuela

Seguir tablero

1 ¡Unas __________ paradisíacas!

2 ¡La __________ y la __________ son increíbles!

3 Gran cantidad de __________, como la esmeralda y el diamante.

4 ¡Ríos, __________, bosques, mucha diversidad!

3 **A La Orquesta Sinfónica de Venezuela Simón Bolívar es un referente mundial de música clásica. Lee y completa la siguiente información sobre esta orquesta.**

enseñanza • 1975 • proyecto • partes • director • objetivo

1 La orquesta fue creada en __________ por José Antonio Abreu.
2 Los integrantes de la orquesta son de todas las __________ de Venezuela.
3 El Sistema de Orquestas Juveniles e Infantiles de Venezuela es un __________ social.
4 La creación de este sistema de orquestas tiene como __________ combatir la pobreza a través de la __________ de la música.
5 El famoso __________ de orquesta Gustavo Dudamel se formó en el Sistema de Orquestas Juveniles e Infantiles de Venezuela.

B Escucha a la Orquesta Simón Bolívar en internet y ¡disfruta!

4 **Mira este mapa y lee el poema del escritor venezolano Andrés Eloy Blanco. Después, contesta a las siguientes preguntas.**

1 ¿Qué es el Casiquiare?
2 ¿Qué es el Orinoco?
3 ¿Con qué se compara al Casiquiare?

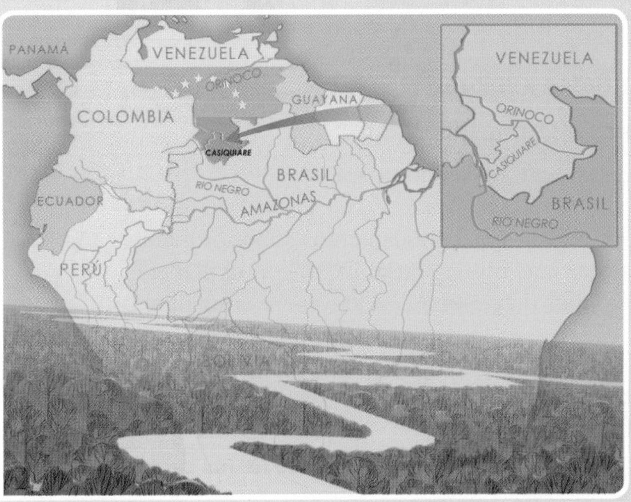

CASIQUIARE

Ciudadano venezolano,
Casiquiare es la mano abierta del Orinoco,
y el Orinoco es el alma de Venezuela,
que le da al que no pide el agua que le sobra,
y al que venga a pedirle, el agua que le queda.
Casiquiare es el símbolo
de ese hombre de mi pueblo
que lo fue dando todo, y al quedarse sin nada,
desembocó en la Muerte, grande como el Océano.

Andrés Eloy Blanco (poeta venezolano)

Mira estas fotos: ¿cuál(es) de estas prácticas crees que puede ser una buena alternativa para contribuir a la concienciación ambiental en el lugar donde vives? ¿Por qué?

Pesca artesanal
Transporte ecológico
Ropa reciclada
Vivienda bioclimática
Coche eléctrico
Cultivo ecológico

Acción

En pequeños grupos, preparad un debate sobre algún tema de la unidad relacionado con el medio ambiente.

- Elegid el tema a debatir.
- Dividid los grupos y asumid los roles en el debate (uno es moderador y el resto, participantes).
- Preparad en profundidad el tema para poder defender bien las posturas.
- Utilizad las estructuras lingüísticas apropiadas y organizad las ideas.
- Podéis grabar el debate o presentarlo en la clase. La clase y el profesor actúan como audiencia, hacen preguntas y eligen en cada grupo el ganador del debate.

Actitudes y valores

Marca (X) tus respuestas.

El debate me ha servido para:

	Sí	Más o menos	No
- profundizar mis conocimientos sobre problemas ambientales	☐	☐	☐
- valorar más mi responsabilidad con el planeta	☐	☐	☐
- defender mi postura con argumentos sólidos	☐	☐	☐

Reflexión

- ¿Eres verdaderamente consciente de los problemas ambientales?

- ¿Cómo puedes ser más responsable de tus acciones con respecto al medio ambiente?

- ¿Cómo contribuyes a hacer del planeta un lugar mejor?

16 Migración

- Descubrir los orígenes del español
- Contrastar la vida de antes y la de ahora
- Recordar épocas pasadas
- Preparar una presentación
- Reflexionar sobre la multiculturalidad
- País: Uruguay
- Interculturalidad: La influencia de las migraciones en las culturas
- Actitudes y valores: Valorar el trabajo en equipo

São Paulo

Nueva York

Barcelona

París

1 Observa las fotos: ¿sabes qué comunidades viven en estas ciudades?

2 ¿Conoces otras ciudades donde conviven diferentes culturas?

3 ¿Qué comunidades viven en tu ciudad?

4 ¿Qué aspectos positivos aporta la multiculturalidad a tu comunidad?

Culturas con historia

1 A Hay hechos que han marcado la historia del mundo. En parejas, relacionad las fechas con los acontecimientos históricos. Podéis buscar información en internet.

EDAD ANTIGUA [3000 a. C. – s. V d. C.]	
a) 4000 -1500 a. C.	☐
b) Siglos VI y V a. C.	☐
c) Finales del siglo IV d. C.	☐

EDAD MEDIA [s. VI – finales s. XV d. C.]	
d) Siglo VIII d. C.	☐
e) Siglo XII	☐

EDAD MODERNA [s. XVI – finales s. XVIII]	
f) Siglos XV y XVI	☐
g) Siglo XVIII (1798)	☐

EDAD CONTEMPORÁNEA [s. XIX – actualidad]	
h) Siglo XIX	☐
i) 1945	☐

1 Nace en Atenas una nueva forma de gobierno: la democracia.
2 El islam comienza su expansión por toda la península arábiga, Oriente Medio, la India, el norte de África y España.
3 En los territorios del Mediterráneo oriental y la meseta de Irán surgen los grandes imperios de los egipcios, los asirios y los persas.
4 Termina la Segunda Guerra Mundial.
5 Comienza a desaparecer el sistema feudal* en Francia e Italia.
6 El Imperio romano se divide en dos: el Imperio de Occidente y el de Oriente.
7 Los europeos crean colonias en América, África y Asia.
8 Con la Revolución Francesa nace el estado de derecho**.
9 Las colonias de América se independizan de España y Portugal.

* Sistema político predominante en Europa Occidental en el que los nobles tienen el monopolio de la ley y la justicia y son los propietarios de las tierras y de sus habitantes.
** Un estado con una constitución que funciona con una serie de leyes e instituciones.

B ¿Puedes añadir algún hecho relevante para el mundo?

EDAD ANTIGUA | EDAD MODERNA | EDAD MEDIA | EDAD CONTEMPORÁNEA

C Con tu compañero, lee los siguientes siglos en voz alta.

1 s. III a. C. 3 s. IX d. C. 5 s. XIV d. C. 7 s. VII a. C.
2 s. XIX 4 s. XII a. C. 6 s. XVII a. C. 8 s. XI d. C.

Repasa Los verbos irregulares en presente de indicativo en las unidades 1, 3, 4 y 9.

2 A ¿Qué sabes sobre los orígenes del español? Decide si estas informaciones son verdaderas (V) o falsas (F).

1 La mayoría de las palabras del español proceden del árabe. ☐
2 En algunas partes de España se habla árabe durante ocho siglos. ☐
3 En español hay palabras de origen germánico. ☐
4 El catalán, el gallego y el vasco son lenguas que proceden del latín. ☐
5 En español hay palabras que proceden de lenguas indígenas de América. ☐
6 La palabra *servilleta* es de origen francés. ☐

GRAMÁTICA

El presente histórico

Se usa para hablar de hechos del pasado en textos sobre historia donde aparecen cronologías: *La democracia* ***nace*** *en la Edad Antigua.*

LÉXICO

Fechas y siglos

- a. C. = antes de Cristo / d. C. = después de Cristo: *Roma se funda en el año* ***753 a. C.***
- Para referirse a los siglos se utilizan números romanos:

I	uno	XI	once
II	dos	XII	doce
III	tres	XIII	trece
IV	cuatro	XIV	catorce
V	cinco	XV	quince
VI	seis	XVI	dieciséis
VII	siete	XVII	diecisiete
VIII	ocho	XVIII	dieciocho
IX	nueve	XIX	diecinueve
X	diez	XX	veinte

- Escribimos los siglos con números romanos, pero cuando los decimos, utilizamos los números cardinales: *Estamos en el siglo XXI* ***(veintiuno)***.

B Ahora, lee el siguiente fragmento de un libro de historia y comprueba tus respuestas.

Etapas en la formación del español

Hasta el siglo III a. C. - ETAPA PRERROMANA
En la Península viven diferentes pueblos: vascos, tartesios, íberos, celtas, griegos y fenicios. Actualmente, existen nombres de lugares de esta época, como, por ejemplo, *Cádiz, Málaga* (del fenicio) o *Ampurias* (del griego). Hoy en día, el vasco es el único idioma de esa época que se continúa hablando en España.

Desde el siglo III a. C. hasta el siglo V d. C. - ETAPA ROMANA
Se extiende el latín vulgar, es decir, el latín hablado por los soldados que vienen a la península ibérica. La mayoría de las palabras del castellano actual proceden del latín (70 %), por ejemplo, los meses del año y muchos nombres de lugares: *Zaragoza, León, Lugo...*

Desde el siglo V d. C. hasta el 711 - ETAPA VISIGODA
Se conserva el latín y se incorporan palabras de origen germánico: *ropa, guardia, guerra...*

Desde el 711 a 1492 - ETAPA MUSULMANA
En Al-Ándalus, un territorio que en los siglos VIII-X ocupa más de la mitad de la península ibérica, conviven el árabe y el mozárabe (este último, dialecto del latín hablado por los cristianos en territorio árabe). Después de ocho siglos, muchísimas palabras españolas son de origen árabe: *algodón, azúcar, zanahoria, aceituna, naranja, alfombra, taza, alcohol, cifra...*
En el mismo periodo, en los reinos cristianos se desarrollan los dialectos del latín que actualmente se hablan en España: el castellano o español, el gallego y el catalán.

Siglos XV y XVI - SIGLOS DE ORO
A finales del siglo XV, el castellano es la lengua más usada en España. También es la lengua que los españoles llevan a América. El vocabulario de esta época se enriquece con palabras tomadas del latín, pero también con términos de origen italiano *(escopeta, piloto, terceto, novela...)*, de origen francés *(servilleta, batallón...)*, y palabras procedentes de las lenguas indígenas de América, como el araucano, el náhuatl, el quechua, el guaraní... *(tomate, patata, chocolate...)*.

Siglos XVIII - XXI
Los siglos XVIII y XIX son una época con una importante influencia francesa (el francés se estudia en las escuelas), por eso muchas palabras se toman del francés: *bicicleta, restaurante, turismo...*
En los siglos XX y XXI, y especialmente en las últimas décadas debido a las nuevas tecnologías, el idioma con más influencia en el español es el inglés: *computadora, fan, eslogan, tableta, tuitear...*

C Completa las frases según el texto.

actualmente • a finales • un periodo • los años setenta • en las últimas décadas

1 La Edad Media es ________ de la historia muy largo, que se extiende desde el siglo V hasta el siglo XV.
2 ________ del siglo XV el castellano es la lengua que más se habla en España.
3 Hasta ________ en las escuelas españolas se estudia francés.
4 ________ en España en las escuelas se estudia inglés.
5 ________ el español ha incorporado muchas palabras del inglés.

3 ¿Qué culturas han influido en tu idioma o en otro idioma que conoces? En parejas, buscad información y confeccionad un resumen cronológico. Después, presentadlo en la clase.

Avanza Puedes utilizar Timeline o cualquier otro programa para presentar tu texto.

4 A (75) Escucha esta conversación entre dos estudiantes de Antropología que hablan sobre la influencia de otras culturas en la cultura española y toma nota de los ejemplos que se comentan de los siguientes temas.

gastronomía | música | educación | costumbres | ropa

B ¿En qué aspectos han influido otros pueblos en tu cultura? Haz una lista y compárala con la de tu compañero.

COMUNICACIÓN

Referirse al presente o al pasado

- Para referirse al presente se utiliza ***actualmente, hoy en día, en la actualidad***:
  Hoy en día *hay más libertad que antes.*
- Para referirse al pasado se utiliza: ***a principios / mediados / finales del siglo XIII; en esa época / década; en aquel periodo / tiempo; en los (años) cuarenta; después de ocho siglos; en el mismo periodo; en los siglos XII y XIII; en las últimas décadas...:***
  En aquel periodo *se incorporan muchas palabras de origen germánico al español.*

Turrón: dulce de origen árabe

Antes y ahora

1 A ¿Qué sabes sobre Uruguay? Comentadlo en pequeños grupos.

B Lee el fragmento de este ensayo que describe cómo era antes Uruguay. Según el autor, ¿se vive mejor en Uruguay ahora que antes?

Extraído del libro *Como el Uruguay no había*, de Juan Carlos Doyenart

Como el **Uruguay** no había de CARLOS DOYENART

«Como el Uruguay no hay». Esta es una expresión acuñada en la primera mitad del siglo pasado, que luego de 60 años de estancamiento mantenemos vigente [...].

No existían las casas enrejadas, los muchachos jugaban al fútbol en plena calle porque el tránsito vehicular era muy escaso y existía una vida de barrio que hoy no tenemos; es más, casi no tenemos barrio [...].

Existían los almacenes, los bares «en cada esquina» y aquel fabuloso Estado benefactor que daba empleo a mucha gente, directa o indirectamente. La industria proveía a muchos de un empleo formal, estable y relativamente bien remunerado, lo cual confería, principalmente a Montevideo, un paisaje urbanístico tranquilo, limpio, integrado, donde el bienestar de sus pobladores podía casi «tocarse con la mano».

[...]

Había muchas menos cosas para consumir, por lo cual nos evitábamos el estrés del deseo; teníamos tiempo para conversar en familia, con amigos o vecinos, no existían los *mails* ni los mensajes de texto, los contactos eran personales. Nuestra moneda era fuerte, todos accedían a una buena atención de la salud, la clase política se destacaba por su honradez. Existía una amplísima clase media, en una sociedad hiperintegrada donde la escuela pública recibía a los hijos de muy diversos estratos sociales [...]. Vivíamos tan bien que el resto del mundo poco importaba [...]. En determinado momento de esa primera mitad del siglo pasado, nuestro producto por habitante era similar a los países europeos (quienes tenían algún problema que otro) y nuestro ingreso per cápita era casi igual al de Estados Unidos. No éramos una potencia, claro está, pero vivíamos muy bien.

Éramos una sociedad autocomplaciente y, en buena medida, con razón. Pero lo mejor de todo es que podíamos vivir bien sin grandes esfuerzos ni sacrificios, gracias a un formidable excedente agropecuario* que satisfacía con creces todas las necesidades de la sociedad urbana.

* excedente agropecuario: mucha producción en agricultura y ganadería

C Relaciona las siguientes expresiones con su significado, según el contexto.

1 [línea 1] una expresión acuñada
2 [línea 3] mantenemos vigente
3 [línea 7] era muy escaso
4 [línea 10] en cada esquina
5 [línea 14] bien remunerado
6 [línea 17] tocarse con la mano
7 [línea 38] autocomplaciente
8 [línea 42] con creces

a numerosos
b había muy poco
c era evidente
d continuamos usando
e bien pagado
f que se empezó a usar
g satisfecha y poco crítica consigo misma
h con más abundancia de lo esperado

D Lee de nuevo el fragmento y señala si las siguientes frases sobre Uruguay son verdaderas (V) o falsas (F).

1 Antes los niños jugaban en las calles. ☐
2 Ahora hay más seguridad. ☐
3 Antes había más trabajo. ☐
4 Ahora la gente es menos consumista. ☐
5 Antes la moneda era más fuerte. ☐
6 Ahora los políticos son más honrados. ☐

E Busca en el texto todos los verbos en pretérito imperfecto y, con tu compañero, escribid cuáles son sus infinitivos.

2 A En parejas, escribid frases sobre cómo era la vida en vuestro país en una época concreta (los años cincuenta, en el siglo XIX...). Elegid uno de estos temas.

LA VIDA EN LOS BARRIOS • LOS JUEGOS DE LOS NIÑOS O LAS RELACIONES SOCIALES
LA SOCIEDAD • EL TRABAJO • LA COMUNICACIÓN • LA ECONOMÍA • LOS MEDIOS DE TRANSPORTE

En esta época los niños jugaban en la calle.

B Ahora, leed vuestras frases. Vuestros compañeros tienen que adivinar a qué época se refieren.

GRAMÁTICA

El pretérito imperfecto

Con el presente de indicativo describimos personas, cosas, situaciones y hechos en la actualidad; con el pretérito imperfecto, las describimos en el pasado:

*En mi ciudad, antes **había** muchos cines.*
*En aquel tiempo, en este barrio **vivían** muchos italianos.*

- Verbos regulares:

-ar	-er/-ir	
jugar	**tener**	**vivir**
jug**aba**	ten**ía**	viv**ía**
jug**abas**	ten**ías**	viv**ías**
jug**aba**	ten**ía**	viv**ía**
jug**ábamos**	ten**íamos**	viv**íamos**
jug**abais**	ten**íais**	viv**íais**
jug**aban**	ten**ían**	viv**ían**

- Verbos irregulares: el pretérito imperfecto solo tiene tres verbos irregulares.

ir	ser	ver
iba	**era**	**veía**
ibas	**eras**	**veías**
iba	**era**	**veía**
íbamos	**éramos**	**veíamos**
ibais	**erais**	**veíais**
iban	**eran**	**veían**

*No **éramos** una potencia, pero vivíamos muy bien.*

3 A **Los países cambian y las ciudades y sus barrios también. ¿Sabes dónde están estos barrios y quién vive en ellos? Completa la siguiente tabla con la información de los textos.**

	¿Dónde está?	¿Quién vive allí?	¿Qué tiene de especial?
Barrio Sur			
Liberdade			
El Raval			

BARRIO SUR

Es un barrio de Montevideo donde conviven descendientes de africanos que llegaron en la época de las colonias con familias de otros orígenes: italiano, judío o español.
Tradicionalmente, en este barrio mucha gente vivía en los típicos conventillos, casas donde las familias alquilaban habitaciones y compartían espacios, como la cocina o el baño, pero hoy en día ya no existen.
Barrio Sur es, además, el centro de reunión durante la época de carnaval. Uno de los lugares más conocidos es la plazoleta Medellín, donde se encuentra el monumento al rey del tango: Carlos Gardel.

LIBERDADE

Liberdade (*libertad*, en portugués) es un distrito que se encuentra cerca del centro histórico de São Paulo y de la Avenida Paulista. En este barrio vive la mayor población japonesa (inmigrantes y descendientes) fuera de Japón. Actualmente, en él también vive población de origen chino y coreano, pero el barrio todavía concentra multitud de manifestaciones culturales japonesas: restaurantes, templos budistas, santuarios sintoístas o jardines japoneses y museos, entre los que destaca el Museo de la Inmigración Japonesa.

EL RAVAL

El Raval es un barrio de Barcelona ubicado en la parte antigua de la ciudad, muy cerca del Barrio Gótico y de la Rambla, donde todavía se pueden ver edificios medievales. En él conviven hoy en día gentes venidas de múltiples países y culturas, principalmente de origen paquistaní. En sus calles pueden verse comercios de todas las nacionalidades, y también modernas tiendas de moda y nuevas tendencias. También es conocida la calle de la Cera, con una gran comunidad, histórica, de etnia gitana.

B **Lee el cuadro de gramática y completa las frases con *ya no* y *todavía*, según la información que hay en los textos anteriores.**

1 En Barrio Sur ____________ hay conventillos.
2 En Liberdade ____________ hay muchos restaurantes japoneses.
3 En el Raval ____________ hay muchos edificios medievales.

GRAMÁTICA

Ya no / Todavía

- Ya no
Para expresar que algo existía o se hacía antes y ahora no. Indica un cambio de estado:
*En mi ciudad **ya no** hay cines.*

- Todavía
Para expresar que algo existía o se hacía antes y continúa siendo así. Indica que no hay un cambio de estado:
*En mi barrio **todavía** hay pequeñas tiendas.*

4 A (76) **Escucha a dos vecinos que viven en el barrio del Raval de Barcelona y hablan de su pasado y su presente. ¿Están contentos en el barrio?**

B (76) **Escucha de nuevo y responde: ¿quién tiene estas opiniones sobre el barrio: María (M) o Xavi (X)?**

1 Todavía viven muchos españoles. ☐
2 Este barrio ya no tiene vida. ☐
3 En el barrio ya no vive gente de aquí. ☐
4 Ya no hay tanta delincuencia como antes. ☐
5 Todavía hay mucha inseguridad. ☐

Avanza Haced un póster con información sobre un barrio multicultural de algún lugar del mundo.

C **¿Sabes qué cosas han cambiado en tu barrio o en tu ciudad y qué cosas continúan igual? Coméntalo con tu compañero.**

En mi barrio o en mi ciudad...
- ya no ____________ - todavía ____________ - antes ____________

Repasa Los otros usos de *ya* y *todavía no* que has aprendido en la unidad 14.

Recuerdos

1 **¿Qué recuerdos especiales tienes de tu infancia? ¿Qué te gustaba hacer? Coméntalo con tus compañeros.**

A mí me gustaba mucho ir a la playa con mis padres...

2 (77) **Escucha a Camila, una chica española que recuerda su infancia paseando con un amigo por Lavapiés, un barrio de Madrid. Lee las frases y escucha su conversación; hay tres frases que no son correctas, señálalas.**

1 Camila no se acuerda de dónde vivían sus abuelos exactamente. ☐
2 Sus abuelos por parte de padre eran gallegos. ☐
3 En Galicia, sus abuelos trabajaban en el campo. ☐
4 En los años cuarenta, cincuenta y sesenta mucha gente de Galicia emigraba. ☐
5 En Madrid, su abuela trabajaba en una fábrica. ☐
6 En Madrid, su abuelo era taxista. ☐
7 Su abuela se levantaba todos los días muy temprano. ☐
8 Su abuelo solo descansaba un día a la semana. ☐
9 Camila recuerda que sus abuelos no hablaban muy bien el castellano. ☐
10 Camila va todos los veranos a Galicia con sus abuelos. ☐

3 **Lee el siguiente poema del escritor uruguayo Mario Benedetti y responde a las preguntas.**

1 ¿De qué cuatro épocas de la vida habla?
2 En el poema habla de dos temas principalmente, ¿de cuáles?
3 ¿Cuál es tu interpretación del poema? ¿Qué te dice a ti?

Pasatiempo

MARIO BENEDETTI

Cuando éramos niños,
los viejos tenían como treinta,
un charco[1] era un océano,
la muerte lisa y llana
no existía.

Luego cuando muchachos,
los viejos eran gente de cuarenta,
un estanque[2] era un océano,
la muerte solamente
una palabra.

Ya cuando nos casamos,
los ancianos estaban en cincuenta,
un lago era un océano,
la muerte era la muerte
de los otros.

Ahora veteranos[3],
ya le dimos alcance a la verdad,
el océano es por fin el océano,
pero la muerte empieza a ser
la nuestra.

[1] charco: agua que se acumula, por ejemplo, en la calle cuando llueve
[2] estanque: espacio construido para almacenar agua y utilizarla para el cultivo o también como decoración en un jardín o un parque
[3] veterano: de edad madura

Avanza ¿Con qué ideas o conceptos asocias tú cada etapa de la vida? Haz una lista o un mapa mental.

COMUNICACIÓN

Recordar

Recuerdo que *cuando era pequeño visitaba a mis abuelos todos los domingos.*

Acordarse de algo o de alguien

- ¿***Te acuerdas de*** *Juan?*
- *¿El chico que tenía cuatro hermanos?*

Lavapiés, barrio de Madrid

LÉXICO

Etapas de la vida

- la niñez	- la juventud
- la infancia	- la madurez
- la adolescencia	- la vejez

4 A En un liceo de Montevideo, los alumnos tienen que hacer una pequeña presentación sobre su familia. Lee una de las presentaciones y complétala con los siguientes verbos en imperfecto.

tener • ser (x 2) • emigrar • tardar • haber • mantener • enviar

SANDRA MANOTTI CARBALLO

Yo soy uruguaya, pero también me siento un poco italiana y española, porque mis abuelos (1) __________ italianos y gallegos*. Mi abuelo era muy alto y moreno, y mi abuela, la gallega, era rubia y (2) __________ los ojos azules. Llegaron a Uruguay en los años sesenta, cuando en Uruguay (3) __________ muchas más oportunidades que en sus países. En esa época había muy poco trabajo en Europa y la gente que podía (4) __________ a América: a Brasil, a Argentina o a Uruguay.... Tengo familia en Brasil y, por supuesto, también en Italia y en España, pero no los conozco personalmente, aunque nos comunicamos por Facebook o por Skype. Mi madre me cuenta que, cuando ella era pequeña, mis abuelos (5) __________ el contacto con la familia por carta. Escribían una o dos cartas al año y tardaban muchos días en llegar. Recuerdo que, cuando era pequeña, mis padres (6) __________ casetes a sus primos y a sus tíos, porque llamar por teléfono (7) __________ demasiado caro. Es que todo es muy diferente hoy en día. Mis padres, ahora, hacen un viaje a Europa cada dos años. Antes, la gente tenía que viajar en barco y (8) __________ semanas en llegar, y ahora, con el avión, en doce horas ya estás allá. El mundo es cada vez más pequeño.

*Los gallegos son de Galicia, una región española, pero en Argentina y en Uruguay a todos los españoles los llaman *gallegos*.

B (78) Escucha y comprueba.

C ¿Recuerdas algo especial de tu infancia o de tus abuelos? Escribe una pequeña presentación para exponerla en la clase. Puedes acompañarla de imágenes.

Avanza Lleva un objeto personal de tu infancia a la clase y habla sobre él.

5 ¿Sabes cómo se dividen en sílabas las palabras que en español tienen dos vocales? ¿Cuándo se acentúan? Lee la información del cuadro de ortografía y pronunciación sobre el hiato y divide las siguientes palabras en sílabas.

1 comienza *co-mien-za*
2 Mediterráneo __________
3 Imperio __________
4 Egipcio __________
5 Oriente __________
6 europeo __________
7 colonia __________
8 griego __________
9 mayoría __________
10 ciudades __________
11 reino __________
12 idioma __________
13 existía __________
14 igual __________

Repasa Los diptongos en la unidad 15.

ORTOGRAFÍA Y PRONUNCIACIÓN

El hiato

Es la secuencia de dos vocales que se pronuncian en sílabas distintas. Hay tres tipos:
- Dos vocales iguales: ***ree**legir*, ***coo**peración*, *l**ee**r*, *cr**ee**r*, *ch**ii**ta*.
- Dos vocales abiertas **(a, e, o)**: *t**ea**tro*, *p**oe**ma*, *latin**oa**mericano*, *europ**eo***, *Montevid**eo***.
- Una vocal cerrada **(i, u)** tónica y una vocal abierta **(a, e, o)**: *ten**ía***, ***oí**do*, *r**ío***, *eval**úa***, *Ra**ú**l* (siempre se escribe con tilde).

Los hiatos siguen las reglas normales de acentuación: *Jaén, deseo, océano, empleo, coreano.* Las reglas no cambian si existe una hache **(h)** entre las vocales (se llama *hache intercalada*): ***ah**ora*, *ve**he**mente*, *alco**ho**l*.

Uruguay

Bella Union
Artigas
BRASIL
Rivera
Salto
Tacuarembó
ARGENTINA
Paysandú
URUGUAY
Melo
Mercedes
Durazno
Treinta y Tres
Trinidad
Florida
Colonia
San José
Mina
Rocha
Canelones
OCÉANO ATLÁNTICO
MONTEVIDEO

MONTEVIDEO

GAUCHO DE LA PAMPA URUGUAYA

COLONIA SACRAMENTO

PUNTA DEL ESTE

1 ¿Qué sabes sobre Uruguay? Marca la opción correcta.

1 Uruguay tiene frontera con…
- a ☐ Argentina y Paraguay.
- b ☐ Brasil y Paraguay.
- c ☐ Argentina y Brasil.

2 Su población es de…
- a ☐ 30 000 000 de habitantes.
- b ☐ 3 500 000 de habitantes.
- c ☐ 15 000 000 de habitantes.

3 La capital de Uruguay es…
- a ☐ Montevideo.
- b ☐ Río de la Plata.
- c ☐ Salto.

4 Es un país miembro de…
- a ☐ TCLAN (NAFTA).
- b ☐ MERCOSUR.
- c ☐ OTAN (NATO).

5 La selección de fútbol uruguaya ganó el mundial de fútbol en…
- a ☐ 1950.
- b ☐ 1962.
- c ☐ 1978.

6 Uruguay era conocido internacionalmente como…
- a ☐ «la Italia de América».
- b ☐ «la Suiza de América».
- c ☐ «la Inglaterra de América» .

2 ¿Sabes qué es el candombe? Imagina que tienes que explicárselo a alguien que no habla español. Lee el siguiente texto y describe en tu idioma qué es.

El candombe

Este ritmo llegó en la época colonial a Uruguay desde África, con los esclavos, y todavía se oye en las calles, salas y carnavales del país. Está relacionado con otras formas musicales de origen africano en las Américas, como el son cubano, la tumba o el maracatú brasileño. El candombe era el principal medio de comunicación entre los esclavos, que usaban la música cuando se reunían a bailar, a cantar y a tocar los tambores fabricados por ellos mismos.

El candombe se toca todo el año por los barrios montevideanos, pero en febrero es cuando en los barrios Sur y Palermo de Montevideo se realiza una competición que involucra a decenas de comparsas. Cada una de ellas está formada por unos cincuenta percusionistas, como mínimo, quienes se complementan con un cuerpo de bailarines y los diversos personajes. El candombe fue reconocido por la UNESCO como Patrimonio Cultural de la Humanidad.

3 **Lee las siguientes frases del conocido escritor uruguayo Eduardo Galeano. ¿Cuál o cuáles de ellas crees que tienen más relación con el tema de esta unidad? ¿Puedes explicar por qué?**

1. «La caridad es humillante porque se ejerce verticalmente y desde arriba; la solidaridad es horizontal e implica respeto mutuo».
2. «De cada día nace una historia porque estamos hechos de átomos, estamos hechos de historias».
3. «Hay un único lugar donde ayer y hoy se encuentran y se reconocen y se abrazan. Ese lugar es mañana».
4. «Un problema deja de serlo si no tiene solución».
5. «Si la historia la escriben los que ganan, eso quiere decir que hay otra historia, la verdadera».
6. «La tolerancia es aprender a convivir con cosas que no te gustan».

4 **Estos nombres han sido extraídos de las Páginas Amarillas de Montevideo. Obsérvalos. ¿Puedes indicar el origen de algunos de estos apellidos?**

- Apezechea Inzaurralde, Liana María
- Bertocchi di Dio, Silvana
- Blanco Domínguez, Antonio
- Botta Roccatagliata, José Adrián
- Calviño Melharejo, Gonzalo Álvaro
- Dos Santos Olivares, Gisela
- Fernández Martínez, Favio
- Ferrari Ciccone, Pablo Federico
- Ferrer Batlle, Luis Eduardo
- Gehr Warszanvezyk, Esther
- Goldstein Lamschtein, Isaac
- Hernández Freire, Helena
- Jiménez Molinari, Edgardo
- Lachowitz Stern, Ruth
- Loustanau Janichev, Nelson
- Moreno Rico, Julián
- Pereira Gómez, Marcelo
- Pérez Núñez, Valeria
- Ramírez Ordóñez, Juan Andrés
- Rodríguez Castillo, Luis
- Salom Falcó, Javier
- Vidal Aradas, Ricardo
- Wildbaum Feldfolgel, Daniel
- Zaffiri Scolaro, Juan

5 **Lee la siguiente canción de Daniel Viglietti y comenta con tus compañeros cuál creéis que es el mensaje. Búscala en internet para escucharla.**

Milonga de andar lejos

Qué lejos está mi tierra
Y, sin embargo, qué cerca,
o es que existe un territorio
donde las sangres se mezclan.

Tanta distancia y camino,
tan diferentes banderas
y la pobreza es la misma
los mismos hombres esperan.

Yo quiero romper mi mapa,
formar el mapa de todos,
mestizos, negros y blancos,
trazarlo codo con codo.

Los ríos son como venas
de un cuerpo entero extendido,
y es el color de la tierra
la sangre de los caídos.

No somos los extranjeros,
los extranjeros son otros;
son ellos los mercaderes
y los esclavos nosotros.

Yo quiero romper la vida,
como cambiarla quisiera,
ayúdeme compañero;
ayúdeme, no demore,
que una gota, con ser poco,
con otra se hace aguacero.

DANIEL VIGLIETTI
Cantante, compositor y guitarrista, considerado uno de los mayores exponentes del canto popular uruguayo y latinoamericano

Mira estas fotos: ¿de qué época crees que son? En parejas, elegid una de ellas e imaginad quiénes eran, qué hacían, cómo eran sus vidas…

1

2

3

4

5

Acción

En pequeños grupos, vais a hacer una presentación comparando el pasado con el presente.

1 Podéis hablar sobre uno de estos temas: una década del siglo XX, una época de la historia, la época de vuestros padres o de vuestros abuelos.
2 Buscad información sobre cómo era la vida entonces y comparadla con el presente. Tomad notas.
3 Redactad un pequeño texto.
4 Decidid cómo vais a hacer la presentación (con PowerPoint, con fotografías, con audiovisuales…).
5 La clase va a decidir cuál es la presentación más interesante.

Actitudes y valores

Después de la presentación, responde *sí, no* o *más o menos*.

	sí	no	más o menos
- Ha sido fácil trabajar con mis compañeros.	☐	☐	☐
- Nos hemos puesto de acuerdo para organizar la presentación.	☐	☐	☐
- He respetado los distintos puntos de vista y opiniones de mis compañeros y de mi profesor.	☐	☐	☐

Reflexión

- ¿Hay compañeros de tu clase que tienen orígenes diferentes a los tuyos?

- ¿Cómo han influido las corrientes migratorias en tu país?

- ¿Cuáles son tus orígenes?

17 Arte

- Describir obras de arte
- Analizar textos literarios
- Hablar de gustos musicales y personalidad
- Preparar un trabajo sobre una manifestación artística
- Reflexionar sobre la estética y la comunicación en el arte
- Países: Honduras y El Salvador
- Interculturalidad: El arte como unión de culturas
- Actitudes y valores: Apreciar la importancia del arte

Joaquín Salvador, *Quino*

Julieta Venegas

Fernando Botero

Gustavo Dudamel

1. **Observa las fotos: ¿qué están haciendo en cada una de ellas? ¿Conoces a los artistas?**
2. **¿Con cuál te identificas más? ¿Por qué?**
3. **Tolstoi afirmó: «El arte es uno de los medios de comunicación entre los hombres». ¿Estás de acuerdo?**
4. **¿Qué papel tiene el arte en tu vida diaria?**

Pintura

1 **¿Qué es para ti el arte? ¿Crees que todas estas manifestaciones son artísticas? ¿Por qué? Coméntalo con tu compañero.**

- una fotografía
- una película
- un edificio
- un programa de televisión
- una obra de teatro
- una novela
- una canción
- un monumento
- un cómic
- un anuncio

2 **A Mira estas obras de arte y ponles uno de los siguientes títulos.**

ARTE CALLEJERO | CUBISMO | FRESCO RENACENTISTA | POP ART

1 *Retrato de Dora Maar* (1937), de Pablo Picasso

2 *En el coche* (1963), de Roy Lichtenstein

3 Fresco (Palacio Viejo, Florencia, s. XVI), de Giorgio Vasari

4 Mural Retrato de Audrey Hepburn (Nueva York, 2014), de Tristan Eaton

B ¿Qué obra te gusta más? ¿Por qué? Coméntalo con tu compañero.

C (79) Escucha la descripción de una de las obras de arte anteriores: ¿de cuál se habla?

Repasa Los adjetivos de carácter y la apariencia física en la unidad 2, y los colores en la unidad 8.

D Las cuatro obras muestran una mujer. Elige una de ellas y describe los sentimientos que te transmite. Usa el cuadro de comunicación como guía.

Avanza Describe una de tus obras de arte favoritas a un compañero.

LÉXICO

Manifestaciones artísticas

- La pintura
- El dibujo
- La fotografía
- El cine
- La arquitectura
- La escultura
- La música
- La literatura
- La danza
- La moda

COMUNICACIÓN

Describir una obra de arte

- *La pintura* ***muestra*** *a una mujer morena, no muy joven.*
- ***En primer plano se puede observar…***
- ***A la izquierda / A la derecha / En el medio / En el fondo hay / se ve…***

En primer plano se ve *una mujer alta…*

Describir lo que transmite una obra de arte

- *La foto* ***muestra*** *una chica que* ***está / parece estar*** *muy triste.*
- *El cuadro* ***transmite / comunica*** *sentimientos de tristeza…*
- ***Me gusta porque / Me parece que*** *es muy original.*
- *Esta foto* ***me recuerda*** *un día de verano.*
- *La obra* ***puede interpretarse como*** *un tiempo feliz en la vida…*
- ***Me gusta mucho la estética de*** *esta foto por los colores, las formas, etc.*

3 A **Cuando visitas un museo, una galería de arte o una exposición te puedes encontrar con señales como las siguientes. ¿Qué significan? Relaciónalas con las frases correspondientes.**

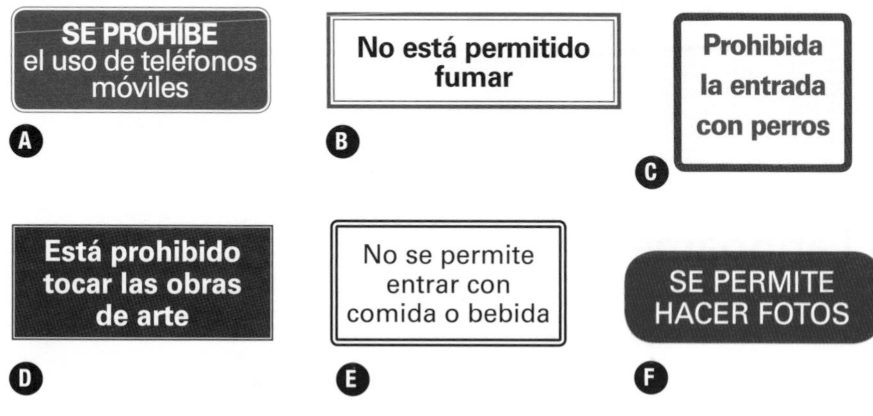

B **¿En qué otros lugares puedes encontrar estas señales? Coméntalo con un compañero.**

4 A **Lee las siguientes frases y diseña las señales.**

1 Está prohibido usar cámaras de vídeo.
2 Prohibido pasar.
3 Se prohíben los zapatos de tacón.
4 Está permitida la entrada a los perros.
5 No se permite la entrada sin casco.

B **¿Puedes pensar en algo más que puede estar prohibido en un museo o en una galería de arte? Diseña una señal y pregunta a tus compañeros qué creen que significa.**

COMUNICACIÓN

Expresar prohibición y permiso

- *(No) Está prohibido* + infinitivo
  Está prohibido *usar cámaras de vídeo.*
- *(No) Está(n) prohibido(s)/-a(s)* + sustantivo
  Están prohibidas *las cámaras de vídeo.*
- *Prohibido* + infinitivo
  Prohibido *pasar.*
- *Se prohíbe(n)* + sustantivo / infinitivo
  Se prohíben *fotos con flash.*
  Se prohíbe *hacer fotos con flash.*
- *(No) Está permitido* + infinitivo
  No está permitido *entrar sin casco.*
- *(No) Está(n) permitido(s)/-a(s)* + sustantivo
  Solo está permitida *la entrada con vehículos.*
- *(No) Se permite(n)* + sustantivo / infinitivo
  Se permite *cantar.*
  No se permiten *los zapatos de tacón.*

Literatura

1 Ordena las palabras de la derecha para formar una definición de *literatura*. ¿Puedes proponer tú otra definición?

LITERATURA: *Arte* ______________________________

2 A Carmen es una estudiante universitaria de literatura. Lee su blog y completa la siguiente tabla.

Países a los que viajó	
Escritores y obras mencionadas	
Lugares que visitó	

Mi viaje literario por Latinoamérica

Como estudiante de literatura, soy una apasionada de la literatura latinoamericana, y el año pasado decidí viajar a los cuatro países de mis escritores favoritos. La verdad es que ¡fue una experiencia inolvidable!

Empecé mi viaje en México, donde visité la Feria Internacional del Libro de Guadalajara. Pasé cuatro días allí, y ¡fueron unos días mágicos! Por la mañana, me levantaba muy temprano, cogía el autobús y visitaba la feria, que era muy grande. ¡Estaba tan contenta de estar en aquel festival de la cultura! Mientras recorría la feria, compré varios libros, entre ellos, *La piel del cielo*, de Elena Poniatowska. ¡Me encantó!

Después de México, viajé a Aracataca, en Colombia, el lugar donde nació Gabriel García Márquez y en el que se basó para crear el pueblo de Macondo que aparece en su novela *Cien años de soledad*. Cuando estaba en la Casa Museo de García Márquez, conocí a un escritor que era el guía durante la visita. Era un señor muy simpático, experto en la obra de García Márquez, y aprendí mucho. ¡Fue muy muy interesante!

En la última parte de mi viaje literario, visité Chile y Argentina. En Santiago de Chile, fui a la Biblioteca Nacional, donde estuve un día completo. Allí descubrí más cosas sobre mi autor favorito, Roberto Bolaño. Era un lugar muy bonito y muy grande. Había muchas salas que estaban decoradas con elegancia. En Argentina, lo que más me gustó fue El Ateneo, en Buenos Aires: es una librería que antes era un teatro. Fui allí porque quería comprar libros de Cortázar y Borges. Me alojé en un hotel que estaba al lado y pasé dos días completos en la librería. Iba muy temprano por la mañana, comía y bebía algo (hay un bar), leía, miraba y elegía los libros que me quería comprar. El segundo día, mientras estaba allí sentada, vi a Florencia Bonelli, una escritora argentina que me firmó su nuevo libro. Me gasté casi todo el dinero, pero me gustó tanto todo que no me importó.

Os recomiendo viajar a explorar la literatura latinoamericana, ¡es una experiencia increíble!

B Resalta los verbos en pretérito indefinido y pretérito imperfecto con distintos colores. Observa el cuadro de gramática y señala los diferentes usos de los ejemplos del blog.

Pretérito indefinido: *¡Fueron unos días mágicos! (valoración de cómo fue la acción)*

Repasa Los usos del pret. indefinido en la unidad 12 y del pret. imperfecto en la unidad 16.

LÉXICO

Literatura

- el / la escritor(a)
- la novela
- el poema
- la sinopsis
- la obra
- el / la narrador(a)
- la biblioteca
- la librería

GRAMÁTICA

Contraste pretérito indefinido / pretérito imperfecto

En el relato o la narración, usamos estos dos tiempos con valores diferentes:

Pretérito indefinido

- Acción que se desarrolla en un tiempo que ya terminó:
  *El año pasado **decidí** viajar a cuatro países.*
  *En noviembre **empecé** mi viaje en México.*
- Valoración de cómo fue la acción:
  *¡**Fue** una experiencia inolvidable!*
  ¡Me encantó!

Pretérito imperfecto

- Descripción de situaciones, gente, lugares, sentimientos, etc., en el pasado:
  *¡**Estaba** tan contenta!*
  ***Era** un señor muy simpático.*
  ***Era** un lugar muy bonito y muy grande.*
- Acción pasada habitual que se repite:
  *Por la mañana, **me levantaba** muy temprano, **cogía** el autobús y **visitaba** la feria.*

El verbo en **pretérito imperfecto** expresa una situación, un contexto; y el verbo en **pretérito indefinido**, un acontecimiento que ocurre en esa situación o contexto. Es frecuente usar ***mientras***, ***cuando*** y ***porque*** con el imperfecto.

*Cuando **estaba** en la Casa Museo de García Márquez, **conocí** a un escritor que **era** el guía.*
*Mientras **estaba** allí sentada, **vi** a Bonelli.*
***Fui** allí porque **quería** comprar libros.*

C ¿Pretérito indefinido o pretérito imperfecto? Construye frases relacionadas con el viaje de Carmen a partir de los verbos en infinitivo.

1 hacer frío en Buenos Aires – abrigarse mucho
situación *acción*
Me abrigué mucho porque hacía mucho frío en Buenos Aires.
2 estar en la habitación del hotel – llamar a mis padres por teléfono
3 tener fiebre – ir al médico a un hospital en Santiago de Chile
4 tener calor – ir a una piscina pública en Aracataca
5 caminar por un parque de la ciudad – encontrarse con un amigo chileno
6 estar perdida en el centro de Buenos Aires – coger un taxi al hotel

D Lee el comienzo de cuatro obras de los escritores que se mencionan en el blog de Carmen y relaciónalos con las siguientes sinopsis.

1 La novela cuenta la historia de un poeta misterioso. ☐
2 La novela narra la historia de una familia a lo largo de cien años en un pueblo. ☐
3 La novela narra las distintas etapas en la vida de un joven apasionado, inteligente y rebelde. ☐
4 El cuento relata la historia de dos hermanos que descubren que su casa está ocupada. ☐

A

El narrador vio por primera vez a aquel hombre en 1971, o 1972, cuando Allende aún era presidente de Chile. Entonces se hacía llamar Ruiz-Tagle y se deslizaba con la distancia y la cautela de un gato por los talleres literarios de la Universidad de Concepción. Escribía poemas también distantes y cautelosos, seducía a las mujeres, despertaba en los hombres una indefinible desconfianza…

Estrella distante, Roberto Bolaño (Chile)

B

—Mamá, ¿allá atrás se acaba el mundo?
—No, no se acaba.
—Demuéstramelo.
—Te voy a llevar más lejos de lo que se ve a simple vista.
Lorenzo miraba el horizonte enrojecido al atardecer mientras escuchaba a su madre. Florencia era su cómplice, su amiga, se entendían con solo mirarse. Por eso la madre […] compró un pasaje y medio de vagón de segunda para Cuautla en la estación de San Lázaro.

La piel del cielo, Elena Poniatowska (México)

C

Muchos años después, frente al pelotón de fusilamiento, el coronel Aureliano Buendía había de recordar aquella tarde remota en que su padre lo llevó a conocer el hielo. Macondo era entonces una aldea de veinte casas de barro y caña brava construidas a la orilla de un río…

Cien años de soledad, Gabriel García Márquez (Colombia)

D

Nos gustaba la casa porque aparte de espaciosa y antigua […] guardaba los recuerdos de nuestros bisabuelos, el abuelo paterno, nuestros padres y toda la infancia.
[…] Hacíamos la limpieza por la mañana, levantándonos a las siete, y a eso de las once yo le dejaba a Irene las últimas habitaciones por repasar y me iba a la cocina. Almorzábamos al mediodía, siempre puntuales; ya no quedaba nada por hacer fuera de unos platos sucios. Nos resultaba grato almorzar pensando en la casa profunda y silenciosa y cómo nos bastábamos para mantenerla limpia. A veces llegábamos a creer que era ella la que no nos dejó casarnos.

«Casa tomada», *en Bestiario*, Julio Cortázar (Bélgica y Argentina)

3 Escribe la sinopsis de un libro que te gusta mucho sin poner el título. En pequeños grupos, os las intercambiáis, y los compañeros tienen que intentar adivinar qué obra es.

Avanza En pequeños grupos, inventad el comienzo de un relato.

4 A Lee este fragmento de un poema de Antonio Machado y complétalo.

vi las dos hermanas
frente a mi ventana
la más pequeñita
miró a mi ventana
la mayor hilaba

B (80) Escucha y comprueba.

ABRIL FLORECÍA
(Antonio Machado)

Abril florecía
(1) ___________.
Entre los jazmines
y las rosas blancas
de un balcón florido,
(2) ___________.
La menor cosía,
(3) ___________…

Entre los jazmines
y las rosas blancas,
(4) ___________,
risueña y rosada
–su aguja en el aire–,
(5) ___________.

Música

1 ¿Qué importancia tiene la música en tu vida? Responde al siguiente test. Compara tu respuesta con la de tu compañero.

¿QUÉ IMPORTANCIA TIENE LA MÚSICA EN TU VIDA?

1 ¿Con qué frecuencia escuchas música?
- a ☐ Todos los días.
- b ☐ Tres veces por semana.
- c ☐ Una vez por semana.

2 ¿Cuándo escuchas música?
- a ☐ Siempre que puedo.
- b ☐ Un par de horas al día.
- c ☐ Diez minutos al día.

3 ¿Con quién escuchas música?
- a ☐ Solo y con amigos.
- b ☐ A veces, con mis amigos.
- c ☐ Siempre solo.

4 ¿Dónde escuchas música?
- a ☐ Con mis cascos, en cualquier lugar.
- b ☐ En mi dormitorio.
- c ☐ Con mis cascos, cuando viajo.

5 ¿Qué tipo de música escuchas?
- a ☐ Todo tipo de música.
- b ☐ Clásica y moderna.
- c ☐ Ningún estilo en particular.

SOLUCIONES
- Mayoría de respuestas *a*: eres un adicto a la música y para ti la música es una parte muy importante de tu vida.
- Mayoría de respuestas *b*: te gusta la música y disfrutas con ella, pero no es muy importante en tu vida.
- Mayoría de respuestas *c*: no te desagrada la música, pero apenas forma parte de tu vida.

2 (81) **Escucha distintos fragmentos de música. Numéralos según el orden en que los escuchas.**

clásica	☐	tango	☐	*jazz*	☐
salsa	☐	rock	☐	hip hop	☐

LÉXICO

Géneros musicales

- Música clásica
- Música pop
- Música folclórica
- Música electrónica
- Ópera
- Tango
- Flamenco
- Rock and roll
- Salsa
- *Jazz*
- Cumbia
- Bolero
- *Reggae*
- Reguetón
- Rap
- Música *country*

3 A ¿Crees que la música que te gusta tiene relación con tu personalidad? Lee este artículo y subraya una frase con la que estás de acuerdo y otra con la que no.

EL GUSTO MUSICAL Y LA PERSONALIDAD

Los gustos de una persona pueden decirnos cómo es su personalidad, eso no es una novedad, pero los gustos musicales pueden decirnos mucho más. Esta parece ser la conclusión a la que han llegado algunos psicólogos en un estudio publicado recientemente.

¿De qué hablan los jóvenes para conocerse?

Los científicos realizaron este estudio con voluntarios durante seis semanas para estudiar sobre qué hablaban los jóvenes. Formaron algunas parejas y grabaron y observaron sus conversaciones. Esto ayudó a los investigadores a concluir que el 37 % del tiempo lo dedicaban a temas muy variados, y que el 58 % lo ocupaba un tema: la música.

Este resultado llevó a los psicólogos a preguntarse por qué era la música el tema de conversación de la mayoría de los jóvenes. La hipótesis fue que los gustos musicales de la otra persona nos aportan información sobre ella. Entonces se hicieron la siguiente pregunta: «¿Qué nos dicen los gustos musicales acerca de la personalidad?».

¿Los gustos musicales predicen la personalidad?

Se realizó otro estudio en el cual unos voluntarios crearon una lista con sus diez canciones favoritas. Después, otros voluntarios hicieron predicciones sobre cómo era su personalidad a partir de esas listas. Los resultados sorprendieron, porque las predicciones basadas en los gustos musicales estaban relacionadas en un alto grado con los test de personalidad. Se vio en el estudio que, muy a menudo, cuando se conoce a alguien, se termina hablando de música para conocer sus gustos, y a través de esos gustos, saber algo de ella. Pero descubrieron algunas cosas más:
- La predilección por los temas cantados hablan de una personalidad extrovertida.
- La música *country* es señal de estabilidad emocional.
- El *jazz* se asocia a una personalidad intelectual.

Algo importante a tener en cuenta es que todos los voluntarios para estos estudios tenían 18 años y eran de distintas culturas. La conclusión del estudio nos confirma que casi todos los jóvenes suelen hablar más de música que las personas mayores.

Gonzalo Ruiz

Información extraída de www.depsicologia.com

B Vuelve a leer el artículo de la página anterior y marca la opción correcta en las siguientes frases.

1 **Muchos / Algunos** expertos realizaron una investigación con respecto a los gustos musicales y la personalidad.
2 Para realizar el estudio, los científicos contaron con **algunos / muchos** jóvenes.
3 Para **todos / la mayoría de** los encuestados, la música era el tema más importante.
4 El estudio reveló **muchos / algunos** puntos más, como la relación entre los gustos musicales y la personalidad.
5 **Muchos / Todos** los que participaron en el estudio tenían 18 años y eran de distintas culturas.
6 Según el estudio, **la mayoría / algunos** de los jóvenes suelen hablar de música.

Repasa Las construcciones causales (*a causa de que, porque*, etc.) en la unidad 15.

C El artículo nos habla de la conexión entre algunos tipos de música y la personalidad. ¿Qué tipo de personalidad crees que tienen las siguientes personas y por qué? Coméntalo con un compañero.

1 Lucía
Le gusta la música pop.

2 Alfredo
Ama la ópera.

3 Amanda
Le gusta el *blues*.

4 Ricky
Le gusta el *hip hop*.

COMUNICACIÓN

Indicar una cantidad

Los cuantificadores se usan para indicar una cantidad no exacta o la ausencia de algo.

- ***(casi) todo/-a, todos/-as*** **+ artículo determinado + sustantivo**
  Toda *la encuesta*
  Todos *los jóvenes*

- ***la mayoría de*** **+ sustantivo**
  La mayoría de *los jóvenes*

- ***mucho/-a, muchos/-as***
  Mucha *gente*
  Muchos *expertos*

- ***algún(o/a), algunos/-as***
  Algún* *chico*
  Algunas *parejas de jóvenes*
  Las conclusiones de ***algunos*** *psicólogos*

- ***(casi) ningún(o/a)***
  No me gusta ***ningún**** *chico del grupo*
  No me gusta ***ninguno***
  No me gusta ***ninguna***

****Alguno*** y ***ninguno*** pierden la ***-o*** cuando van seguidos de un sustantivo masculino.

4 A Mira el cuadro de ortografía y pronunciación con los pronombres interrogativos y exclamativos y busca en el artículo anterior cuatro ejemplos más.

B (82) Lee y escucha esta conversación telefónica entre Martín y Cecilia y complétala con los pronombres interrogativos y exclamativos.

- ¿Diga?
- ¡Hola!
- ¿(1) ________ habla?
- Soy yo.
- Lo siento, pero se ha equivocado… ¿Con (2) ________ quiere hablar?
- ¿Cecilia? Soy Martín, te llamo para quedar contigo, ¿(3) ________ nos vemos?
- ¡Martín! Me estaba preguntando (4) ________ me ibas a llamar… ¡Disculpa! No te he reconocido.
- (5) ________ distraída eres!

5 A (83) ¿Crees que los gustos musicales tienen que ver con tu cultura y tu entorno social? Escucha a dos chicos hablando sobre sus gustos musicales en un programa de radio y contesta a las preguntas.

1 ¿Qué música escucha Mario?
2 ¿Por qué cree que le gusta esa música?
3 ¿Qué música le gusta a Carolina?
4 ¿Cree ella que le ha influido su familia en el gusto musical?

B ¿Cómo influye tu cultura en tu gusto musical? Coméntalo con un compañero.

Avanza Escribe una entrada de blog sobre la conexión entre tu gusto musical y tu cultura.

ORTOGRAFÍA Y PRONUNCIACIÓN

Los pronombres interrogativos y exclamativos

Estos son: ***qué, quién, cómo, dónde, cuándo, cuál, cuánto, por qué***. Estos pronombres siempre llevan tilde. Pueden ir:

- En preguntas o exclamaciones directas (entre signos de interrogación o exclamación):
  *¿**Qué** haces?*
  *¡**Cuánto** tiempo!*

- En preguntas o exclamaciones indirectas:
  *Dime **qué** haces mañana.*
  *No sabes **cómo** me alegro.*

Honduras El Salvador

Iglesia de los Dolores (Tegucigalpa)

1 ¿Honduras o El Salvador? Lee estos datos y marca (X) en la tabla. Busca información en internet.

Datos	Honduras	El Salvador
1 Tiene una población de 8 millones de habitantes.		
2 Su capital es Tegucigalpa. En su territorio encontramos la Joya de Cerén, un antiguo asentamiento maya.		
3 Sus costas están bañadas por el Caribe.		
4 Es el país más pequeño de Centroamérica.		
5 Hay muchas áreas naturales protegidas, como el Parque Nacional de los Volcanes.		
6 El plato tradicional es una tortilla de maíz que se llama pupusa.		
7 Sus playas están en el Pacífico.		
8 Su moneda es la lempira.		

Pupusa

Transporte a Juayúa (El Salvador)

Lempira

2 **Lee las siguientes descripciones referidas al arte en Honduras y El Salvador y relaciónalas con estas fotos o con el poema.**

A ☐ Se denomina *Alegoría de la guerra civil y los Acuerdos de Paz*. Representa el difícil proceso que vivió el país durante el conflicto armado hasta que consiguieron la paz.

B ☐ Forma parte de la obra *Romances de Norte y Sur*. Plantea las contradicciones internas de identidad de una persona mestiza.

C ☐ Se denomina *marimba* y acompaña canciones folclóricas hondureñas. Su origen se remonta al 1500, como resultado de la fusión de elementos culturales de África, Europa y América.

D ☐ Recibe el nombre de *Estela A* y es una escultura maya, rica en detalles. Forma parte de la Gran Plaza, en Copán (Honduras).

3

4

Antonio Bonillo
(pintor salvadoreño)

1

No supe escoger la tierra de mi canto,
en muchos años,
dos tierras de honda presencia
eran misterio y regalo.
Las dos llevadas en la sangre,
las dos juntaba mi abrazo.
Un doble amor recogía
sus paisajes encontrados:
A la derecha palmeras
en galope de penachos,
a la izquierda vientos grises
sobre desvelo de barcos.
Aquí, las playas del sol…
Allá los ríos helados…

Claudia Lars
(escritora salvadoreña)

2

3 **A** **Lee el cuento de Augusto Monterroso*: ¿qué representa el título del cuento? Marca (X) la opción correcta.**

El espejo que no podía dormir

Había una vez un espejo de mano que cuando se quedaba solo y nadie se veía en él se sentía de lo peor, como que no existía, y quizá tenía razón; pero los otros espejos se burlaban de él, y cuando por las noches los guardaban en el mismo cajón del tocador dormían a pierna suelta satisfechos, ajenos a la preocupación del neurótico.

* Escritor nacido en Honduras que adoptó la nacionalidad guatemalteca.

- Una metáfora ☐
- Una personificación ☐
- Una comparación ☐

B **Vuelve a leer el cuento y contesta a las preguntas.**

1 ¿Por qué se sentía de lo peor el espejo?
2 ¿Qué hacían los otros espejos?
3 ¿Dónde dormían los espejos?
4 ¿Quién es el *neurótico*?

Mira estas fotos de distintas manifestaciones de arte. Elige una y justifica por qué es arte y qué te transmite.

Acción

En grupos, preparad una presentación sobre la manifestación de arte que más os guste.

1 Debéis incluir:
   - el tipo de manifestación artística que habéis elegido y por qué os gusta
   - qué os transmite / comunica
   - por qué la consideráis arte
   - qué influencia tiene en la cultura
2 Organizad la presentación para exponerla en la clase.
3 Votad y elegid el mejor trabajo.

Actitudes y valores

Marca (X) lo que se corresponde con lo que sientes.

1 Me considero capaz de mostrar mis emociones a través de las creaciones artísticas. ☐
2 Respeto y disfruto del trabajo en equipo. ☐
3 Puedo apreciar las distintas formas de comunicar a través del arte. ☐

Reflexión

- **¿Qué presencia tiene el arte en nuestra vida cotidiana?**
- **¿Ha cambiado tu concepto del arte con la unidad? ¿Qué es el arte para ti?**
- **¿Cuál es la manifestación del arte que más te emociona: la música, la literatura, la pintura...?**
- **¿Qué es lo más importante en el arte: la estética o el mensaje?**

18 Tecnología

- Hablar sobre los inventos del pasado
- Dar consejos e instrucciones
- Hacer peticiones y responder
- Participar en un foro sobre tecnología
- Reflexionar sobre el impacto de la tecnología
- País: Panamá
- Interculturalidad: La tecnología y el desarrollo global
- Valores y actitudes: Responsabilizarse del uso de la tecnología

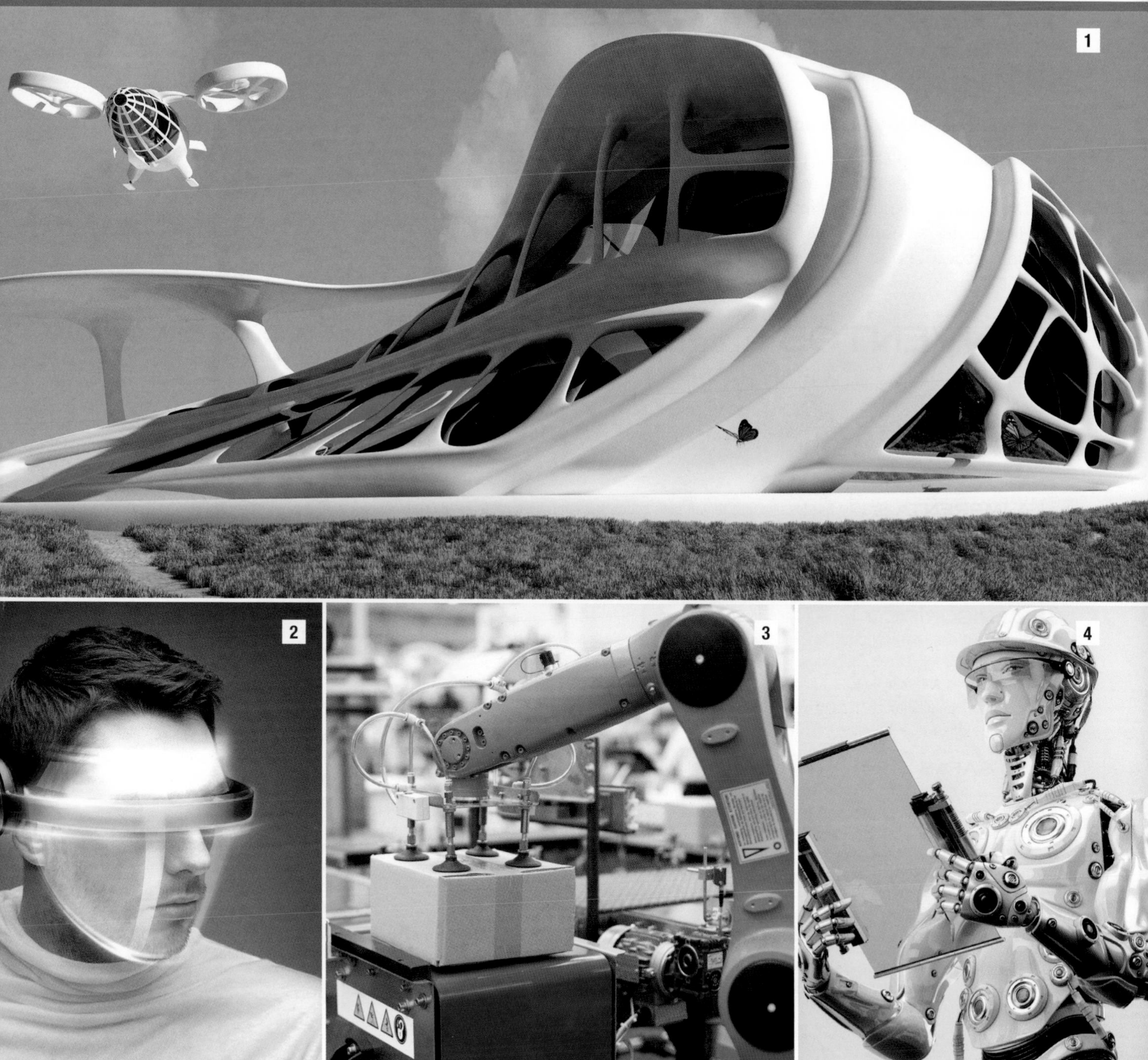

1 ¿En qué piensas cuando oyes la palabra *tecnología*?

2 ¿Qué importancia tiene la tecnología en tu vida?

3 ¿Qué papel crees que tiene la tecnología en la educación?

4 ¿Crees que estas fotos representan el presente o el futuro? ¿Por qué?

Grandes inventos del pasado

1 A Antes de leer un artículo sobre algunos inventos, ordénalos cronológicamente en una línea del tiempo. ¿Sabes el nombre del inventor de alguno de ellos?

el teléfono • el frigorífico • las gafas • la máquina de vapor • la imprenta

S. XIV > S. XV > S. XVI > S. XVII > S. XVIII > S. XIX > S. XX > S. XXI

Repasa La nominalización de los verbos en la unidad 15.

B Ahora, lee el texto y añade una de las siguientes frases al final de cada invento.

a Y cambió completamente el concepto de fábrica y producción.
b Hasta entonces, eran los monjes quienes hacían copias de los libros.
c También se sabe que los inuit las usaban para protegerse de la luz.
d Hoy en día, se estima que hay unas 1300 millones de líneas en el mundo.
e Sin embargo, no se hicieron populares en todos los hogares hasta cien años más tarde.

LÉXICO

Los inventos

Verbos

- construir
- contribuir
- desarrollar
- fabricar
- inventar
- patentar
- revolucionar
- usar
- utilizar

Sustantivos

- el aparato
- la construcción
- el desarrollo
- la fabricación
- el invento
- la máquina
- el motor
- la patente
- la producción
- el producto
- la revolución
- el sistema

Adjetivos

- eléctrico/-a
- funcional
- revolucionario/-a

5 INVENTOS QUE CAMBIARON LA HISTORIA

En la historia de la humanidad ha habido multitud de avances e inventos. Aquí hemos seleccionado solo cinco, quizá, no los más importantes, pero, sin duda, inventos que han cambiado nuestras vidas. ¿Sabes cuándo se inventaron y quién los inventó?

ALFREDO GUTIÉRREZ

LA IMPRENTA Se sabe que los romanos tenían unos sellos que imprimían sobre arcilla; también que los chinos usaban unos tipos de porcelana para imprimir en papel de arroz. No obstante, la primera imprenta la construyó el alemán Johannes Gutenberg. Para ello, utilizó tipos móviles que eran de metal. De esta forma se podía imprimir el mismo texto múltiples veces en papel. En 1454 imprimió 300 biblias. ____

EL FRIGORÍFICO También llamado *nevera*, porque antiguamente era un armario en el que se ponía nieve encima para conservar los alimentos. Después, en lugar de nieve, se utilizaban bloques de hielo. Con la electricidad, el frigorífico, con su motor eléctrico, revolucionó la cocina para siempre: ya no se tenía que ir todos los días a la compra y se podía mantener los productos frescos durante varios días. Muchas personas trabajaron para conseguir el frigorífico que tenemos hoy, entre ellas Jacob Perkins y Charles Tellier. Este último consiguió construir el primer frigorífico plenamente funcional en 1876. ____

LAS GAFAS Las gafas, tal como las conocemos hoy, las inventó Benjamín Franklin hacia 1784. Sin embargo, son múltiples las referencias en la historia a aparatos para ver mejor. Se sabe que los egipcios ya utilizaban el cristal con este fin, y se dice que el emperador romano Nerón usaba una esmeralda para ver las luchas de los gladiadores. Se pueden reconocer diferentes aparatos para la vista en pinturas de retratos de la Edad Media. La primera referencia a un lugar donde se vendían gafas data de 1450, en Florencia. Las gafas de sol, en forma de cristales de cuarzo, se usaron en China en el s. XII. ____

LA MÁQUINA DE VAPOR Es difícil asegurar el nombre del inventor de la máquina de vapor. Se sabe que un inventor español, Jerónimo de Ayanz y Beaumont, registró en 1606 la primera patente de una máquina de vapor, por lo que se puede decir que él fue su inventor. Sin embargo, James Watt patentó su máquina de vapor en 1769 y ha pasado a la historia como su inventor. La máquina de vapor contribuyó en gran medida a la Revolución Industrial en los siglos XVIII y XIX. ____

EL TELÉFONO Muchas personas contribuyeron a la invención del teléfono. El francés Charles Bourseul fue el primero en proponer la transmisión del lenguaje humano por medio de un sistema electrónico en 1854. Alrededor de 1857, el italiano Meucci construyó un teléfono para conectar su oficina (en el sótano de su casa) con su dormitorio (en el segundo piso), donde se encontraba su esposa, que sufría de reumatismo. Sin embargo, Meucci no pudo patentar su invento porque no tenía suficiente dinero, y lo presentó en una empresa que no le devolvió los materiales. En 1876, Alejandro Graham Bell patentó el primer teléfono. En el año 2002, en EE. UU., se reconoció la paternidad de este invento a Antonio Meucci. ____

C Busca los verbos relacionados con estos sustantivos en el artículo anterior.

1 la construcción *construyó*
2 la utilización ____
3 la contribución ____
4 la patente ____
5 el invento ____
6 la imprenta ____
7 el uso ____
8 la revolución ____

Avanza Haz tarjetas con estos verbos y sustantivos para recordarlos mejor.

D ¿Cuál de los inventos anteriores te parece más importante? Coméntalo con tu compañero.

E En pequeños grupos, pensad en los tres inventos más importantes de la historia. Buscad argumentos para defender vuestras opciones.

2 (84) **Escucha un concurso de radio y trata de adivinar de qué invento hablan.**

3 A Los túneles, canales y puentes son obras de ingeniería. Escribe el nombre adecuado para cada definición. ¿Conoces otras obras de ingeniería?

1 Es una obra subterránea que comunica dos puntos para el transporte de personas o materiales. ___________
2 Es una obra que permite cruzar un accidente geográfico como un río, un valle o una carretera. ___________
3 Es una obra que normalmente conecta lagos, ríos u océanos. Se utiliza para el transporte. ___________

Puente

Canal

Túnel

B ¿Qué sabes del canal de Panamá? Lee este texto informativo y contesta a las siguientes preguntas.

1 ¿Por qué es tan importante este canal?
2 ¿Quién tuvo la idea de construir un canal en Centroamérica?
3 ¿Qué problemas tuvieron en la construcción?

GRAMÁTICA

Uso de los tiempos del pasado

- El **pretérito perfecto** se usa para hablar de acciones y experiencias del pasado que están relacionadas con el momento en el que hablamos. *En la historia de la humanidad* ***ha habido*** *multitud de avances e inventos.*

- El **pretérito indefinido** se usa para hablar e informar de hechos y acciones que ocurrieron en un momento determinado del pasado. *Gutenberg* ***utilizó*** *tipos móviles de metal.*

- El **pretérito imperfecto** se usa:
  - para describir en el pasado: *Los tipos móviles de la imprenta* ***eran*** *de metal.*
  - para contar acciones habituales en el pasado: *Los romanos* ***imprimían*** *sobre arcilla con una especie de sellos.*
  - para presentar la situación o contexto en el que ocurrieron acciones o hechos concretos del pasado: *Meucci no pudo patentar su invento porque* ***no tenía*** *suficiente dinero.*

EL CANAL DE PANAMÁ

Es una vía de navegación entre dos océanos: el Atlántico y el Pacífico. Se trata de una de las construcciones que más han ayudado al comercio en todo el mundo. Además, esta obra de ingeniería también ha tenido muchas repercusiones políticas.
Antes de su construcción, los navegantes tenían que dar toda la vuelta a América del Sur por el estrecho de Magallanes y el cabo de Hornos, al sur de Chile. Por eso, durante años, se buscó un istmo, es decir, la parte de tierra más estrecha entre los dos océanos para poder atravesar el continente americano. Gracias a este canal, se acortó en tiempo y distancia la comunicación marítima y, de este modo, aumentó el intercambio comercial.
La idea de construir un canal a través de Centroamérica la sugirió un científico alemán, Alexander von Humboldt. En esa época, la región de Panamá era parte de Colombia, y esta era una colonia española; por ese motivo fue España quien autorizó su construcción. Una empresa francesa ganó el proyecto del Canal, que dirigió Ferdinand de Lesseps, el principal ingeniero de otro gran canal, el de Suez.
Las obras comenzaron en 1881, enfrentándose a varios retos: el terreno accidentado, las epidemias de malaria y de fiebre amarilla (con elevada mortalidad entre el personal) y los problemas financieros, que provocaron la quiebra de la empresa francesa. Panamá se independizó de Colombia y firmó un tratado con el gobierno de los EE. UU. para continuar las obras. La inauguración del Canal tuvo lugar el 15 de agosto de 1914.
Es indudable la gran importancia que este canal ha tenido en la historia ya que mejoró el tránsito de mercancías entre los continentes.

Fuente: Wikipedia

C Vamos a hacer un repaso de los tiempos verbales del pasado. Busca en el texto anterior tres ejemplos de cada tiempo y, en pequeños grupos, comentad por qué creéis que se utiliza cada uno de estos tiempos.

Pretérito perfecto	*han ayudado*
Pretérito indefinido	*se buscó*
Pretérito imperfecto	*tenían*

Tecnología actual

1 A Contesta a estas preguntas y después coméntalas con un compañero.

1 ¿Sabes cuándo y dónde comenzó el desarrollo de la red (World Wide Web)?
2 ¿Quién creó la red?
3 ¿Cuándo empezó a utilizar internet el público en general?
4 ¿De dónde viene el nombre de *Google*?

B (85) Ahora, escucha a un profesor que pregunta a sus alumnos y comprueba tus respuestas.

C En grupos, elegid uno de los siguientes inventos y redactad un pequeño texto informativo sobre sus orígenes.

EL CORREO ELECTRÓNICO | LA TABLETA | EL TELÉFONO MÓVIL

Avanza Mira el cuadro de léxico y escribe otras combinaciones con los verbos y sustantivos.

LÉXICO

El ordenador

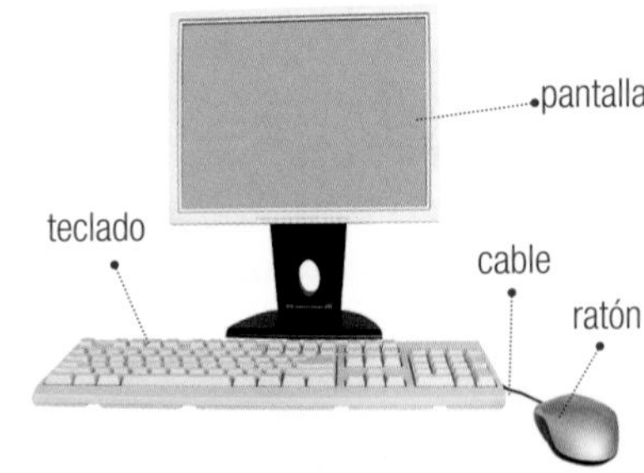

La informática

- abrir / cerrar un documento
- buscar información
- colgar un archivo
- compartir recursos
- conectar el ordenador
- copiar un documento
- cortar un párrafo
- crear un archivo
- descargar un programa
- escribir el usuario y la contraseña
- guardar una presentación
- instalar un programa
- pegar una foto
- subir al blog
- utilizar un buscador

2 A Lee este foro de profesores y señala en la tabla de quién son las siguientes contribuciones. Puede haber varias opciones.

	Laura	Enrique	Mónica	Roberto	Gabriela
1 Se dedica demasiado tiempo a los colores, tipos de letra, dibujos y fotos.					
2 A veces los alumnos saben más que los profesores.					
3 Ayuda a la motivación.					
4 Hay un gran acceso a la información desde cualquier parte del mundo.					
5 Fomenta la independencia del alumno.					
6 Se les puede dar a los alumnos material para estudiar en casa en la red.					

Problemas en el aula, soluciones TIC

Uno de los objetivos de nuestro grupo es utilizar las TIC de una forma eficaz en el aula.

Creado por Victoria Fernández

Comentado por Laura el 11 abril a las 2:42pm
¡Hola! En nuestra clase estamos fomentando la lectura con poemas. Cada día, antes de comenzar las clases, un alumno lee uno que él busca y elige. Todos quieren participar porque los grabo y los subo al blog. Las TIC me han ayudado a motivarlos. Saludos cordiales desde Córdoba.

Comentado por Enrique el 11 abril a las 4:03pm
Hola a todos:
Laura, felicidades por esa idea de la poesía. ¡Te la copio! Yo, en mi clase de español, he colgado en Moodle todas mis presentaciones de gramática. De este modo, los alumnos las pueden ver en casa y, durante la clase, tenemos más tiempo para hablar y jugar. Ha sido una experiencia estupenda, de verdad, os la recomiendo.

Comentado por Mónica el 11 abril a las 6:23pm
Enrique, totalmente de acuerdo contigo. Yo veo que con el uso de las TIC se ahorra mucho tiempo en clase y los alumnos son más independientes, ya que buscan la información por sí mismos. Llevo muchos años fuera de España y antes era muy difícil conseguir material. Ahora tenemos un acceso a la información global, que es tan importante en una clase de español.

Comentado por Roberto el 11 abril a las 10:05pm
Hola a todos. Estoy parcialmente de acuerdo con vosotros, porque cuando los chicos están en internet en el aula, tienen demasiadas distracciones y pierden mucho el tiempo. Además, ¿no pensáis que con tanto dibujo los alumnos se centran demasiado en el diseño y olvidan el contenido?

Comentado por Gabriela el 11 abril a las 11:45pm
Es maravilloso tener la ayuda de este grupo. Yo no soy muy buena con las TIC y no me siento muy segura con ellas. ¡Mis alumnos saben más que yo! Quiero preguntarles si alguien puede compartir recursos TIC para nivel de bachillerato. Un saludo, y gracias por este espacio.

B Ahora, añade en el foro anterior tu comentario sobre lo bueno o malo de usar las nuevas tecnologías en el aula de Español y, después, comentad en grupos si estáis o no de acuerdo con lo que dicen los profesores.

Repasa El lenguaje de opiniones, acuerdo y desacuerdo en la unidad 15.

3 A **Lee estos textos y decide qué son.**

un anuncio | unas instrucciones | unos consejos

A

El objetivo de la plataforma de léxico asistido por ordenador **EDULEX** es facilitar el aprendizaje. Los pasos son:
- Instala el programa.
- Rellena la ficha con tus datos personales.
- Abre una cuenta.
- Lee las instrucciones para empezar a trabajar.
- Escoge la lengua que deseas traducir.

¡Y ya está! ¡Ahora, aprender depende de ti!

B

CHICOS, si queréis utilizar el ordenador y no tener problemas con vuestro cuerpo, debéis seguir estos sencillos ejercicios:

Antes:
- Sentaos con la espalda recta, cuidado con doblarla.
- Colocad los brazos en un ángulo de 90 grados.

Durante:
- Moved los ojos lejos de la pantalla cada diez minutos.
- Levantaos y dad un pequeño paseo cada veinte minutos.

Después:
- Practicad ejercicios de estiramiento.

C

Es un hecho

Tu *smartphone* no es solo un teléfono. Es un reflejo de quién eres tú. Belleza y cerebro en un solo cuerpo. La tecnología más avanzada.

- Prueba el nuevo teléfono lo antes posible.
- Cómpratelo, porque tú te lo mereces.
- Usa tu huella dactilar para comenzar a usarlo y olvídate de contraseñas.
- Decídete, la oferta dura solo unos días.
- Conéctate con tus amigos y con la última tecnología.

Sé inteligente, apuesta por la belleza.

Repasa Las partes del cuerpo y los consejos en la unidad 13.

B **Ahora, vuelve a leer los textos anteriores y relaciónalos con estas frases. Puede haber más de una opción.**

	A	B	C
1 Propone algo nuevo.	X		X
2 Ayuda a aprender español.			
3 Tiene una fecha límite de compra.			
4 Está relacionado con la salud.			
5 Mejora la comunicación con los amigos.			
6 Intenta vender un producto.			
7 Puedes utilizar varias lenguas.			
8 Tienes que poner tu nombre y otras informaciones personales.			
9 Implica una actividad corporal.			

C **Observa los verbos de los textos anteriores y cambia los que usan *tú* por *vosotros*, y viceversa.**

D **En pequeños grupos, escribid un anuncio para promocionar un producto.**

GRAMÁTICA

El imperativo

Se usa, entre otras funciones, para:
- dar instrucciones
- dar consejos o hacer recomendaciones
- hacer una petición / dar una orden

Se forma:
- Verbos terminados en ***-ar.***
  instal**a** (tú) instal**ad** (vosotros)
- Verbos terminados en ***-er.***
  le**e** (tú) le**ed** (vosotros)
- Verbos terminados en ***-ir.***
  abr**e** (tú) abr**id** (vosotros)

La forma *tú* de imperativo coincide con la forma *él / ella / usted* del presente.

Imperativos irregulares

Los verbos irregulares en el presente también son irregulares en la forma *tú* del imperativo.

Irregulares con cambio en la vocal:

	irregular (tú)	regular (vosotros)
empezar	**empieza**	**empezad**
soñar	**sueña**	**soñad**
pedir	**pide**	**pedid**

Otros irregulares:

decir: **di** / **decid**
hacer: **haz** / **haced**
ir: **ve** / **id**
poner: **pon** / **poned**
salir: **sal** / **salid**
ser: **sé** / **sed**
tener: **ten** / **tened**

Imperativos con pronombres

Los pronombres de objeto directo y objeto indirecto van siempre detrás del imperativo y forman una sola palabra:

Conéctate *a internet.* (tú)
Conéctalo *a internet.* (el ordenador)

Cuando el imperativo de *vosotros* va seguido de ***-os***, pierde la ***-d***:

*conectad + el ordenador > conecta**dlo***
*conectad + os > conecta**os***

COMUNICACIÓN

Dar instrucciones, consejos y órdenes y hacer peticiones

Utilizamos el imperativo con diferentes intenciones:

Instala *el programa en el ordenador.* (instrucción)
Si te duele la espalda, ***ve*** *a la piscina.* (consejo / recomendación)
Lee *el texto en voz alta.* (orden)
Pásame *el teléfono, por favor.* (petición)

La ciencia ficción

1 A Relaciona estas sinopsis de películas con sus títulos. Hay un título de más.

Ⓐ La guerra de las galaxias Ⓑ BLADE RUNNER Ⓒ AVATAR Ⓓ MATRIX

1 ☐ Rick Deckard es un policía especializado en cazar replicantes, unos androides que cumplen las tareas que los hombres ya no quieren hacer. Los nuevos modelos han empezado a sentir emociones y se rebelan contra el sistema.

2 ☐ Jake Sully, un exmarine que está en una silla de ruedas, es reclutado y convertido en avatar para viajar al planeta Pandora, a años luz de la Tierra. Allí, una corporación está extrayendo un mineral clave en la solución de la crisis energética de nuestro planeta.

3 ☐ Thomas Anderson es un programador de *software* y un *hacker* informático llamado Neo. Con él contacta Morfeo, quien le muestra la verdadera realidad: un mundo dominado por las máquinas que esclavizan a los seres humanos para utilizar sus cuerpos como fuente de energía.

B ¿Qué otras películas de ciencia ficción conoces? ¿En cuántas aparecen robots? ¿Y avatares, clones o réplicas de los seres humanos?

Extraído de www.peliculasafondo.com

2 A Lee este artículo sobre tecnología cibernética de una revista divulgativa y relaciona cada párrafo con una de estas frases o preguntas.

a La ciencia ficción nos hace pensar. ☐
b Los robots son habituales en la ciencia ficción. ☐
c ¿Las máquinas pueden tener sentimientos? ☐
d Las ventajas que ofrecen los robots. ☐
e Los robots generan desigualdad social. ☐
f Los robots no pueden sustituir al hombre. ☐

¿QUEREMOS TENER robots? *De Javier González*

1 Tema de muchos libros, novelas gráficas y películas, la idea de un robot que nos sustituye en nuestra vida diaria está cada vez más cerca de ser realidad, debido al gran desarrollo de la tecnología cibernética. Hay muchas películas sobre este tema, como *Los sustitutos (Surrogates)*, donde la gente vive sus vidas por control remoto desde la seguridad de sus casas a través de robots, pero lo que parece ciencia ficción puede no serlo muy pronto.

2 Robots que pueden realizar las acciones que nosotros no queremos hacer o, incluso, pueden vivir nuestra vida. Máquinas que nos evitan los peligros que tenemos que afrontar los humanos, como accidentes o enfermedades. Unos robots perfectos.

3 Sin embargo, no podemos olvidar las cuestiones morales. En primer lugar, ¿hasta qué punto podemos sustituir completamente al ser humano, con todos sus sentimientos, por máquinas? Necesitamos relacionarnos con otras personas y con la realidad, y no podemos hacerlo a través de un robot.

4 En segundo lugar, ¿estos robots van a ser simples máquinas o van a tener inteligencia, e incluso sentimientos? Esta es la pregunta que plantean algunas historias de ciencia ficción, como las películas *Matrix* o *Terminator*, en las que las máquinas se enfrentan a sus creadores.

5 Por último, ¿todos los humanos vamos a poder tener nuestro robot o solo los ricos van a poder tener uno? Algunos piensan que vamos a vivir en una sociedad dividida entre los que pueden pagar un robot y los que no: opinan que los robots pueden hacer crecer la desigualdad. Otros piensan justo lo contrario.

6 La ciencia ficción nos transporta a un futuro posible para hacernos reflexionar sobre nuestro presente y plantearnos estas y otras preguntas.

B (86) Olga y Santi son dos hermanos que tienen unos robots. Escucha qué les piden a sus robots y relaciona las peticiones con las siguientes frases.

a Tienen hambre. ☐
b Han hecho una fiesta el fin de semana y la casa está muy sucia. ☐
c No han hecho los deberes. ☐
d Van a salir con los amigos y van a volver tarde a casa, y sus padres no pueden saberlo. ☐
e Tienen sed. ☐
f A Santi le duelen los pies. ☐

Repasa Los pronombres de objeto indirecto en la unidad 11.

C Imagina que tienes un robot y puedes pedirle cualquier cosa. Escribe las instrucciones. Después, jugad en parejas: uno da las instrucciones y el otro es el robot y realiza las acciones.

3 **A Lee este extracto de un relato e indica la respuesta correcta.**

1 La historia tiene lugar en...
a ❍ el pasado.
b ❍ el presente.
c ❍ el futuro.

2 En el tiempo de la historia...
a ❍ los abuelos curan a las personas enfermas.
b ❍ los robots curan a las personas enfermas.
c ❍ los médicos curan a las personas enfermas.

3 Los chicos tienen unas pulseras...
a ❍ que les dicen cómo se encuentran.
b ❍ que pueden hacer operaciones.
c ❍ que les reservan habitación en un hospital.

4 En la historia...
a ❍ las operaciones se hacen en casa.
b ❍ no se hacen operaciones.
c ❍ se opera en los hospitales.

¿Por qué de blanco?

– Mira esta foto.
– ¿Qué es?
– Es un médico.
– ¿Cómo que un médico?
– **Sí**, una persona que curaba a las personas cuando estaban enfermas.
– ¿Cómo una persona? ¿Y por qué lo sabes **tú**?
– Porque me lo ha contado **mi** abuela. Antes había unas personas que **se** llamaban médicos.
– ¡Pero una persona no puede curar a otra! Para **mí**, que tu abuela **se** lo ha inventado todo. Solo los robots pueden hacer eso.
– Bueno, pues antes **sí**. Estudiaban durante muchos años en una universidad y sabían mucho del cuerpo humano y de las enfermedades.
– ¿Y por qué va vestido así?
– Pues porque iban siempre de blanco.
– ¿Por qué de blanco?
– Pues no lo **sé**, quizás para dar sensación de limpieza. Era como un uniforme.
– ¿Y qué hacían?
– Pues hablaban con la gente, les decían la enfermedad que tenían, daban consejos.
– Pero eso no hace falta. Cualquiera puede mirar la pulsera que llevamos y leer lo que te pasa. Mira, la mía ya me dice que tengo catarro y lo que tengo que tomar y lo que tengo que hacer.
– Ya, pero antes no existían esas pulseras. Además, **si** era necesario, también operaban.
– ¿Los médicos?
– **Sí**, **sí**.
– Pero ¡qué miedo! ¿No se equivocaban?
– Bueno, pues me imagino que alguna vez... Pero no, normalmente no.
– No **sé**.... Pues a **mí** me parece horrible. ¿Y los médicos iban a **tu** casa a operarte?
– No, antes, para las operaciones, **se** iba a unos lugares que **se** llamaban hospitales, y allí estaban todas las personas enfermas y tenían lugar las operaciones.
– ¿Y cómo era **el** hospital? No me lo puedo imaginar.
– Pues creo que eran edificios muy grandes.
– ¡Qué horror!, estar enfermo y tener que salir de **tu** casa. Ahora que lo pienso, nuestra máquina es maravillosa, solo con encenderla estás conectado con los mejores robots del mundo que te operan enseguida.

Idea basada en *Cómo se divertían*, de Asimov

Repasa El vocabulario sobre la salud en la unidad 13.

Avanza Puedes continuar el diálogo sobre la medicina del futuro. Escribe cuatro frases más.

B En pequeños grupos, discutid lo que os gusta y no os gusta de la medicina del futuro, según el relato.

C Fíjate en el relato. Hay palabras iguales, pero unas se escriben con tilde y otras sin tilde. ¿Sabes cuál es la diferencia?

D Ahora, escribe con un compañero dos frases más con palabras iguales, con tilde y sin tilde.

ORTOGRAFÍA Y PRONUNCIACIÓN

El acento diacrítico

Las palabras de una sílaba (monosílabos) normalmente no llevan tilde. Hay excepciones para diferenciar dos palabras que tienen un significado distinto, pero que se escriben igual. Estas son algunas de ellas:

- *mí* - *mi*
mí (pronombre con preposición): *Este libro es para **mí**.*
mi (posesivo): ***Mi** abuela me lo ha contado.*

- *él* - *el*
él (pronombre personal): ***Él** va de blanco.*
el (artículo determinado): ***El** uniforme es de color blanco.*

- *tú* - *tu*
tú (pronombre personal): *¿Por qué lo sabes **tú**?*
tu (posesivo): ***Tu** abuela se lo ha inventado.*

- *sé* - *se*
sé (primera persona del presente del verbo *saber*): *No **sé** por qué iban de blanco.*
se (pronombre): *Para las operaciones **se** iba a los hospitales.*

- *sí* - *si*
sí (afirmativo): *Antes **sí** operaban los médicos.*
si (condicional): ***Si** era necesario, también operaban.*

Panamá

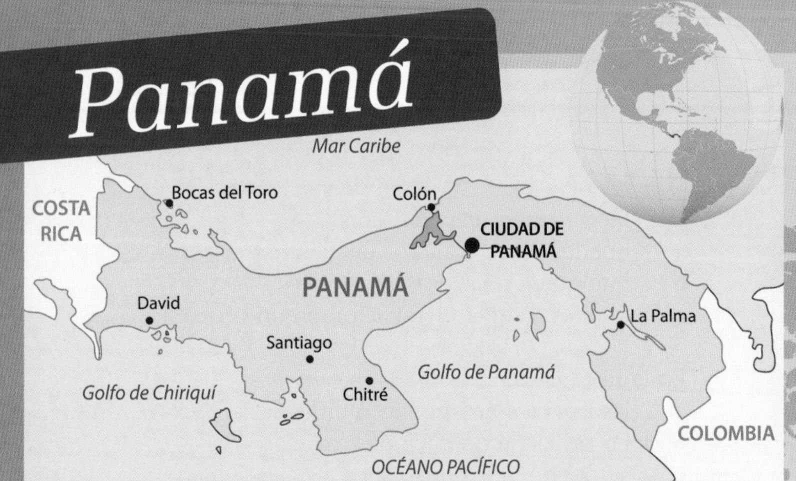

1 **En pequeños grupos, buscad tres informaciones interesantes sobre Panamá. Después, ponedlas en común con la clase.**

2 A **Lee el blog que Ben ha escrito en su viaje a Panamá y contesta a las siguientes preguntas.**

1. ¿Cuántos días estuvo Ben en Panamá?
2. ¿Por qué ha elegido la universidad el país de Panamá para su proyecto?
3. ¿Qué ciudad visitaron el último día? ¿Cómo es?
4. ¿Qué le ha gustado a Ben de Panamá?

Bitácora de viajes... Ben

Me gustaría contar mis experiencias en Panamá. He estado allí durante diez días. No ha sido un viaje normal, he ido con un grupo de la Universidad de Lenguas Aplicadas de Múnich. Erámos 18 estudiantes en total. Nuestra universidad participa en un proyecto que se llama «Global Brigades». Ofrece a grupos de estudiantes la oportunidad de viajar a un país como Honduras, Nicaragua o Ghana para mejorar las condiciones de la gente de allí. En primer lugar, el grupo tiene que recoger donaciones y dinero de empresas, y también de individuos. En segundo lugar, cuando el grupo ha recogido el dinero que es necesario para financiar el viaje, todo el grupo viaja junto a este país y trabaja con la gente. La razón por la que hemos decidido viajar a Panamá es que es un país hispanohablante, y por eso hemos tenido la oportunidad de hablar con la gente. (...)

Hemos trabajado en una comunidad nativa y hemos plantado 281 plantas en total, en tres días, en el campo de la comunidad (plantas de café, palisandro y plátanos), y hemos construido tres letrinas (una en el campo, una cerca de la *casa comunal* y una para una familia), en tres días también, con la ayuda de los técnicos. Muchas personas que viven allí no tienen acceso a saneamiento. Era un trabajo muy duro porque hacía calor y había mucha humedad. (...)

1 ______________________

2 ______________________

Los habitantes de *Emberá Puru* eran un poco tímidos al principio, pero después hablaban más y estaban interesados en nuestra cultura también. El último día hubo con ellos un acto cultural donde nos presentaron un baile tradicional. Todas las chicas recibieron una corona de flores. Además, cocinaron algo muy delicioso con arroz y pollo para nuestro grupo.

3 ______________________

RECIBE NOTIFICACIONES DE NUEVAS ENTRADAS:

INFO Y MATERIAL DE CLASE EN:

COMENTARIOS RECIENTES

Teresa Moreno en *¿Quién eres? ¿Cómo te llamas?*
Teresa Moreno en *Los sonidos del español*
Marc Rieder en *¿Quién eres? ¿Cómo te llamas?*
Anónimo en *Los sonidos del español*
Leonie en *Desestresarse*

TEMAS POPULARES

Actividades diarias
Inicio
Describir lugares
Describir personas
¿Quién eres? ¿Cómo te llamas?

Adaptado del bitácora de viajes de Benjamin Straub, en el blog de Teresa Moreno (www.es-tema.de)

B Con la información del texto, coloca estas palabras debajo de cada foto.

vista fabulosa • letrinas • plantas • casco viejo • acto cultural

El último día visitamos la Ciudad de Panamá con uno de nuestros intérpretes. La ciudad ofrece más de lo que piensas. Hay un paseo muy bonito que va a lo largo de la bahía. Desde allí se tiene una vista fabulosa. El casco viejo se encuentra muy cerca de la bahía, hay muchas calles pequeñas y casas antiguas. Si vas allí por la noche, hay una amplia variedad de bares. (...)

4 ______________________

5 ______________________

Me han gustado muchas cosas en Panamá, por ejemplo, la naturaleza. Hay tantas plantas (¡también venenosas!) y animales diferentes... Toda la gente es muy amable y hospitalaria. ¡Aunque ha sido una experiencia corta, me gustaría viajar a Panamá otra vez en el futuro para ver más de este país!

3 Lee el texto y contesta a las siguientes preguntas.

1 ¿Por qué se organizó la Competencia Nacional de Robots?
2 ¿Dónde tuvo lugar?
3 ¿Quién participó?
4 ¿Cuál fue el premio?

Robot programado por estudiantes

Organizada por el Club de Mecatrónica de la UTP

Con el objetivo de fomentar el interés por las áreas científico-técnicas y de reforzar las habilidades en razonamiento, liderazgo y trabajo en equipo en las nuevas generaciones, la Universidad Tecnológica de Panamá (UTP) [...] organizó la Segunda Competencia Nacional de Robots 2013. Este evento se llevó acabo en el marco de la Feria Familiar de Tecnología e Innovación Expoinnova Internacional, celebrado en el Centro de Convenciones Atlapa, en la Ciudad de Panamá [...]. En esta ocasión participaron 51 equipos, inscritos en la Segunda Competencia Nacional de Robots 2013, distribuidos en las tres categorías abiertas creadas para este año: la categoría *Junior,* con niños de 9 a 12 años; la categoría *Junior High,* de 13 a 17 años, y la categoría *Avanzada,* donde participan estudiantes universitarios de 18 y 19 años. Los ganadores de cada una de las categorías recibieron trofeos y medallas para el primer y segundo lugar en la Categoría *Junior*; en la categoría *Junior High* se seleccionó a uno de los equipos, para representar a Panamá en la Centroamericana de Robótica, que se celebra en septiembre en El Salvador; y los de la categoría *Avanzada* recibieron certificados de regalo.

Extraído de www.utp.ac.pa

Acción - Reflexión

Mira estas fotos sobre diferentes aspectos de la tecnología. Escoge una y habla de ella.

LOS MEDIOS DE TRANSPORTE

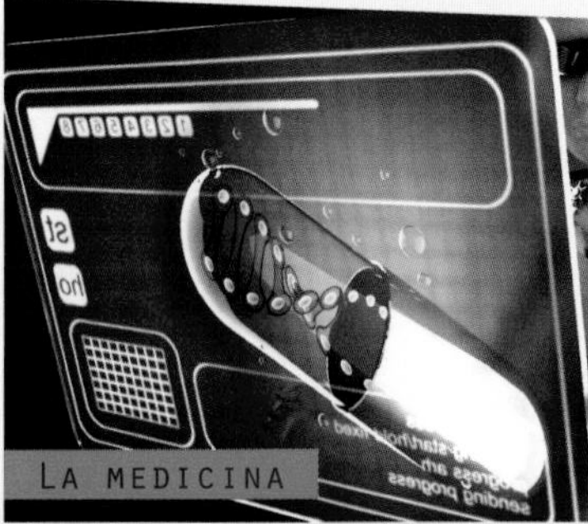
LA MEDICINA

EL MUNDO LABORAL

LOS MEDIOS DE COMUNICACIÓN

LAS TAREAS DOMÉSTICAS

Acción

En pequeños grupos, vais a participar en un foro sobre el impacto de la tecnología en vuestra educación escolar.

1 Entre todos, escribid argumentos positivos y negativos sobre la tecnología.
2 Corregid los textos.
3 Buscad una identidad en el foro (un nombre y una actitud positiva o negativa ante la tecnología).
4 Confeccionad el foro.
5 Si podéis, invitad a otros grupos de la clase y realizad un foro real.
6 Si no es posible, imprimid vuestro foro y colgadlo en la pared de la clase.
7 Dedicid cúal es el mejor foro.

Actitudes y valores

Haz una cruz en la columna más apropiada para ti.

	mucho	bastante	poco
- Soy consciente del cuidado que hay que tener en internet con la privacidad.	☐	☐	☐
- Conozco las ventajas y desventajas de utilizar internet en mis estudios.	☐	☐	☐
- Respeto las opiniones de los demás.	☐	☐	☐

Reflexión

- ¿Es todo positivo respecto a la tecnología?

- ¿Cómo influye la tecnología en nuestras vidas?

- ¿Somos esclavos o dueños de la tecnología?

Gramática

Gramática

EL ALFABETO

El alfabeto o abecedario español tiene 27 letras (22 consonantes y 5 vocales).
Las letras tienen género femenino: la **be**, la **ce**, etc.

A	a	a	Antigua
B	b	be	Bogotá
C	c	ce	Caracas
D	d	de	Durazno
E	e	e	El Escorial
F	f	efe	Formentera
G	g	ge	Guadalajara
H	h	hache	Heredia
I	i	i	Iquitos
J	j	jota	Jarabacoa
K	k	ka	Kino
L	l	ele	La Habana
M	m	eme	Managua
N	n	ene	Neuquén
Ñ	ñ	eñe	Ñemby
O	o	o	Oviedo
P	p	pe	Panamá
Q	q	cu	Quito
R	r	erre	Rocha
S	s	ese	San Salvador
T	t	te	Tegucigalpa
U	u	u	Uyuni
V	v	uve	Valparaíso
W	w	uve doble (doble uve)	Wanda
X	x	equis	Xico
Y	y	i griega (ye)	Yauco
Z	z	zeta	Zaragoza

Las vocales: a – e – i – o – u
Solo las vocales pueden llevar acento gráfico (tilde):
á (a con acento) – **a** (a sin acento).

Las consonantes: b – c – d – f – g – h – j – k – l – m – n – ñ – p – q – r – s – t – v – w – x – y – z
D (de mayúscula) – **d** (de minúscula)

Dígrafos: ch – ll
Conjunto de dos letras que representa un sonido:
ch (che) ***Ch**in**ch**ón*
ll (elle) *Mede**ll**ín*

Ortografía y pronunciación

- ***R – RR***

  Hay dos formas de pronunciar la letra ***r***, una suave y una fuerte:
  - Fuerte: cuando hay una ***rr*** entre vocales *(barrio)*; al principio de palabra *(radio)*; cuando va después de ***l***, ***n*** o ***s*** *(alrededor)*.
  - Suave: cuando en el interior de una palabra hay una ***r*** *(turismo)*; al final de palabra *(comer)*; después de las consonantes ***b***, ***c***, ***d***, ***f***, ***g***, ***p*** y ***t*** *(prueba)*.

- ***G – J***

- Se pronuncian de forma diferente cuando van con las vocales ***a, o, u**: **ga**nar, ha**go**, **gu**star* (sonido suave) / ***Ja**vier, me**jo**r, **ju**gar* (sonido fuerte).
- La **ge** se pronuncia igual que la **jota** (sonido fuerte) cuando va seguida de las vocales ***e, i**: **ge**nte / aje**dr**ez, ele**gi**r / **ji**rafa.*
- En los grupos ***gue*** y ***gui*** la ***u*** no se pronuncia y la ***g*** se pronuncia con un sonido suave: ***gui**tarra, consi**gue***.

- ***C – Z***

- La letra ***c*** se pronuncia de dos maneras diferentes:
  - como ***k*** delante de ***a, o, u*** *(**ca**sa, miér**co**les, **cu**ando)* o cuando va con otra consonante *(a**cc**ión, **cr**ítica, a**ct**or)*.
  - como ***z*** delante de ***e, i*** *(dul**ce**, pre**ci**oso)*.
- La letra ***z***, se pronuncia siempre igual (con la lengua entre los dientes): ***z**ona, **z**umo*.
- En muchas partes de España y prácticamente en todo Latinoamérica no hay sonido /z/, se pronuncia /s/ (se llama ***seseo***).

- ***LL – Y***

- En muchas regiones de los países hispanos la ***ll*** se pronuncia como ***y***. Este fenómeno se llama ***yeísmo***.
- En algunas regiones de algunos países hispanoamericanos, como, por ejemplo, en Argentina, la ***y / ll*** se pronuncian con una vibración especial.

- **Letras que no se pronuncian**

- La ***h*** no se pronuncia nunca: ***h**oy, **h**ora, **h**orario.*
- La ***u*** no se pronuncia en los grupos ***que, qui, gue, gui**: **qué**, **quí**mica, **gue**rra, **gui**tarra.*

LOS NÚMEROS

Del 0 al 100

0 cero	14 catorce	28 veintiocho
1 uno/-a	15 quince	29 veintinueve
2 dos	16 dieciséis	30 treinta
3 tres	17 diecisiete	31 treinta y uno/-a
4 cuatro	18 dieciocho	32 treinta y dos
5 cinco	19 diecinueve	33 treinta y tres
6 seis	20 veinte	40 cuarenta
7 siete	21 veintiuno/-a	50 cincuenta
8 ocho	22 veintidós	60 sesenta
9 nueve	23 veintitrés	70 setenta
10 diez	24 veinticuatro	80 ochenta
11 once	25 veinticinco	90 noventa
12 doce	26 veintiséis	99 noventa y nueve
13 trece	27 veintisiete	100 cien

A partir del 100

101 ciento uno/-a	1000 mil
102 ciento dos	1100 mil cien
200 doscientos/-as	1110 mil ciento diez
300 trescientos/-as	1200 mil doscientos/-as
400 cuatrocientos/-as	2000 dos mil
500 quinientos/-as	10 000 diez mil
600 seiscientos/-as	100 000 cien mil
700 setecientos/-as	200 000 doscientos/-as mil
800 ochocientos/-as	1 000 000 un millón
900 novecientos/-as	1 000 000 000 mil millones

- Entre las decenas (10, 20, 30...) y las unidades (1, 2, 3...) usamos **y**: *356 = trescientos cincuenta **y** seis*.
- ***100*** se dice ***cien***, pero a partir de ***101*** se dice ***ciento*** *(**ciento** uno, **ciento** dos...)*.
- ***Mil*** es invariable: *1000 = **mil**, 3000 = tres **mil**, 30 000 = treinta **mil** personas / euros*.
- Cuando hablamos de ***millones***, se dice ***de***: *un millón **de** euros*.
- En español **1 000 000 000 000** (un millón de millones) es ***un billón***.

EL SUSTANTIVO

- Con el sustantivo nombramos personas, animales, objetos, sentimientos, ideas...
- Tiene género: **masculino** o **femenino**. Muchos sustantivos masculinos terminan en ***-o*** y los femeninos en ***-a***.

masculino	femenino
el libr**o** / el bolígraf**o**	la puert**a** / la pizarr**a**

- Puede terminar en otra vocal o en consonante:
  *el estudiant**e** / la estudiant**e***
  *el sacapunta**s***
  *el lápi**z***

- Tiene número: **singular** o **plural**.

singular	plural	
la puerta el bolígrafo	+s	las puerta**s** los bolígrafo**s**
el rotulador el reloj	+es	los rotulador**es** los reloj**es**
el lápiz	-z = +ces	los lápi**ces**
el sacapuntas*	=	los sacapuntas

*Es igual en singular y plural.

EL ARTÍCULO

El artículo se usa para introducir un sustantivo, y hay dos tipos: determinado e indeterminado.

El artículo determinado

Cuando nos referimos a algo mencionado antes.

	singular	plural
masculino	**el** cuaderno	**los** libros
femenino	**la** goma	**las** mochilas

*Juan es **el** hermano de Laura.*

El artículo indeterminado

Cuando nos referimos a algo por primera vez o cuando pensamos que el interlocutor no lo conoce.

	singular	plural
masculino	**un** museo	**unos** museos
femenino	**una** biblioteca	**unas** bibliotecas

*El Prado es **un** museo muy famoso.*
*Andalucía tiene **unos** museos muy interesantes.*

EL ADJETIVO

- El adjetivo da información sobre las características de un sustantivo y concuerda con él en género y número:

oj**os**	negr**os**	chic**a**	alt**a**
sustantivo masculino plural	adjetivo masculino plural	sustantivo femenino singular	adjetivo femenino singular

- El adjetivo puede ser **masculino** o **femenino**:
  - Normalmente si termina en ***-o*** forma el femenino con ***-a***: *bonit**o** – bonit**a***.
  - Algunos adjetivos tienen la misma forma para el masculino y para el femenino. Estos terminan en ***-a, -e, -i, -u*** *(belg**a**, inteligent**e**, marroqu**í**, hind**ú**)* o en *-**ista** (pesim**ista**)*.
- El adjetivo tiene número: **singular** y **plural**. Normalmente, si termina en vocal forma el plural con una ***-s*** *(bonit**o** – bonit**os**, bonit**a** – bonit**as**)* y si termina en consonante lo forma con ***-es*** *(alem**án** – aleman**es**)*.

LOS POSESIVOS

Los posesivos identifican al poseedor de algo o la pertenencia de alguien a un grupo. Concuerdan con el objeto o la persona:
***Mi** bicicleta es muy moderna.*
***Nuestro** equipo de fútbol es el mejor.*

Un poseedor

singular
mi nombre
tu apellido
su cumpleaños
plural
mis nombres
tus apellid**os**
sus cumpleaños

Varios poseedores

singular
nuestro gat**o** / **nuestra** gat**a**
vuestro perr**o** / **vuestra** perr**a**
su mascot**a**
plural
nuestros gat**os** / **nuestras** gat**as**
vuestros perr**os** / **vuestras** perr**as**
sus mascot**as**

LOS DEMOSTRATIVOS

Con los demostrativos nos referimos a algo o a alguien. Podemos indicar si estamos cerca o lejos y concuerdan con el sustantivo en género y número:
***Estos** zapat**os** son de Pamela.*
***Aquella** fald**a** es muy bonit**a**.*

	masculino	femenino
singular	**este / ese / aquel**	**esta / esa / aquella**
plural	**estos / esos / aquellos**	**estas / esas / aquellas**

LOS CUANTIFICADORES

Los cuantificadores son adjetivos y adverbios que sirven para graduar la cantidad o la intensidad. Pueden acompañar a sustantivos, verbos, adjetivos o adverbios.

Con sustantivos:

Concuerdan en género y número con el sustantivo.

masculino	femenino
todos los alumnos **demasiado** ruido **muchos** amigos **algún** hombre / **algunos** hombres **poco** dinero **ningún** teatro	**toda la** gente **demasiada** comida **muchas** personas **alguna** pregunta **pocas** amigas **ninguna** plaza

- ***Todo / Toda / Todos / Todas*** solo acompañan a sustantivos seguidos de un artículo determinado, un demostrativo o un posesivo.
  *Me gustan **todos** los ejercicios del libro.*
  ***Todos** estos jóvenes tienen 18 años.*
  ***Toda** mi familia vive en Sevilla.*
- ***Demasiado*** se utiliza para expresar que algo es excesivo:
  *Hace **demasiado** calor en la calle. Hoy me quedo en casa.*
- Con ***ningún / ninguna*** utilizamos ***no*** antes del verbo:
  *Soy nuevo en el colegio y por eso **no** tengo **ningún** amigo.*

Usado como pronombre (no va seguido de sustantivo), la forma masculina es ***ninguno***, en lugar de ***ningún***:

● *¿Cuántos churros has comido?*
■ *No he comido **ninguno**.*

Con verbos:

- Cuando acompañan a un verbo, funcionan como adverbios y son invariables (no tienen género ni número). Siempre van después del verbo:
  *Juan trabaja **demasiado.***
- Con ***nada*** utilizamos ***no*** delante del verbo:
  *Juan **no** trabaja **nada**.*

Con adjetivos y adverbios:

- Cuando acompañan a un adjetivo, son invariables:
  *La casa es **demasiado** tranquila.*
  *La casa **no** es **nada** tranquila.*
- Cuando acompañan a un adverbio, también son invariables:
  *Me levanto **demasiado** temprano.*
  ***No** me levanto **nada** temprano.*

La mayoría:

Se trata de un sustantivo que normalmente va seguido de **de + sustantivo:**

*La música es el tema de conversación de **la mayoría de** los jóvenes.*

LOS PRONOMBRES

Los pronombres personales (sujeto)

singular	
1.ª persona	**yo**
2.ª persona	**tú** **usted** (formal masculino / femenino)
3.ª persona	**él** (masculino) / **ella** (femenino)

plural	
1.ª persona	**nosotros** (masculino) / **nosotras** (femenino)
2.ª persona	**vosotros** (masculino) / **vosotras** (femenino) **ustedes** (formal masculino / femenino)
3.ª persona	**ellos** (masculino) / **ellas** (femenino)

- En español, los pronombres personales de sujeto no son obligatorios porque la forma del verbo contiene esa información. Se utilizan para dar énfasis o cuando queremos dejar claro cuál es el sujeto de la frase.
  ***Yo** no estoy de acuerdo.*

  ● *¿Eres **(tú)** Pedro?*
  ■ *No, Pedro es **él, yo** soy Juan Francisco.*
- ***Usted*** y ***ustedes*** son segunda persona, pero el verbo se conjuga como los de tercera persona: ***usted es***. En España se usan como tratamiento formal en lugar de ***tú*** o ***vosotros/-as***. En América se utiliza ***ustedes*** en lugar de ***vosotros***.
- Cuando nos referimos a un grupo de personas (hombres y mujeres), usamos la forma masculina: ***nosotros, vosotros, ellos***. Usamos ***nosotras, vosotras, ellas*** cuando todas las personas son del sexo femenino.

Los pronombres de objeto directo (OD)

El objeto directo (OD) es el objeto o la persona que recibe la acción del verbo.

me	*Mi madre ya no **me** peina.*
te	*Mamá, **te** quiero mucho.*
lo / la	***Lo** quiero (el pollo) con patatas.*
nos	***Nos** conocemos desde hace años.*
os	*¡**Os** llevo al aeropuerto!*
los / las	***Las** contratan (a mis amigas) solo durante el verano.*

Los pronombres de objeto indirecto (OI)

- El objeto indirecto (OI) es un complemento del verbo e indica la persona destinataria de una acción.
  Hemos regalado una bicicleta a mi sobrino.
- El pronombre de OI se usa para sustituir a la persona, cosa o animal que actúa como objeto indirecto en una oración:

me	*¡**Me** han regalado una camiseta!*
te	***Te** doy el regalo de cumpleaños.*
le **(se)**	*A Luisa **le** han comprado un vestido.* ***Se** lo han comprado sus padres.*
nos	*¿**Nos** podemos probar las botas?*
os	*¿**Os** compro un regalo a cada uno?*
les **(se)**	*A ellos **les** han regalado unas gorras.* ***Se** las han regalado en la fiesta.*

- Cuando aparece el OI, es habitual utilizar el pronombre de OI:
  *A Lucía **le** han regalado unos pendientes.*

Pronombres de OI y su combinación con el OD

- Siempre va primero el OI y después, el OD:
  ***Me lo** han regalado por mi cumpleaños.*
  OI OD

- Cuando el OI es el de 3.ª persona ***(le, les)***, este se convierte en ***se***:
  - *¿Quién le da el regalo a Juan?*
  - *~~**Le**~~ **lo** doy yo. → **Se lo** doy yo.* (OI OD)
- En las perífrasis con infinitivo o con gerundio, los pronombres pueden ir delante o detrás:
  *Queremos regalár**selo** (un sombrero / a mi padre) = **Se lo** queremos regalar.*
  *Está probándo**selos** (unos pantalones / él) = **Se los** está probando.*
- Con imperativo, el pronombre siempre va detrás:
  *Dá**se lo** = Da**le** el móvil (a Pedro).* (OI OD — OI)

Los pronombres posesivos

- Sustituyen a un sustantivo e indican el poseedor.

Objeto	Un poseedor	Más de un poseedor
1.ª persona	mío, mía, míos, mías	nuestro, nuestra, nuestros, nuestras
2.ª persona	tuyo, tuya, tuyos, tuyas	vuestro, vuestra, vuestros, vuestras
3.ª persona	suyo, suya, suyos, suyas	suyo, suya, suyos, suyas

- *¿El abrigo es **tuyo**?*
- *No, no es **mío**.*

- Van precedidos del artículo determinado cuando no van detrás del verbo ***ser***:
- *Mi abrigo es grande.*
- ***El mío** también.*

Los pronombres interrogativos

Se utilizan para preguntar algo sobre personas, animales o cosas:

- ***¿Qué?***
  *¿**Qué** idiomas hablas? / ¿**A qué** hora te levantas?*
- ***¿Cuántos / Cuántas?***
  *¿**Cuántos** años tienes?*
- ***¿Cuál / Cuáles?***
  *¿**Cuál** es tu nombre? / ¿**Cuáles** son tus apellidos?*
- ***¿Dónde?***
  *¿**Dónde** vives? / ¿De **dónde** eres?*
- ***¿Cómo?***
  *¿**Cómo** preparan la carne?*
- ***¿Cuándo?***
  *¿**Cuándo** es tu cumpleaños?*
- ***¿Quién / Quiénes?***
  *¿**Quién** habla chino? / ¿**Quiénes** son tus amigos?*

Usos de *qué* y *cuál*

Para elegir entre varias opciones, podemos preguntar con ***qué*** o ***cuál / cuáles***.

- ***qué* + sustantivo**
  *¿**Qué** bañador compro? / ¿**Qué** zapatos te gustan más?*
- ***cuál / cuáles* + de estos/-as (sustantivo / verbo)**
  Si la opción es singular, se usa ***cuál***:
  - *(De estos vestidos) ¿**Cuál** te gusta más?*
  - *El vestido verde.*

  Si la opción es plural, se usa ***cuáles***:
  - *¿**Cuáles** de estos zapatos te gustan más?*
  - *Los negros.*

EL VERBO

- Los verbos están compuestos de una raíz y de una **terminación**: *habl**ar***.
- Existen tres conjugaciones: los verbos de la primera conjugación, que terminan en ***-ar***; los de la segunda conjugación, que terminan en ***-er***; y los de la tercera conjugación, que terminan en ***-ir***. Las terminaciones nos dan información del tiempo (*habl**o***: presente) y de la persona (*habl**as***: tú).

EL PRESENTE

Usamos el presente para:

- Hablar de lo que sabemos o creemos:
  *Alfredo **tiene** un coche muy caro.*
  *En Madrid **viven** millones de personas.*
- Hablar de hábitos:
  ***Desayuno** a las siete y media.*
- Hablar de intenciones o hacer propuestas:
  *Mañana **vamos** al cine.*
  *¿Por qué no **nos quedamos** en casa?*
- Hablar de hechos del pasado en textos sobre historia y donde aparecen cronologías:
  *La democracia **nace** en Grecia.*

Verbos regulares

Terminados en *-ar*	Terminados en *-er*	Terminados en *-ir*
hablar	**comprender**	**vivir**
habl**o**	comprend**o**	viv**o**
habl**as**	comprend**es**	viv**es**
habl**a**	comprend**e**	viv**e**
habl**amos**	comprend**emos**	viv**imos**
habl**áis**	comprend**éis**	viv**ís**
habl**an**	comprend**en**	viv**en**

Verbos irregulares

Verbos con cambio en la vocal:

empezar (e > ie)	volver (o > ue)	vestirse (e > i)	jugar (u > ue)
empi**e**zo	vu**e**lvo	me v**i**sto	ju**e**go
empi**e**zas	vu**e**lves	te v**i**stes	ju**e**gas
empi**e**za	vu**e**lve	se v**i**ste	ju**e**ga
empezamos	volvemos	nos vestimos	jugamos
empezáis	volvéis	os vestís	jugáis
empi**e**zan	vu**e**lven	se v**i**sten	ju**e**gan
Otros verbos: *cerrar, comenzar, entender, merendar, sentir, pensar, perder, preferir, querer*	Otros verbos: *doler, dormir, encontrar, morir, poder, recordar, volar*	Otros verbos: *pedir, seguir, repetir, reír, sonreír, competir*	

Gramática

Verbos irregulares en primera persona:

conocer: **conozco**	salir: **salgo**	caer: **caigo**
saber: **sé**	hacer: **hago**	ver: **veo**
conducir: **conduzco**	poner: **pongo**	dar: **doy**
traducir: **traduzco**	traer: **traigo**	

Otros verbos irregulares:

tener	venir	decir	oír	estar
ten**go**	ven**go**	d**ig**o	oi**g**o	est**oy**
t**ie**nes	v**ie**nes	d**i**ces	o**y**es	estás
t**ie**ne	v**ie**ne	d**i**ce	o**y**e	está
tenemos	venimos	decimos	oímos	estamos
tenéis	venís	decís	oís	estáis
t**ie**nen	v**ie**nen	d**i**ce	o**y**en	están

Verbos totalmente irregulares:

ser	ir
soy	voy
eres	vas
es	va
somos	vamos
sois	vais
son	van

El voseo

Es un fenómeno lingüístico que se da en algunos países de Hispanoamérica, como es el caso de Argentina. El pronombre de segunda persona de singular es *vos,* y el verbo es diferente en algunos tiempos, como en el presente.

	Voseo
tú **puedes**	vos **podés**
tú **eres**	vos **sos**
tú **vives**	vos **vivís**
tú **hablas**	vos **hablás**
tú **te llamas**	vos **te llamás**

● *¿**Sos** español?*
■ *No, argentino, de Rosario.*

LOS VERBOS REFLEXIVOS

- Van acompañados de un pronombre que coincide con el sujeto.
- Con ellos expresamos que una acción la produce y la recibe el mismo sujeto.

levantarse	
(yo)	**me levanto**
(tú)	**te levantas**
(él, ella, usted)	**se levanta**
(nosotros/-as)	**nos levantamos**
(vosotros/-as)	**os levantáis**
(ellos, ellas, ustedes)	**se levantan**

Otros verbos reflexivos: *ducharse, lavarse (los* dientes), acostarse, vestirse.*

* ***los** dientes*, no ***mis** dientes*

LOS VERBOS VALORATIVOS

- Van acompañados de un pronombre.
- Con ellos expresamos gustos, intereses, opiniones o sensaciones físicas: *gustar, encantar, interesar, apetecer, parecer, doler.*

gustar		
(A mí)	**me**	**gusta** el fútbol
(A ti)	**te**	
(A él, ella, usted)	**le**	
(A nosotros/-as)	**nos**	**gustan** los deportes
(A vosotros/-as)	**os**	
(A ellos/-as, ustedes)	**les**	

- El sujeto puede ser una acción, situación, objeto, persona, etc., que causa una sensación, sentimiento o reacción en una persona, representada normalmente por el pronombre.
- La construcción puede ser:
  - pronombre + verbo en tercera persona + sujeto
  - sujeto + pronombre + verbo en tercera persona

***Me gusta** la natación. = La natación **me gusta**.*
*¿**Os gustan** los deportes? = ¿Los deportes **os gustan**?*
*Los deportes de aventura **me parecen** aburridos.*

● *¿Qué **le pasa** a tu amigo?*
■ ***Le duele** el brazo.*

Contrastar gustos

- **A mí me gusta.**
  A mí también.
  A mí no.
  ● ***A mí me gusta** el esquí.*
  ■ ***A mí también.***
- **A mí no me gusta.**
  A mí sí.
  A mí tampoco.
  ● ***A mí no me gusta** nada el fútbol.*
  ■ ***A mí tampoco.***

CONSTRUCCIONES IMPERSONALES

Son oraciones que no llevan sujeto.

Con *se* + verbo en 3.ª persona
*En la India **se come** mucho arroz.*
*En Guinea Ecuatorial **se habla** español.*

Con *hay*
*En mi región **hay** un pueblo muy bonito.*
*En mi ciudad **hay** dos oficinas de turismo.*
*En mi barrio no **hay** restaurantes.*

Con verbos y expresiones referidos a fenómenos atmosféricos
Se usan solo en tercera persona del singular, como *llover, nevar, estar nublado* o *hacer + sol / frío / calor / viento / buen tiempo… :*

*Normalmente **llueve** mucho durante el mes de agosto.*
*En invierno **nieva** muy poco.*
*Hoy no vamos a la playa porque **está nublado**.*
*Hoy **hace** mucho **sol**. ¿Vamos a pasear?*
*En esta región nunca **hace calor**.*
*En el sur no siempre **hace buen tiempo**.*

SER Y ESTAR

ser	estar
soy	estoy
eres	estás
es	está
somos	estamos
sois	estáis
son	están

Ser

Usamos este verbo:
- Para definir conceptos:
  *Un móvil **es** un aparato que sirve para comunicarse.*
- Para hablar de nacionalidad, origen, relaciones, profesión:
  ***Es** italiano, **es** de Roma.*
  ***Es** mi hermana.*
  ***Es** pintor.*
- Parar hablar de las características de algo o de alguien:
  ***Es** una casa muy grande.*
  *Julio **es** un hombre muy especial.*
- Parar decir la hora (solo se utiliza la 3.ª persona):
  ***Es** la una.*
  ***Son** las tres menos cuarto.*

Estar

Usamos este verbo:
- Para ubicar, localizar o señalar la posición:
  *Antigua **está** en Guatemala.*
- Para expresar el estado civil:
  *Juan **está** casado.*
- Para expresar el estado de ánimo:
  ***Estoy** muy bien, gracias.*
- Para hablar del tiempo:
  *Hoy **está** nublado.*

EL PRETÉRITO PERFECTO

	Presente de haber	+ participio
(yo)	he	
(tú)	has	escuchado
(él, ella, usted)	ha	+ comido
(nosotros/-as)	hemos	salido
(vosotros/-as)	habéis	
(ellos, ellas, ustedes)	han	

El participio se forma sustituyendo las terminaciones del infinitivo ***(-ar, -er, -ir)***: ***-ar* > *-ado*** *(viajado)*, ***-er* / *-ir* > *-ido*** *(bebido / venido).*

Participios irregulares:

hacer: **hecho**	ver: **visto**	volver: **vuelto**
decir: **dicho**	escribir: **escrito**	descubrir: **descubierto**
abrir: **abierto**	poner: **puesto**	morir: **muerto**
romper: **roto**		

Usamos el pretérito perfecto:
- Para hablar de acciones y experiencias realizadas en el pasado y que están relacionadas con el momento en el que hablamos.
  *Laura **se* ha enamorado** de Carlos Daniel.*

*Los pronombres van antes del verbo ***haber***.

Es habitual utilizar el pretérito perfecto junto a marcadores temporales que señalan un tiempo no terminado: *esta mañana, esta tarde, hoy, este fin de semana, estos días, esta semana, este mes, este año*, etc. *Hoy*, por ejemplo, señala un tiempo todavía presente. También *esta semana, esta mañana o este mes…*:
Esta mañana ***he ido*** *a clase.*
Esta semana ***ha venido*** *Laura.*

- Cuando confirmamos que la acción está realizada, utilizamos ***ya***. Indica un cambio de estado o situación:
  *Hoy **ya** he escuchado las noticias.*
- Cuando la acción no está realizada, pero se piensa llevar a cabo utilizamos ***todavía no***. Indica que no hay cambio de estado o situación:
  ***Todavía no** he visto la televisión hoy.*
- Cuando hablamos de experiencias en el pasado, a lo largo de la vida, pero no decimos cuándo. Lo usamos con los siguientes marcadores de frecuencia: *muchas veces, varias veces, alguna vez, dos veces, una vez, nunca.*
  *Xavi **ha estado** en México muchas veces.*
  ● *¿**Has estado** alguna vez en México?*
  ■ *No, nunca **he viajado** a América.*
- Cuando hablamos de nuestra vida, en general:
  ***He estudiado** en España y en Inglaterra.*

EL PRETÉRITO INDEFINIDO

- Se usa para hablar e informar sobre acciones y acontecimientos del pasado que se presentan finalizadas.
- Se suele utilizar con marcadores temporales como: *ayer, el año / mes pasado; hace tres días / años / meses…*
  ***Entré** en esta empresa hace dos años.*
  *El año pasado **abrí** mi propio negocio.*
  *Ayer, en la entrevista de trabajo, no **comprendí** una pregunta.*

Verbos terminados en *-ar*:

entrar	
(yo)	entr**é**
(tú)	entr**aste**
(él, ella, usted)	entr**ó**
(nosotros/-as)	entr**amos**
(vosotros/-as)	entr**asteis**
(ellos, ellas, ustedes)	entr**aron**

Verbos terminados en *-er*:

comprender	
(yo)	comprend**í**
(tú)	comprend**iste**
(él, ella, usted)	comprend**ió**
(nosotros/-as)	comprend**imos**
(vosotros/-as)	comprend**isteis**
(ellos, ellas, ustedes)	comprend**ieron**

Verbos terminados en *-ir*:

descubrir	
(yo)	descubr**í**
(tú)	descubr**iste**
(él, ella, usted)	descubr**ió**
(nosotros/-as)	descubr**imos**
(vosotros/-as)	descubr**isteis**
(ellos, ellas, ustedes)	descubr**ieron**

Verbos totalmente irregulares:

tener	
(yo)	tuv**e**
(tú)	tuv**iste**
(él, ella, usted)	tuv**o**
(nosotros/-as)	tuv**imos**
(vosotros/-as)	tuv**isteis**
(ellos, ellas, ustedes)	tuv**ieron**

- Todos estos verbos con raíz irregular tienen las mismas terminaciones que *tener:*

  estar: **estuv-** hacer: **hic-**
  poner: **pus-** venir: **vin-**
  poder: **pud-** saber: **sup-**

  *Te **hice** una pregunta y no **supiste** qué contestar.*

- El verbo ***decir*** tiene una terminación diferente en la tercera persona del plural (**-jeron** en lugar de *-jieron*): *dije, dijiste, dijo, dijimos, dijisteis, di**jeron***. Los acabados en *-ducir (traducir, introducir, conducir)*, también: *tradu**jeron**, introdu**jeron**...*

  *Cuando le preguntaron, **dijeron** que sí.*

- Estos verbos irregulares, a diferencia de los regulares, que llevan el acento en la última sílaba en la primera y en la tercera persona *(trabajé / trabajó, comí / comió...)*, se acentúan en la penúltima: *es**tu**ve / es**tu**vo, **pu**de / **pu**do...*

  ***Estuve** un año en Tenerife y trabajé de camarero.*

- Otros irregulares: los verbos ***ser*** e ***ir*** (que tienen la misma forma) y el verbo ***dar***:

  ***Fue** presidente entre 1990 y 1994.*
  ***Fue** a la universidad cuatro años.*
  ***Dio** los mayores éxitos a su equipo.*

	ser / ir	dar
(yo)	fui	di
(tú)	fuiste	diste
(él, ella, usted)	fue	dio
(nosotros/-as)	fuimos	dimos
(vosotros/-as)	fuisteis	disteis
(ellos, ellas, ustedes)	fueron	dieron

- Observa que los verbos que tienen una sola sílaba no llevan tilde: *fui / fue, di / dio.*

Verbos irregulares en tercera persona

Los siguientes verbos son irregulares en la tercera persona del singular y del plural:

	pedir (e > i)	dormir (o > u)	leer (i > y)
(yo)	pedí	dormí	leí
(tú)	pediste	dormiste	leíste
(él, ella, usted)	p**i**dió	d**u**rmió	le**y**ó
(nosotros/-as)	pedimos	dormimos	leímos
(vosotros/-as)	pedisteis	dormisteis	leísteis
(ellos/-as, ustedes)	p**i**dieron	d**u**rmieron	le**y**eron

- **Otros verbos con la misma irregularidad:**

e > i: *rep**e**tir, s**e**ntir, s**e**guir, comp**e**tir, el**e**gir, m**e**dir, pref**e**rir, s**e**rvir*
o > u: *m**o**rir*
i / e > y: *o**í**r, ca**e**r*

EL PRETÉRITO IMPERFECTO

Con el presente de indicativo describimos personas, cosas, situaciones y hechos en la actualidad; con el pretérito imperfecto las describimos en el pasado:

*En mi ciudad, antes **había** muchos cines.*
*En aquel tiempo, en este barrio **vivían** muchos italianos.*

Verbos regulares:

-ar	-er / -ir	
jugar	**tener**	**vivir**
jug**aba**	ten**ía**	viv**ía**
jug**abas**	ten**ías**	viv**ías**
jug**aba**	ten**ía**	viv**ía**
jug**ábamos**	ten**íamos**	viv**íamos**
jug**abais**	ten**íais**	viv**íais**
jug**aban**	ten**ían**	viv**ían**

Verbos irregulares:

El pretérito imperfecto solo tiene tres verbos irregulares.

ir	ser	ver
iba	**era**	**veía**
ibas	**eras**	**veías**
iba	**era**	**veía**
íbamos	**éramos**	**veíamos**
ibais	**erais**	**veíais**
iban	**eran**	**veían**

*No **éramos** una potencia, pero vivíamos muy bien.*

CONTRASTE PRETÉRITO INDEFINIDO / PRETÉRITO IMPERFECTO

En el relato o la narración de hechos pasados sin relación con el presente usamos los dos tiempos con valores diferentes:

Pretérito indefinido:

- Acción que se desarrolla en un tiempo que ya terminó:

  *El año pasado **decidí** viajar a cuatro países.*
  *En noviembre **empecé** mi viaje en México.*

- Valoración de cómo fue la acción:

  *¡**Fue** una experiencia inolvidable!*
  ¡Me encantó!

Pretérito imperfecto:

- Descripción de situaciones, gente, lugares, sentimientos, etc., en el pasado:
  *¡**Estaba** tan contenta!*
  ***Era** un señor muy simpático.*
  ***Era** un lugar muy bonito y muy grande.*
- Acción pasada habitual que se repite:
  *Por la mañana, **me levantaba** muy temprano, **cogía** el autobús y **visitaba** la feria.*

El verbo, en **pretérito imperfecto**, expresa una situación, un contexto en **pretérito indefinido**, un acontecimiento que ocurre en esa situación o contexto. Es frecuente usar ***mientras***, ***cuando*** y ***porque*** con el imperfecto.
*Cuando **estaba** en la Casa Museo de García Márquez, **conocí a** un escritor que **era** el guía. Mientras **estaba** allí sentada, **vi** a Bonelli.*
***Fui** allí porque **quería** comprar libros.*

EL IMPERATIVO

Se usa, entre otras funciones, para:
- dar instrucciones
- dar consejos o hacer recomendaciones
- hacer una petición / dar una orden

Se forma:
- Verbos terminados en ***-ar:***
  instal**a** (tú) instal**ad** (vosotros)
- Verbos terminados en ***-er:***
  le**e** (tú) le**ed** (vosotros)
- Verbos terminados en ***-ir:***
  abr**e** (tú) abr**id** (vosotros)

La forma *tú* del imperativo coincide con la forma *él / ella / usted* del presente.
En las zonas con voseo, el imperativo se conjuga de la siguiente manera:
*instal-**á*** *le-**é*** *abr-**í***

Imperativos irregulares

Los verbos irregulares en el presente también son irregulares en la forma *tú* del imperativo.

Irregulares con cambio en la vocal:

	irregular (tú)	regular (vosotros)
empezar	**empieza**	**empezad**
soñar	**sueña**	**soñad**
pedir	**pide**	**pedid**

Otros irregulares:

	irregular (tú)	regular (vosotros)
decir	**di**	**decid**
hacer	**haz**	**haced**
ir	**ve**	**id**
poner	**pon**	**poned**
salir	**sal**	**salid**
ser	**sé**	**sed**
tener	**ten**	**tened**

Imperativos con pronombres

Los pronombres de objeto directo y objeto indirecto van siempre detrás del imperativo y forman una sola palabra:
***Conéctate** a internet.* (tú)
***Conéctalo** a internet.* (el ordenador)
Cuando el imperativo de *vosotros* va seguido de ***-os***, pierde la ***-d***:
*conectad + el ordenador > conecta**d**lo*
conectad + os > conectaos

EL GERUNDIO

Se forma sustituyendo las terminaciones del infinitivo ***(-ar, -er, -ir)*** por:
-ando*:** infinitivos terminados en ***-ar
-iendo*:** infinitivos terminados en ***-er, ***-ir***

*La educación está **cambiando**.*
*¿El rol del profesor está **perdiendo** importancia?*
*La educación está **viviendo** una crisis.*

Gerundios irregulares

decir: **diciendo**
contribuir: **contribuyendo**
oír: **oyendo**
leer: **leyendo**
ir: **yendo**
pedir: **pidiendo**
repetir: **repitiendo**
morir: **muriendo**
dormir: **durmiendo**
venir: **viniendo**
sentir: **sintiendo**

LAS PERÍFRASIS

Son construcciones con dos o más verbos (normalmente, un verbo principal y otro auxiliar) que sirven para expresar aspectos que no pueden expresarse con una forma simple.

Expresar el principio o el final de una acción

- ***Empezar a*** **+ infinitivo** (expresa el comienzo de la acción):
  ***Empiezo a** sentir cambios.*
- ***Acabar de*** + **infinitivo** (expresa el final de una acción):
  ***Acabo de** salir de mi clase de música.*

Expresar obligaciones

- ***Deber*** **+ infinitivo:**
  *Un buen alumno **debe** hacer preguntas.*
  ***Debemos** estar más tiempo al aire libre.*
- ***Hay que*** **+ infinitivo:**
  ***Hay que** comer de forma variada.*
  ***No hay que** estar mucho tiempo sentado.*
- ***Tener que*** **+ infinitivo:**
  ***Tengo que** beber más agua.*
  ***No tienes que** preocuparte tanto por las calorías.*

Expresar el desarrollo de una acción

- ***Estar*** **+ gerundio** (expresa el desarrollo de la acción):
  ***Están** ocurriendo cambios en la educación.*
- ***Seguir*** **+ gerundio** (expresa el desarrollo sin interrupción de la acción):
  *El profesor **sigue** teniendo un papel importante.*

Gramática

Expresar hábitos

- *Soler* + infinitivo:
  ¿A qué hora ***sueles*** *llegar a casa? = ¿A qué hora llegas normalmente a casa?*

Dar consejos

- *Deber / Tener que* + infinitivo:
  Debes *tomar menos azúcar.*
  Tienes que *beber más agua y hacer una dieta durante unos días.*

Hablar de posibilidades u opciones

- *Poder* + infinitivo:
  Puedes *practicar el fútbol en la playa.*

Hablar de planes

- *Ir + a* + infinitivo:
  El sábado ***voy a*** *ir a un concierto de rap.*

Expresar deseos e intenciones

- *Querer / Preferir / Tener ganas de* + infinitivo:
  Quiero *comprar regalos para los abuelos.*
  Preferimos *descansar primero.*
  Tengo ganas de *correr por el parque.*

Invitar

- *¿Quieres / Te apetece + infinitivo?*:
  *¿****Quieres*** *venir el sábado de compras?*
  ¿Te ***apetece*** *ir al cine?*

NOMINALIZACIÓN

Algunos sustantivos derivan de verbos. Entre los tipos más habituales:

- Los que terminan en ***-ción*** (son siempre femeninos):

verbo	sustantivo
elevar	eleva**ción**
provocar	provoca**ción**
disminuir	disminu**ción**

- Los que terminan en ***-o*** (son siempre masculinos):

verbo	sustantivo
cambiar	cambi**o**
aumentar	aument**o**
incrementar	increment**o**

- Los que terminan en ***-miento*** (son siempre masculinos):

verbo	sustantivo
derretir	derreti**miento**
calentar	calenta**miento**

LOS CONECTORES

Hay palabras (adverbios, preposiciones y conjunciones) que son invariables, no tienen género, número, tiempo o persona. Normalmente, sirven para enlazar palabras, frases o ideas.

Expresar duración

- *Desde:*
  Nos referimos a un punto concreto en el pasado; expresa el momento en que comienza algo: ***desde*** *ayer / 2013 / abril.*
  Trabajo aquí ***desde*** *el año pasado.*
- *Desde hace / Hace ... que:*
  Nos referimos a todo el periodo de tiempo que ha transcurrido desde el comienzo de algo: ***desde hace / hace*** *dos días / meses / años.*
  - *¿Cuánto tiempo* ***hace que*** *estudias alemán?*
  - ***Hace*** *un año* ***que*** *estudio alemán.*
  - *¿****Desde*** *cuando estudias alemán?*
  - ***Desde hace*** *un año.*

Relacionar dos hechos en el tiempo

- *Antes de / Después de* + infinitivo:
  Meriendo un poco ***antes de*** *ir a la clase de alemán.*
  Toma un zumo de frutas ***después de*** *practicar yoga.*

Expresar frecuencia

+ ***siempre***
casi siempre
normalmente, generalmente
una vez, dos veces, tres veces, a veces
casi nunca
\- ***nunca***

Yo ***siempre*** *me levanto a las siete y media.*
A veces *voy al instituto en bicicleta.*

Organizar ideas

- *En primer lugar, en segundo lugar, por una parte / por otra parte, por último (finalmente):*
  En primer lugar*, es interesante conocer el origen de la medicina naturista…*
  Por último*, con respecto a la materia prima empleada…*

Secuenciar

- *Primero..., Luego..., Después...:*
  Primero *me ducho,* ***luego*** *desayuno y* ***después*** *me lavo los dientes.*

Expresar consecuencia

- *Por eso:*
  Soy programadora y estoy mucho tiempo sentada, ***por eso*** *correr es tan importante para mí.*

Aclarar

- *Es decir, o sea…:*
  El origen de la medicina naturista se remonta al origen de la humanidad, ***es decir****, es la medicina más antigua.*

Concluir

- *En conclusión, en resumen, para resumir…:*
  En conclusión*, la medicina naturista puede ser una buena opción para conseguir una vida sana…*

Situar en el tiempo

- ***A las..., Por la mañana / tarde..., Aproximadamente a las..., Sobre las..., Durante...:***
  Me acuesto ***a las*** *doce.*
  Los sábados ***por la mañana*** *juego al baloncesto.*
  Todos los días entrenamos a las siete, ***aproximadamente****.*
  Desayuno ***sobre las*** *ocho de la mañana.*
  Durante *la semana me levanto pronto.*
- Para referirse al presente se utiliza ***actualmente, hoy en día, en la actualidad***:
  Hoy en día, *hay más libertad que antes.*
- Para referirse al pasado se utiliza: ***a principios / mediados / finales del siglo XIII; en esa época / década; en aquel periodo / tiempo; en los (años) cuarenta; después de ocho siglos; en el mismo periodo; en los siglos XII y XIII; en las últimas décadas...:***
  En aquel periodo, *se incorporan muchas palabras de origen germánico al español.*

  A los 18 años *terminó el bachillerato.*
  Al año / mes / día siguiente *encontró trabajó.*
  A la semana siguiente *volví a la universidad.*
  Dos años / meses / días / semanas después *se fueron a Berlín.*
  Al cabo de tres años / dos meses...
  Ese mismo año / mes / día...
  Esa misma semana*...*
  Estudié Medicina ***de 1999 a 2004****.*
  Estudié Medicina ***hasta 2004****.*

Expresar cambio de estado

- ***Ya / Ya no:***
  Ya *he terminado el trabajo.*
  En esta ciudad ***ya no*** *hay cines.*

Expresar que no hay cambio de estado

- ***Todavía / Todavía no:***
  Todavía *hay pequeñas tiendas en mi barrio.*
  Todavía no *sé qué nota he sacado.*

Expresar causa

- ***A causa de (que), porque, por:***
  Mi ciudad es interesante ***porque*** *hay muchos museos.*
  Hago cualquier cosa ***por*** *mis hijos.*
  El calentamiento global es el aumento de la temperatura del planeta ***a causa de*** *las actividades humanas.*

Añadir información

- ***Y, además, también, tampoco:***
  Tiene el pelo corto ***y*** *lleva un tatuaje.*
  Hoy hace sol en el sur. ***Además****, hace mucho calor.*

● *Siempre llevo zapatillas de deporte.*
■ *Yo* ***también*** *llevo zapatillas siempre.*

● *Nunca tomo café.*
■ *Yo* ***tampoco*** *tomo café.*

Indicar diferencia o alternativa

- ***O:***
  O *es muy simpático* ***o*** *es muy falso.*
  Podemos comer gazpacho ***o*** *tortilla.*

Contrastar o expresar oposición

- ***Pero, aunque, sin embargo, sino (que):***
  Juan Miguel es muy trabajador, ***pero*** *un poco aburrido, ¿no?*
  Aunque *hace sol en Buenos Aires ahora, esta tarde va a llover.*
  Parte de la energía solar llega al suelo. ***Sin embargo****, no toda esa energía es aprovechada.*
  Los gases no solo atrapan la energía solar, ***sino que*** *provocan un aumento de la temperatura.*

Expresar condición

- ***Si:***
  Si *quiero ir al cine, llamo a mis amigos.*

Expresar finalidad

- ***Para:***
  Estudio español ***para*** *viajar por Sudamérica.*

Referirse a un lugar o ubicar

detrás de ≠ delante de
debajo de ≠ encima de
a la izquierda de ≠ a la derecha de
entre
en el centro de
lejos de ≠ cerca de
al norte / al sur / al este / al oeste de

El gato está ***debajo del*** *sofá.*
El sombrero está ***encima de*** *la mesa.*
Guatemala y México están ***lejos de*** *Europa.*
Ciudad de Guatemala está ***cerca del**** *océano Pacífico.*
Guatemala está ***al** sur de*** *México.*
Guatemala está ***al norte de*** *El Salvador.*

* de + el = del
** a + el = al

Comparar

Más / Menos que

- **con adjetivos:**
  Mar del Plata es ***más*** *<u>turística</u>* ***que*** *Pinamar.*
  Pinamar es una ciudad ***menos*** *<u>ruidosa</u>* ***que*** *Mar del Plata.*
  - El comparativo de ***bueno*** es ***mejor***:
    Pinamar es ***mejor que*** *Mar del Plata porque está más cerca de Buenos Aires.*
  - El comparativo de ***malo*** es ***peor***:
    Para ir a Pinamar es ***peor*** *el transporte* ***que*** *para ir a Mar del Plata.*
- **con adverbios:**
  Mar del Plata está ***más*** *<u>lejos</u> de Buenos Aires* ***que*** *Pinamar.*
  Pinamar está ***más*** *<u>cerca</u> de Buenos Aires* ***que*** *Mar del Plata.*
- **con sustantivos:**
  Pinamar tiene ***menos*** *<u>medios de transporte</u>* ***que*** *Mar del Plata.*

Indicar igualdad

- ***tan*** **+ adjetivo +** ***como****:*
  En Mar del Plata la gastronomía es ***tan*** *<u>variada</u>* ***como*** *en Pinamar.*

- ***tanto / tanta / tantos / tantas*** + nombre + ***como***:

  En Mar del Plata hay ***tantos*** *sitios de interés* ***como*** *en Pinamar.*

- ***el mismo / la misma / los mismos / las mismas*** + nombre (***+ que***):

  Mar del Plata y Pinamar tienen ***el mismo*** *clima.*
  Las dos ciudades ofrecen ***los mismos*** *entretenimientos* ***que*** *otras ciudades turísticas.*

LA NEGACIÓN

- ***No*** va siempre delante del verbo:
  Javier ***no*** *es guapo y* ***no*** *habla mucho.*
- Cuando respondemos a una pregunta, podemos usar dos veces ***no***:
  ● *¿Es muy tímido?*
  ■ ***No, no*** *es tímido, es muy sociable.*

LOS GÉNEROS DISCURSIVOS

La carta o el correo

Saludo:

- *Muy señor(es) mío(s):*
- *Estimado/-a…:*
- *Querido/-a…:*
- *¡Hola!*

Comienzo de la carta / correo:

- *Me dirijo a usted para…*
- *El motivo de mi carta es…*
- *Te escribo para…*

Despedida de la carta / correo:

- *Sin otro particular, esperando noticias suyas, …*
- *Me despido atentamente, …*
- *Un cordial saludo, …*
- *Un abrazo, …*
- *Besos, …*
- *Recuerdos. / Saludos a…*

La conferencia

Estructura de una conferencia:

1. Saludo inicial

- *Buenos días*
- *Señoras, señores / Estimado público*
- *Gracias por invitarme*
- *Es un placer estar aquí*

Buenos días *a todos y* ***muchas gracias por invitarme*** *a participar en esta conferencia.*

2. Introducción al tema

- *Como sabemos, …*
- *Todo el mundo dice…*

Como sabemos, *nuestro planeta es rico en recursos naturales.*

3. Presentación de la problemática

- *Sin embargo, …*
- *El problema es…*
- *La cuestión a discutir es…*
- *A continuación, voy a hablar de…*

Sin embargo, *creo que todos conocemos los problemas ambientales.*
A continuación, *voy a hablar de los principales problemas ambientales*

4. Diferentes puntos a tratar

- *En primer / segundo / tercer / último lugar, …*
- *El primer / segundo / tercer / último problema…*
- *Lo primero / segundo / tercero / último…*

El primer problema *es el crecimiento poblacional.*
Precisamente, este es ***nuestro segundo problema:*** *la deforestación.*
Nuestro tercer problema *es la contaminación.*
El último problema *que voy a mencionar es el tráfico de especies.*

5. Conclusión

- *Como vemos, …*
- *Resumiendo, …*
- *Para terminar, …*

Como vemos, *nuestro planeta sufre graves problemas ambientales.*
Para terminar, *quiero decirles que quedan muchas cosas por hacer.*

6. Saludo final (cierre)

- *Muchas gracias…*
- *Agradezco su participación…*
- *Ha sido un placer…*

Muchas gracias. *Comencemos con las preguntas.*
Ha sido un placer *estar hoy con ustedes.*

El debate

Organizar la información:

- *En primer lugar, … / Lo primero… / Por último, …*
- *Por un lado, … / Por otro, …*
- *Y además, …*

Expresar opiniones:

- *Pienso que…*
- *Me parece que…*
- *En mi opinión, …*
- *Desde mi punto de vista, …*
- *Para mí, …*

Presentar y desarrollar argumentos:

- *Un problema es… / Uno de los mayores problemas es...*
- *La verdad es que…*
- *Es importante / innegable / necesario…*
- *Hay ventajas y desventajas / puntos a favor y en contra…*

Expresar acuerdo o desacuerdo:

- *Estar (totalmente) de acuerdo / en desacuerdo (con)…*
- *Estar de acuerdo en parte (con)…*
- *Ya, pero…*

Resumir / Concluir:

- *Para resumir, …*
- *En resumen, …*
- *En conclusión, …*

Léxico

Léxico

0 ¡Hola!

Saludos

¡Hola!
¡Buenos días!
¡Buenas tardes!
¡Buenas noches!

Despedidas

¡Adiós!
¡Chau / Chao!
¡Hasta luego!
¡Hasta mañana!
¡Hasta pronto!

Instrucciones

comenta
escribe
escucha
habla
lee
mira
pregunta

Preguntas útiles para la clase

¿Cómo se dice *teacher*?
¿Cómo se escribe *aula* en español?
¿Puede(s) repetir, por favor?
¿Qué significa *bolígrafo*?

1 Identidad

Objetos de la clase

el bolígrafo
el cuaderno
la goma
el lápiz
el lápiz de color
el libro
el mapa
la mesa
la mochila
el ordenador
la pizarra
la puerta
el reloj
el rotulador
el sacapuntas
la silla

Países y nacionalidades

Alemania: alemán/-ana
Argentina: argentino/-a
Australia: australiano/-a
Bélgica: belga
Bolivia: boliviano/-a
Brasil: brasileño/-a
Chile: chileno/-a
China: chino/-a
Colombia: colombiano/-a
Cuba: cubano/-a
Dinamarca: danés/-esa
Ecuador: ecuatoriano/-a
El Salvador: salvadoreño/-a
Escocia: escocés/-esa
España: español(a)
Estados Unidos: estadounidense
Francia: francés/-esa
Gales: galés/-esa
Grecia: griego/-a
Guatemala: guatemalteco/-a
Holanda: holandés/-esa
Honduras: hondureño/-a
India: hindú
Inglaterra: inglés/-esa
Irlanda: irlandés/-esa
Italia: italiano/-a
Japón: japonés/-esa
Marruecos: marroquí
México: mexicano/-a
Nicaragua: nicaragüense
Panamá: panameño/-a
Paraguay: paraguayo/-a
Perú: peruano/-a
Polonia: polaco/-a
Puerto Rico: puertorriqueño/-a
Reino Unido: británico/-a
República Dominicana: dominicano/-a
Rusia: ruso/-a
Suecia: sueco/-a
Suiza: suizo/-a
Uruguay: uruguayo/-a
Venezuela: venezolano/-a

Los meses del año

enero	julio
febrero	agosto
marzo	septiembre
abril	octubre
mayo	noviembre
junio	diciembre

Deportistas

el/la atleta
el/la ciclista
el/la futbolista
el/la jugador(a) de baloncesto / rugby / fútbol
el/la nadador/-a
el/la tenista

2 Relaciones

Las relaciones familiares

el/la abuelo/-a
el/la esposo/-a
el/la hermanastro/-a
el/la hermano/-a
el/la hijo/-a
el/la hijo/-a único/-a
el/la hijo/-a adoptado/-a
la madrastra
la madre
el marido
la mujer
el/la nieto/-a
el padrastro
el padre
el/la primo/-a
el/la sobrino/-a
el/la tío/-a

Otras relaciones

el/la amigo/-a
el/la compañero/-a de clase
el/la compañero/-a de trabajo
el/la ex
el/la novio/-a
la pareja

Estado civil

casado/-a
divorciado/-a
soltero/-a

Descripción física

El pelo:
corto
largo
liso
rizado
castaño
negro
pelirrojo
rubio

Los ojos:
azules
castaños
grises
negros
verdes

El tamaño y la altura:
alto/-a
bajo/-a
delgado/-a
gordo/-a
fuerte
de estatura mediana

La apariencia:
la barba
el bigote
las gafas
el pendiente
la perilla
el tatuaje

atractivo/-a
calvo/-a
feo/-a
guapo/-a

Adjetivos de carácter

aburrido/-a
antipático/-a
buena persona
desordenado/-a
divertido/-a
inteligente
ordenado/-a
romántico/-a
simpático/-a
trabajador(a)

3 Hábitat

Lugares públicos

el aeropuerto
el aparcamiento
el bar
la biblioteca
la catedral
el centro comercial
el cine
la discoteca
la estación de autobuses
la estación de trenes
el hospital
el hotel
la iglesia
el mercado
el museo
la oficina de turismo
la parada de metro
el parque
el teatro
la universidad

Describir una ciudad, un pueblo o un barrio

antiguo/-a
barato/-a
bonito/-a
caro/-a
céntrico/-a
divertido/-a
feo/-a
grande
industrial
interesante
limpio/-a
moderno/-a
multiétnico/-a
pequeño/-a
popular
ruidoso/-a
seguro/-a
sucio/-a
tranquilo/-a
turístico/-a

Los puntos cardinales

Norte
Sur
Este
Oeste
Noreste
Noroeste
Sureste
Suroeste

Partes de la casa

el balcón
la cocina
el cuarto de baño
el dormitorio
el salón
la terraza

Muebles y objetos de la casa

la alfombra
el armario
la cama
la chimenea
la cocina
el cojín
la cómoda
la cortina
el cuadro
el escritorio
el espejo
la estantería
el jarrón
la lámpara
la lavadora
la mesa
la nevera
la puerta
la silla
el sillón
el sofá
el televisor
la ventana

4 Hábitos

Las horas

en punto
y cuarto
y media
menos cuarto

Rutina diaria

acostarse
cenar
comer
desayunar
ducharse
hacer los deberes
ir al instituto
jugar
lavarse
levantarse
tener clase
vestirse
volver a casa

Los días de la semana

el lunes
el martes
el miércoles
el jueves
el viernes
el sábado
el domingo
el fin de semana

Asignaturas

Arte
Biología
Ciencias
Educación Cívica
Educación Física
Filosofía
Física
Geografía
Historia
Inglés
Lengua y Literatura
Matemáticas
Música
Química
Teatro
Tecnología

Verbos de movimiento, tiempo y duración

abrir
cerrar
durar
empezar
entrar
llegar
salir
terminar

5 Competición

Deportes

el atletismo
el ciclismo
la equitación
la escalada
el esquí
el fútbol
el *jogging*

el kayak
la natación
el piragüismo
el submarinismo
el tenis
la vela
el voleibol
el *windsurf*

Verbos relacionados con deportes

bucear
correr
entrenar
escalar
esquiar
ir en | bicicleta / moto
jugar
montar a caballo
nadar
practicar
remar

Instalaciones deportivas

el campo de | fútbol / golf
el polideportivo
la cancha de | baloncesto / voleibol
la piscina
la pista de | tenis / esquí / atletismo

Tipos de deportes

deportes | acuáticos / individuales / de aventura / de competición / de montaña / de equipo

Deportistas

el/la atleta
el/la ciclista
el/la futbolista
el/la jugador(a) de baloncesto
el/la nadador(a)
el/la tenista

Acontecimientos deportivos

la ceremonia de inauguración
la delegación
el/la espectador(a)
el estadio
los Juegos Olímpicos
la medalla de | oro / plata / bronce
el récord

La competición

competir
concursar
empatar
ganar
participar
perder
preguntar
responder

6 Nutrición

Gastronomía mundial

el asado
el bacalao al pil-pil
el burrito
el ceviche
el cocido
el congrí
la crema catalana
el cuscús
la enchilada
la ensaimada
la fabada
el gazpacho
la paella
las papas arrugadas
el pescado frito
el *sushi*
el tamal
la tarta de Santiago
la tortilla

Comidas y bebidas

el agua
el arroz
la carne
los cereales
el embutido
la fruta
los frutos secos
el helado
los huevos
la leche
las legumbres
el pan
la pasta
el pastel
las patatas
el pescado
la verdura
el zumo

Las comidas del día

el desayuno
el almuerzo
la comida
la merienda
la cena

desayunar
almorzar
comer
merendar
cenar

Medidas y cantidades

el litro
el kilo
el medio kilo
el cuarto de kilo
el gramo
la cucharada
el diente (de ajo)
el paquete
el trozo
el vaso

Cocinar

añadir
batir
cortar
echar
freír
lavar
meter
mezclar
pelar
picar

Formas de cocinar

crudo/-a
frito/-a
hervido/-a
al horno
a la parrilla
a la plancha
al vapor

Postres

el arroz con leche
el flan
los frutos secos
el helado
la macedonia (de frutas)
el pastel
el queso
el yogur

7 Diversión

Actividades de ocio

bailar
descansar
dormir
esquiar
hacer deporte
hacer una fiesta
ir | a la playa / a un concierto / al cine / de compras / de excursión

jugar | a las cartas
 | al fútbol
salir con amigos
ver la tele
visitar | una exposición
 | un museo

El cine
el actor
la actriz
el argumento
el cortometraje
el/la director(a)
el documental | de viajes
 | de naturaleza
 | cultural
el largometraje
la reseña
la película | de acción
 | de ciencia ficción
 | de humor
 | de suspense
 | de terror
 | dramática
 | histórica
 | romántica

8 Clima

El tiempo
está nublado
hace | buen tiempo
 | calor
 | frío
 | mal tiempo
 | sol
 | viento
hay | niebla
 | tormenta
 | viento
llueve
nieva

Las estaciones
la primavera
el verano
el otoño
el invierno

Estados de ánimo
estar alegre / triste
estar motivado/-a / desmotivado/-a
estar / sentirse deprimido/-a
sentirse guapo/-a

Tipos de clima
el clima | árido
 | cálido
 | frío
 | húmedo
 | seco
 | tropical

Colores
amarillo/-a
azul
beis
blanco/-a
caqui
granate
gris
marrón
naranja
negro/-a
rojo/-a
rosa
salmón
verde
violeta
(verde) claro/-a
(verde) oscuro/-a

9 Viajes

Tipos de vacaciones
vacaciones | culturales
 | de aventura
 | de playa
 | de salud
 | deportivas
 | escolares
 | familiares

Geografía y accidentes geográficos
el bosque
la catarata
el desierto
el iceberg
la isla
el lago
la montaña
la península
la playa
el río
el valle
el volcán

Medios de transporte
el autobús
el avión
la bicicleta
el coche
el barco
la moto
el tren

Actividades relacionadas con los viajes
hablar idiomas
hacer un crucero
hacer una maleta
imprimir una tarjeta de embarque
interpretar un mapa
ir de *camping*
orientarse en un lugar desconocido

Números ordinales
primero/-a
segundo/-a
tercero/-a
cuarto/-a
quinto/-a
sexto/-a
séptimo/-a
octavo/-a
noveno/-a
décimo/-a

Adjetivos de carácter
abierto/-a
aventurero/-a
conformista
flexible
independiente
interesante
irresponsable
reservado/-a
responsable
sensible
sociable
solitario/-a
tradicional
valiente

Alojamientos
el albergue
el apartamento
el *camping*
el hostal
el hotel
la pensión

10 Educación

El estudio
aburrirse
aprobar un examen
arriesgarse
buscar nuevas estrategias
cometer errores
consultar (un diccionario)
costar
cumplir un plazo
dar un toque personal
deducir por el contexto
divertirse
elegir un tema
equivocarse
hacer los deberes
interesar
participar en clase
planificar (un proyecto)
presentar un trabajo
sacar buenas / malas notas
subrayar
suspender un examen
tener ideas originales
tener una mentalidad abierta
tomar apuntes

El sistema educativo
Niveles:
Educación | Preescolar
 | Primaria
 | Secundaria
 | Superior (Universitaria)

Modalidades:

Educación | de menores
de adultos
especial

Comunidad educativa:

el/la alumno/-a
el/la director(a)
el/la estudiante
las madres
el/la maestro/-a
los padres
el/la profesor(a)

Instituciones educativas:

la guardería
el colegio
la escuela
el instituto
la universidad

11 Consumo

Comprar ropa

gastar dinero
ir de | compras
rebajas
llevar una prenda
ponerse una prenda
probarse una prenda
quedar bien una prenda
quedar mal una prenda

La ropa

Prendas:

el abrigo
el bañador
el biquini
las botas
las bragas
los calzoncillos
la camisa
la camiseta
la chaqueta
los *jeans*
el jersey
las medias
los pantalones
la sudadera
el sujetador
el traje
los vaqueros
el vestido
las zapatillas
los zapatos

Materiales y estilos:

de algodón
de cuadros
de cuello alto
de cuero
de deporte
de fiesta
de lana
de manga corta
de manga larga
de marca
de piel
de rayas
de segunda mano
(gorra) de béisbol
(zapatos) de tacón
corto/-a
largo/-a
liso/-a

Medidas:

el número (para calzado)
la talla | pequeña
mediana
grande

Precios:

barato/-a
caro/-a
los descuentos
las rebajas

Complementos y accesorios:

el anillo
la bufanda
el cinturón
la corbata
las gafas de sol
la gorra
el gorro
los guantes
los pendientes
el sombrero

Lugares:

el centro comercial
el mercadillo
la tienda
la zapatería

Consumo:

comprar
consumir
intercambiar
reciclar
reutilizar
el consumo sostenible
el reciclaje
el trueque

12 Trabajo

Profesiones

el/la abogado/-a
el/la asesor(a) de imagen
el/la asistente/-a personal
el/la bloguero/-a
el/la bombero/-a
el/la camarero/-a
el/la cazador(a) de tendencias
el/la conserje
el/la contable
el/la creador(a) de aplicaciones
el/la dependiente/-a
el/la diseñador(a) gráfico/-a
el/la enfermero/-a
el/la farmacéutico/-a
el/la filólogo/-a
el/la forense digital
el/la logopeda
el/la médico/-a
el/la peluquero/-a
el/la piloto
el/la policía
el/la probador(a) de videojuegos
el/la profesor(a)
el/la publicista
el/la sociólogo/-a

Hablar del trabajo

dedicarse a
hacer prácticas
lo mío es / son
pasar el tiempo
sentir pasión por
tener disponibilidad para
trabajar para

El mundo laboral

el/la cliente/-a
el currículum
el desempleo
el/la empleado/-a
la empresa
el/la empresario/-a
la entrevista de trabajo
la experiencia laboral
el horario fijo / flexible
el/la jefe/-a
el negocio
las prácticas
el sueldo
la titulación
el/la trabajador(a) autónomo/-a
la vida laboral

Habilidades y capacidades

saber | argumentar
presentarse
ser | flexible
honesto/-a
puntual
tener | capacidad de trabajar en equipo
conocimientos de (informática)
empatía
iniciativa

Trabajos temporales

cortar el césped
dar clases particulares a niños
hacer de canguro
pasear perros
trabajar | en una tienda
de / como camarero

13 Salud

Las partes del cuerpo

la boca
el brazo
la cabeza
el cuello
el dedo
los dientes
el estómago
la frente

el hombro
la mano
la nariz
el ojo
la oreja
el pecho
el pelo
el pie
la pierna
la rodilla
el vientre

Estados físicos, mentales y de ánimo

estar | de pie
en forma
nervioso/-a
relajado/-a
sentado/-a
tenso/-a
tumbado/-a

el cuidado
cuidar(se)
la meditación
meditar
la relajación
relajarse
la respiración
respirar

Expresar malestar

el dolor
doler
romperse (el brazo)
torcerse (el pie)
encontrarse | bien
mal
estar | agotado/-a
cansado/-a
enfermo/-a
mareado/-a
tener | dolor de cabeza
dolor de estómago
catarro
fiebre
gripe
tos
un virus

Remedios

dejar de tomar | azúcar
café
hacer | dieta
ejercicio
hacerse unos análisis
ponerse | una bolsa de agua caliente
una crema
quedarse | en casa
en la cama
tomar | una infusión
vitaminas

14 Comunicación

Verbos relacionados con la prensa

criticar
educar
emocionar
enterarse
entretener
hacer una crítica
informar
opinar
reflejar la realidad

Prensa en papel o digital

la batería
el cable
la conexión
el hipertexto
la pantalla
el periódico
la revista
la comunicación virtual
el contenido interactivo
la información actualizada
la tecnología multimedia

Secciones de los periódicos

Ciencia
Cultura
Deportes
Economía
El Tiempo
Opinión
Política (Nacional e Internacional)
Sociedad
Sucesos
Tecnología
Televisión
Viajes

La noticia

un cuerpo
una entradilla
un titular

Reaccionar

¡Qué | bien!
bonito!
desastre!
despacio!
horror!
injusticia!
interesante!
mal!
miedo!
pena!
raro!
tontería!
vergüenza!

Actividades en redes sociales

colgar fotos
compartir música
establecer relaciones
estar conectado/-a
publicar mensajes
tener una conversación privada

15 Medio ambiente

Medio ambiente

las aguas residuales
la atmósfera
el aumento de la temperatura
el calentamiento global
el combustible
la contaminación ambiental
el crecimiento de la población
la deforestación
el descenso de la natalidad
los desperdicios
el efecto invernadero
el electrodoméstico
la emisión de gases tóxicos
la energía / luz solar
la extinción de los animales
la fauna
la flora
los gases invernadero
el planeta
la quema de combustibles
los recursos naturales
los sistemas marinos
la Tierra
el tráfico de especies
el uso de la electricidad
acumular calor
producir energía

Fenómenos naturales

el derretimiento de la capa de hielo
la desertificación
la evaporación de los océanos
el huracán
el incendio
la inundación
la nevada
la precipitación
la sequía
la tormenta

Educación medioambiental

la energía renovable
apagar las luces
limitar el consumo de agua
reciclar plásticos
utilizar bombillas fluorescentes
utilizar papel reciclado

16 Migración

Términos relacionados con la política y la historia

el bienestar
la colonia
la democracia
el empleo

la estado
la expansión
el gobierno
la guerra
el imperio
la independencia
la industria
el nivel de vida
la revolución
la seguridad
el sistema feudal
la sociedad
el territorio

El origen de las lenguas

el dialecto
el origen
los términos
enriquecerse
incorporarse / tomar palabras
proceder

Referirse a un momento del pasado o histórico

a principios / mediados / finales
a. C.
antes de Cristo
d. C.
después de Cristo
la actualidad
los años cuarenta / cincuenta
la década
la Edad Antigua
la Edad Contemporánea
la Edad Media
la Edad Moderna
la época
el periodo
el siglo

Etapas de la vida

la niñez
la infancia
la adolescencia
la juventud
la madurez
la vejez

17 Arte

Manifestaciones artísticas

la arquitectura
el cine
la danza
el dibujo
la escultura
la fotografía
la literatura
la moda
la música
la pintura
el teatro

Descripciones

en el fondo
en primer plano
interpretar
mostrar
observar
transmitir / comunicar sentimientos

Prohibición y permiso

estar prohibido/-a
se prohíbe
estár permitido/-a
se permite

Literatura

la biblioteca
el/la escritor(a)
la librería
el/la narrador(a)
la novela
la obra
el poema
la sinopsis

Géneros musicales

el bolero
la cumbia
el flamenco
el *jazz*
la música clásica
la música *country*
la música electrónica
la música pop
la música folclórica
la ópera
el rap
el *reggae*
el reguetón
el rock and roll
la salsa
el tango

18 Tecnología

Los inventos

construir
contribuir
desarrollar
fabricar
inventar
patentar
revolucionar
usar
utilizar
eléctrico/-a
funcional
revolucionario/-a
el aparato
el desarrollo
la fabricación
el invento
la máquina
el motor
la patente
la producción
el producto
la revolución
el sistema

Ingeniería

el canal
la carretera
la comunicación marítima
la construcción
la inauguración
el lago
el material
la navegación
la obra
el océano
el proyecto
el puente
el río
el tránsito de mercancías
el transporte
el túnel
el valle

El ordenador

el cable
la pantalla
el ratón
el teclado

La informática

abrir / cerrar un documento
buscar información
colgar un archivo
compartir recursos
conectar el ordenador
copiar un documento
cortar un párrafo
crear un archivo
descargar un programa
escribir el usuario / la contraseña
guardar una presentación
instalar un programa
pegar una foto
subir al blog
utilizar un buscador

La ciencia ficción

el androide
el avatar
el clon
el replicante
el robot
la programación
la tecnología cibernética
los seres humanos

Transcripciones

TRANSCRIPCIONES

0 ¡Hola!

Saludos y despedidas

1 A (1)

1 Hola, buenos días. Me llamo Marta. Soy la profesora de español.
2 ● Hola, me llamo Daniel, ¿qué tal?
■ Bien, ¿y tú?
3 ● ¡Adiós, hasta mañana!
■ ¡Adiós!

2 (2)

1 Hola, ¿qué tal? **2** Hola, me llamo Mario, ¿y tú? **3** Hola, buenos días. **4** ¡Adiós, hasta mañana!

El alfabeto

1 (3)

A-Antigua (Guatemala)
B-Bogotá (Colombia)
C-Caracas (Venezuela)
D-Durazno (Uruguay)
E-El Escorial (España)
F-Formentera (España)
G-Guadalajara (México)
H-Heredia (Costa Rica)
I-Iquitos (Perú)
J-Jarabacoa (República Dominicana)
K-Kino (México)
L-La Habana (Cuba)
M-Managua (Nicaragua)
N-Neuquén (Argentina)
Ñ-Ñemby (Paraguay)
O-Oviedo (España)
P-Panamá (Panamá)
Q-Quito (Ecuador)
R-Rocha (Uruguay)
S-San Salvador (El Salvador)
T-Tegucigalpa (Honduras)
U-Uyuni (Bolivia)
V-Valparaíso (Chile)
W-Wanda (Argentina)
X-Xico (México)
Y-Yauco (Puerto Rico)
Z-Zaragoza (España)

3 A (4)

1 t-a-x-i; **2** h-o-t-e-l; **3** r-e-s-t-a-u-r-a-n-t-e; **4** b-a-r; **5** p-l-a-y-a; **6** a-m-i-g-o; **7** m-u-s-e-o; **8** E-s-p-a-ñ-a

Números

1 (5)

cero; uno; dos; tres; cuatro; cinco; seis; siete; ocho; nueve; diez; once; doce; trece; catorce; quince; dieciséis; diecisiete; dieciocho; diecinueve; veinte

El español internacional

1 B (6)

1 sombrero; **2** fiesta; **3** tapas; **4** playa; **5** turista; **6** fútbol; **7** tacos; **8** amigos; **9** siesta; **10** flamenco; **11** poncho; **12** tomates

1 Identidad

La clase

1 A (7)

a la puerta; **b** los libros; **c** el cuaderno; **d** el bolígrafo; **e** la goma; **f** los lápices de colores; **g** las mochilas; **h** el mapa; **i** la pizarra; **j** el ordenador; **k** la silla; **l** los rotuladores; **m** el reloj; **n** la mesa; **ñ** el sacapuntas

2 A (8)

A: Hola, ¿cómo estás?
E: Muy bien, ¿y tú?
A: Bien, gracias.
E: ¿Cómo te llamas?
A: Alejandro, ¿y tú?
E: Soy Erika.
A: Erika, bienvenida a la clase de español.
E: ¡Gracias!

2 C (9)

● Buenos días, ¿es usted Antonio López?
■ Sí, soy yo. ¿Y usted es la señora Sandra Martínez?
● Sí, ¿cómo está, señor López?
■ Bien, gracias, ¿y usted?
● Muy bien. Bienvenido al instituto.

Datos personales

2 A y B (10)

veinte; veintiuno; veintidós; veintitrés; veinticuatro; veinticinco; veintiséis; veintisiete; veintiocho; veintinueve; treinta; treinta y uno; treinta y dos; treinta y tres; treinta y cuatro; treinta y cinco; treinta y seis; treinta y siete; treinta y ocho; treinta y nueve; cuarenta; cincuenta; sesenta; setenta; ochenta; noventa; noventa y nueve; cien

2 C (11)

a Hoy es el cumpleaños del famoso futbolista Alfonso Martínez: ¡32 años! **b** El 77 es el número premiado de la Lotería Nacional. **c** El aeropuerto del Prat, en Barcelona, cumple hoy 100 años. **d** En la liga de baloncesto: Valencia, 91; Canarias, 84. **e** El próximo 23 de abril es el Día del Libro en toda España.

Presentaciones

2 B (12)

1 ¿Cómo te llamas? **2** ¿Cuántos años tienes? **3** ¿Dónde vives? **4** ¿De dónde eres? **5** ¿Qué idiomas hablas? **6** ¿Cuándo es tu cumpleaños?

2 C (13)

¿Eres inglés? / ¿Hablas español? / ¿Vives en Chile?

2 D (14)

1 ¿Qué idiomas hablas? **2** ¿Eres alemán? **3** ¿Cuándo es tu cumpleaños? **4** ¿Hablas chino? **5** ¿Dónde vives? **6** ¿Estudias Bachillerato?

2 Relaciones

Mi familia y mis amigos

1 B (15)

1 Son hermanos y ¡son mis primos favoritos! **2** Son mis abuelos, los padres de mi padre. **3** Es la madre de Álex y Martina, mi tía. **4** Es el hermano de mi padre, mi tío.

3 (16)

1 **Lara:** ¿Quién es el de la foto?
Daniela: Este es mi hermano Carlos.
2 **Daniela:** Esas son las chicas del grupo de rock Eléctrica.
Lara: ¡Qué guay!
3 **Daniela:** ¿Cuál es tu madre?
Lara: Aquella, en la puerta del cine.

Aspecto físico

4 (17)

1 Es una señora alta.

2 Tiene los ojos azules.

3 Es atractiva.

4 Mario es alto.

Ecuador

2 (18)

Ecuador es un país muy diverso. Tiene distintos climas, ecosistemas y paisajes. También su gente tiene diferentes costumbres, tradiciones y características. En la costa, la gente es más sociable, simpática y generosa. En la sierra, muy amable, pero más tímida. En el oriente, la gente tiene características muy variadas. La ubicación geográfica del país, en el ecuador de la Tierra, tiene influencia en el carácter de sus habitantes, pero todos son muy solidarios y cordiales.

3 Hábitat

Una ciudad

5 A (19)

1 Salamanca es una ciudad ideal para pasar unas vacaciones porque es una ciudad muy antigua y muy bonita. ¡Además, la comida es excelente! ¡Qué tapas!
2 Yo vivo en Salamanca y es la mejor ciudad para vivir porque es pequeña, pero tiene de todo. Tiene mucho ambiente, porque hay muchos estudiantes y hay muchos lugares para salir.
3 Salamanca para mí es una ciudad muy interesante para estudiar porque tiene una universidad muy importante y hay estudiantes de todas partes de España y del mundo.

Una casa

3 B (20)

Juanjo: ¿Y qué tal en tu nuevo piso en Barcelona?
Lidia: Muy bien. No es muy grande, tiene una habitación, pero para mí es perfecto. Mi lugar preferido es el salón.
Juanjo: Ah, ¿sí? ¿Es grande?
Lidia: Es muy grande y tiene una chimenea antigua.
Juanjo: ¡Una chimenea! ¿Y tienes un buen sofá?
Lidia: Sí, es un sofá moderno y muy grande.
Juanjo: Para ver la tele.
Lidia: No, no tengo tele. El sofá es para dormir y leer.
Juanjo: Y para estar con los amigos, ¿no?
Lidia: ¡Claro!
Juanjo: Oye, ¿y la bicicleta dónde la tienes?
Lidia: Bueno... la bicicleta está en el salón, al lado de la chimenea. ¡Es muy decorativa!

4 B (21)

1 Uruguay; **2** Toronto; **3** Caracas; **4** Guadalajara; **5** Monterrey; **6** Rosario; **7** Ecuador; **8** Roma; **9** Sarajevo; **10** Andorra; **11** Noruega; **12** París; **13** Rusia; **14** Irán; **15** Marruecos; **16** Nigeria

4 Hábitos

Actividades y horas

2 B (22)

Yo, cuando tengo clase, me levanto a las siete, me ducho y me visto. Después desayuno sobre las siete y media, café con leche y cereales, y me lavo los dientes. A las ocho voy al instituto en bicicleta. Allí tengo clase de ocho y media a una y de dos a cuatro. Al mediodía como en la cafetería del instituto con mis compañeros. Por la tarde, dos días a la semana, juego al baloncesto, de cinco a siete. Después, voy a casa y hago los deberes en mi habitación. Luego ceno con mi familia sobre las nueve y me acuesto aproximadamente a las once.

Rutina diaria

1 A (23)

Marisol: ¿Y te levantas a las seis y media? ¿Por qué tan temprano?
Antonio: Pues porque vivo muy lejos del instituto y el autobús pasa a las siete y media por mi casa.
Marisol: ¡Ah! Pues mi madre trabaja cerca del instituto y voy en coche con ella. Normalmente me levanto a las siete y media y vamos al instituto a las ocho.
Antonio: Ah, yo voy a las siete y media. En nuestro instituto comemos a la una, ¿y vosotros?
Marisol: Primero comen los pequeños y luego comemos nosotros, a las dos.
Antonio: ¿A las dos? ¡Qué tarde! ¿A qué hora salís?
Marisol: Las clases en el instituto terminan a las cinco y cuarto, pero yo vuelvo a casa a las seis y media.
Antonio: ¿Termináis a las cinco y cuarto? Pues mis clases terminan a las tres y media... Y yo vuelvo siempre a casa a las cuatro, como un bocadillo y después, sobre las cinco, hago los deberes.
Marisol: ¡Qué suerte! Yo hago los deberes sobre las ocho, y siempre tengo muchos deberes. Y normalmente me acuesto a las once y media.
Antonio: Yo me acuesto mucho más temprano, a las diez y media, porque tengo que levantarme muy pronto...

Horarios

1 C (24)

Tecnología; Geografía; Química; Historia; Arequipa; Inglés; guitarra; Arte; Lengua; horario; colegio; hacer; Diego; quince

4 A (25)

1 ● Yo, durante la semana nunca voy a casa de mis amigos. Viven demasiado lejos...
■ Yo, a veces, porque mis amigos viven en mi barrio...
2 ● Siempre me levanto pronto los sábados, tengo entrenamiento de baloncesto.
■ Ay, yo no, los fines de semana me levanto muy tarde.
3 ● Durante la semana hago los deberes después de cenar, pero el fin de semana los hago por la mañana, el domingo.
■ Yo también: siempre el domingo por la mañana.
4 ● Yo casi siempre voy al instituto en bicicleta.
■ Yo, casi nunca... Vivo muy lejos, pero a veces sí voy en bicicleta.
5 ● Casi siempre cenamos toda la familia juntos.
■ Nosotros también.

5 Competición

Deportes

2 A y B (26)

Profesor: Hola, chicos. Es el primer día de Educación Física y quiero saber qué deportes practicáis, cuándo y dónde. A ver, empezamos por... Amaya Ramos.
Amaya: Yo juego al fútbol los martes, los jueves y los sábados en el polideportivo de mi barrio.
Profesor: Bien. ¿Y tú, Diego?
Diego: A mí me gusta hacer *jogging*, bueno, correr por el parque. Corro casi todos los días por la mañana.
Profesor: Dicen que tú eres el campeón de la clase, ¿no, Javier?
Javier: Bueno, un poco, je, je. Tengo clases de tenis, de seis a ocho, todos los lunes y jueves en el club de tenis y los sábados tengo partidos de competición.
Profesor: Bueno, Beatriz. ¿Cuál es tu deporte?
Beatriz: Pues yo practico atletismo en el instituto. Entrenamos los lunes y miércoles después de las clases y muchos fines de semana viajamos a otras ciudades para competir con otros institutos.

3 C (27)

Las espectaculares cifras de los Juegos Olímpicos de Londres 2012:
- 25 récords olímpicos
- 204 delegaciones olímpicas
- 4700 medallas
- 10 863 atletas: 6040 hombres y 4823 mujeres
- 2 000 000 de espectadores en pistas y estadios deportivos
- 900 000 000 de espectadores en la ceremonia de inauguración por televisión

Gustos

2 A y B (28)

1 ● A mí no me gusta mucho nadar en la piscina.
■ Pues a mí sí. Me gusta mucho la piscina, pero solo cuando no hay mucha gente.
2 ● A mis amigos y a mí nos encanta jugar al fútbol los fines de semana.
■ Sí, a nosotros también. ¿Dónde jugáis?
3 ● El yoga es muy aburrido. No me gusta, la verdad.
■ A mí tampoco. No me gusta nada, pero a mi hermana le encanta.
4 ● A mí me gustan mucho los deportes de equipo, especialmente el baloncesto.
■ Pues a mí no. Me gustan los deportes individuales.
5 ● A mi papá le encanta el golf. A mí no me gusta nada.
■ Pues a mí sí me gusta.
6 ● Muchos fines de semana voy a la montaña con el club. Me encanta la escalada.
■ A mí no me gusta nada. ¡Qué horror! La escalada no me gusta nada.

2 C (29)

1 A mí no me gusta mucho nadar en la piscina. **2** A mis amigos y a mí nos encanta jugar al fútbol los fines de semana. **3** El yoga es muy aburrido. No me gusta, la verdad. **4** A mí me gustan mucho los deportes de equipo, especialmente el baloncesto. **5** A mi papá le encanta el golf. A mí no me gusta nada. **6** Muchos fines de semana voy a la montaña con el club. Me encanta la escalada.

Concursos

2 A (30)

Presentador: Hoy tenemos en nuestro estudio a Javier Brenes, ganador del concurso *Tu público*. ¡Hola, Javier! Enhorabuena por el premio. Ahora ya eres cantante profesional, ¿no?
Javier: ¡Gracias! Sí, estoy muy contento porque tengo dos conciertos para el mes de julio y, bueno, soy famoso.
Presentador: Con nosotros tenemos a muchos chicos y chicas que escuchan en este momento la nueva edición de *Tu público*. ¿Puedes contarnos cuáles son los requisitos para participar y, por supuesto, para ganar el concurso?
Javier: Bueno, pues lo primero que tienes que hacer es la inscripción, que puede ser por internet. Además, tienes que tener más de dieciséis años y vivir en el país. Claro, también es necesario cantar, bailar o tocar un instrumento.
Presentador: ¿Y eso es todo?
Javier: Bueno, personalmente, también creo que es muy importante ser abierto, simpático y, bueno, un poco guapo también.
Presentador: ¿Algún requisito más?
Javier: Sí, después de una selección, vas a televisión y, eso sí, tienes que ganar cada semana...
Presentador: Bueno, chicos, pues ya sabéis, solo tenéis que tener talento musical, hacer la inscripción y ¡a ganar! Gracias, Javier, y mucha suerte.
Javier: Muchas gracias a vosotros.

4 B (31)

Presentadora: Buenas tardes, hoy tenemos con nosotros a la pareja finalista en nuestro concurso *Palabras*.
Marina: ¡Hola!
Julio: ¡Buenas tardes!
Presentadora: Bueno, creo que no es necesario presentaros porque ya lleváis cinco semanas con nosotros..., pero para los telespectadores que ven el programa por primera vez: Marina y Julio, son amigos, tienen 18 años y viven en Ávila.
Marina: Sí, a ver si tenemos suerte hoy...
Presentadora: Pues aquí va la primera pregunta. Tenéis un minuto para decir nombres de deportes que se juegan en equipo. ¡Tiempo!
Julio: Fútbol.
Marina: Baloncesto.
Julio: Voleibol.
Marina: Ciclismo.
Julia: Tenis.
Marina: Fútbol.
Presentadora: Ay, lo siento, pero la respuesta *fútbol* está repetida. Son cinco respuestas a 10 euros...: ¡cincuenta euros! Vamos con la siguiente pareja...

5 (32)

1 cojín; **2** gafas; **3** espejo; **4** segundo; **5** antiguo; **6** guitarra; **7** hijo; **8** ningún; **9** gordo; **10** joven; **11** jueves; **12** ganar; **13** trabajo; **14** general; **15** conseguir; **16** debajo

6 Nutrición

Comidas y bebidas

1 B (33)

1 la verdura; **2** la fruta; **3** el arroz; **4** los cereales; **5** el embutido; **6** el agua; **7** el pan; **8** los huevos; **9** los frutos secos; **10** las legumbres; **11** la leche; **12** el zumo; **13** las patatas; **14** el pescado; **15** la carne; **16** el helado; **17** el pastel; **18** la pasta

Hábitos alimenticios

1 A (34)

● Hoy tenemos a tres invitados. Cada uno de un país diferente. Tenemos a Elena, de España, a Carla; de Argentina; y a Luis Fernando, de México. Vamos a hablar de la comida y la bebida típica de sus países. Elena, ¿qué se come y qué se bebe en España?
■ La comida en España es muy variada. En España se come carne, pero también se come mucho pescado. España produce mucho pescado, pero importa también mucho por las cantidades de pescado que comemos. También se come mucha fruta y mucha verdura. Se comen muchas ensaladas, por ejemplo. ¡Ah!, y también se comen muchas tapas.
● ¿Y qué se bebe?
■ Bueno, con la comida se bebe normalmente agua, pero los adultos también beben vino...

- Carla, ¿qué se come y qué se bebe en Argentina?
- ▲ ¿En Argentina? Carne, se come mucha carne. Tenemos la mejor carne del mundo. Y por la influencia italiana, se come mucha pasta también.
- ¿Y qué se bebe?
- ▲ Lo que más se bebe es el mate, es la bebida nacional. Es como el café o el té, ¡pero diferente!
- Luis Fernando, ¿qué se come y qué se bebe en México?
- ▲ Se comen muchas tortillas de maíz; se comen burritos o enchiladas de pollo o carne y verduras. Los frijoles se comen con todo. La comida mexicana es muy famosa y es excelente.
- ¿Y qué se bebe?
- ▲ Se beben muchos jugos de fruta.

3 A y B (35)

- ■ Carmen, hoy quiero hacer un gazpacho. ¿Tú sabes cómo se hace?
- Sí, claro.
- ■ Pues dime qué ingredientes necesito y voy ahora mismo al supermercado a comprarlos.
- Mira, el ingrediente principal son los tomates.
- ■ ¿Cuántos? ¿Un kilo?
- Sí, un kilo. Después, compra un pimiento y una cebolla. También necesitas aceite y vinagre.
- ■ Muy bien. En casa tengo aceite y vinagre.
- ¡Y sal!
- ■ Sí, sí, también tengo sal.
- También le puedes poner un trozo de pan.
- ■ Muy bien, creo que tengo pan. ¿Y algo más?
- No, nada más. Bueno, sí, un diente de ajo.
- ■ Vale, tengo ajo en casa. Entonces solo tengo que comprar los tomates..., un kilo, y la cebolla. ¡Qué plato más barato!
- ¿Tienes pimientos?
- ■ Ay, no, es verdad, tengo que comprar también pimientos.

Comer fuera

1 B y C (36)

Camarero: Hola, ¿qué desean para comer?
Bernardo: Yo, de primero, quiero la sopa de pescado.
Lucía: Perdone, ¿qué lleva la ensalada?
Camarero: Lleva lechuga, tomates, maíz, frutos secos y naranja.
Lucía: Pues yo quiero una ensalada.
Camarero: ¿Y de segundo?
Bernardo: ¿Cómo preparan la dorada?
Camarero: La hacemos al horno.
Bernardo: Pues para mí la dorada.
Lucía: Y para mí, de segundo, el bistec con pimientos asados.
Camarero: ¿Lo quiere muy hecho o poco hecho?
Lucía: Lo quiero muy hecho.
Camarero: ¿Y de postre?
Bernardo: ¿La macedonia lleva melocotón?
Camarero: Sí, lleva melocotón, manzana, plátano, fresas...
Bernardo: Umm, soy alérgico al melocotón... Entonces un flan de la casa.
Lucía: Y yo también.
Camarero: ¿Y para beber?
Bernardo: Yo, un agua con gas.
Lucía: Yo, un agua sin gas.

1 D (37)

Bernardo: ¡Camarero! ¿Me pone un café, por favor?
Camarero: ¿Solo?
Bernardo: No, con hielo.
Camarero: Ahora mismo. ¿Y para usted?
Lucía: A mí un té con limón.
Bernardo: ¡Ah! Y me trae la cuenta también, por favor.

5 B (38)

1 pollo; **2** ceviche; **3** churros; **4** chorizo; **5** mantequilla; **6** enchilada; **7** bocadillo; **8** cebolla; **9** paella; **10** leche; **11** chocolate; **12** gazpacho

7 Diversión

Hacer planes

1 B (39)

Rodrigo: Tengo varias ideas para este fin de semana. ¿Qué les parece si el sábado paseamos por el Malecón? Es un lugar muy especial.
Cristina: Pero... ¿qué es el Malecón?
Rodrigo: Es un paseo al lado del mar donde siempre hay mucha gente joven.
Álex: A mí me gusta la idea, tengo muchas ganas de pasear...
Cristina: Sí, a mí también me parece bien ir al Malecón.
Rodrigo: ¿Y si vamos a bailar por la noche? Hay dos conciertos el sábado, uno de salsa y otro de *hip hop.*
Álex: Yo prefiero el de salsa; es más cubano, ¿no?
Cristina: Sí, a mí también me apetece más el concierto de salsa.
Rodrigo: De acuerdo, pues llamo a unos amigos y vamos al concierto.
Álex: ¡Estupendo!
Cristina: Sí, sí, me apetece mucho...
Álex: ¿Y el domingo?
Rodrigo: ¿Por qué no vamos a la exposición de Mario David por la mañana? Es un artista cubano muy interesante...
Cristina: No sé, las exposiciones me parecen aburridas. Yo prefiero pasear por el centro de La Habana.
Rodrigo: Bueno, por la mañana podemos ir a la exposición y por la tarde vamos de paseo. Y por la noche, podemos salir a cenar.
Álex: Me gusta la idea, pero podemos cenar en casa y después salimos.
Rodrigo: OK, ya está. Tenemos el fin de semana organizado.

Invitar

1 B (40)

Raúl: ¿Dígame?
María Elena: Hola, Raúl, ¿cómo estás? ¿Quieres ir al cine esta tarde? Es que quiero ver una película de terror y mis amigas no quieren verla.
Raúl: ¿María Elena? Hola, hola... Sí, sí, de acuerdo. ¡Estoy en tu casa en quince minutos!
María Elena: Muy bien, pues nos vemos ahora. Te espero en la puerta de mi casa...

Dar opiniones

1 A y B (41)

Carlos: Qué estrés tengo con tantos exámenes, estoy harto de tanto estudiar. Yo creo que también es importante divertirse, ¿no?
Sara: Pues sí, tienes razón, pero creo que todo es cuestión de organizarse...
Carlos: Pero es que es imposible con todo el trabajo que tenemos. Estoy estresado, muy estresado y no puedo más. ¡Y me aburro de tanto estudiar!
Sara: A ver, Carlos, estoy de acuerdo contigo en que tenemos mucho trabajo, pero me parece que tienes que aprender a relajarte. Mira, yo, cuando tengo estrés, cuando estudio, siempre hago descansos y, por ejemplo, escucho música. Es necesario olvidar los problemas, todos los proyectos y exámenes y ¡no estresarse! Otras veces, lo mejor para relajarse es un buen libro. Cuando lees, entras en un mundo nuevo y olvidas tus preocupaciones...
Carlos: Estoy de acuerdo contigo, todo eso ayuda, pero es que estoy siempre cansado...
Sara: Pero... ¿no estás toda la noche con el ordenador? Me parece que no duermes bien.
Carlos: Es verdad, duermo pocas horas y juego mucho con el ordenador. Es que me relaja...
Sara: De verdad, Carlos, si te organizas bien, tienes tiempo para divertirte también. Yo salgo mucho los fines de semana y también tengo tiempo para ver películas, jugar en el ordenador y dormir bien. Además, pienso que tienes que empezar a ser menos serio, a reírte mucho más, hasta de ti mismo. La risa es lo mejor contra el estrés.
Carlos: Sara, tienes razón, tengo que aprender... Pero es que, Sara, eres tan inteligente...
Sara: Pues yo creo que no. Inteligente no, organizada.

2 A (42)

1 correo; **2** utilizar; **3** necesitar; **4** zapato; **5** dominicana; **6** social; **7** cubano; **8** zumo; **9** excursión; **10** apetecer

2 B (43)

concierto; razón; centro; cine; zapato; hacer; decir; cena; gracias; zona

8 Clima

El tiempo

1 C (44)

Vamos con la previsión del tiempo del día de hoy en algunas capitales del mundo.
Mal tiempo hoy en Londres. Está nublado y hace frío.
En Moscú nieva y hace mucho frío. ¡Hace muy mal tiempo en la capital y en todo el país!
Hoy en Bangkok llueve y hay tormentas previstas todo el día.
En Lima hoy tienen un día muy bonito. Hace sol y no hace nada de viento.

2 B (45)

Y ahora, la previsión del tiempo en Argentina hoy.
Aunque por la tarde va a hacer sol, en el norte del país llueve y hay tormentas en este momento. En el centro hace buen tiempo, pero está nublado en las regiones del oeste. Además, hay niebla en estas regiones. En la Patagonia, en el sur del país, hay tormentas en Río Negro y también en Chubut. En Santa Cruz está nublado y hace sol en Tierra del Fuego.

El clima perfecto

1 B y C (46)

Yanina: ¿Entonces, dónde vamos, Antonio? Mar del Plata es más turística que Pinamar y ¡me encantan sus playas!
Antonio: No, Yanina, a mí me gusta más Pinamar, es una ciudad menos ruidosa y más exclusiva que Mar del Plata...
Yanina: Pero Pinamar es más cara y hay menos hoteles que en Mar del Plata.

Antonio: Ya, pero en Pinamar puedes estar más tranquilo y puedes descansar con una naturaleza sin contaminación, en playas limpias... Además, es mejor porque está más cerca de Buenos Aires que Mar del Plata.
Yanina: Sí, pero Mar del Plata tiene más medios de transporte, vos podés llegar en avión; a Pinamar no podés volar.
Antonio: Eso es cierto, el transporte para ir a Pinamar es peor..., pero vamos a ir en coche, ¿no?
Yanina: Sí, ya sé..., claro que vamos a ir en auto...
Antonio: Si llueve, ¡hay tantas cosas interesantes en Pinamar!
Yanina: Sí, ¡tantos lugares interesantes como en Mar del Plata..., si llueve!
Antonio: La comida es muy buena en Pinamar...
Yanina: Tan buena como en Mar del Plata, ¡tienen la misma gastronomía! Vamos Antonio, ¡Mar del Plata es más barata que Pinamar! Las dos tienen el mismo clima, perfecto para disfrutar el verano. ¡Vamos a Mar del Plata ya!

3 (47)

1 Mar del Plata es más turística que Pinamar y ¡me encantan sus playas! **2** No, Yanina, a mí me gusta más Pinamar. **3** Ya, pero en Pinamar puedes estar más tranquilo y puedes descansar con una naturaleza sin contaminación, en playas limpias. **4** Sí, ya sé. **5** Si llueve, ¡hay tantas cosas interesantes en Pinamar! **6** Sí, ¡tantos lugares interesantes como en Mar del Plata..., si llueve!

4 (48)

1 Vamos en yate. **2** A mí no me gusta nada la lluvia. **3** ¿Dónde está la llave de tu casa? **4** Esta es la calle que busco. **5** Yésica va a mi clase de francés. **6** Yo me llamo Daniela, ¿y vos?

Argentina

1 B (49)

Argentina está en América del Sur y limita con Chile, Bolivia, Paraguay, Brasil y Uruguay. Tiene unos 40 millones de habitantes y su capital es la ciudad de Buenos Aires. El idioma oficial es el español y tiene 25 lenguas indígenas, las más habladas son el guaraní, el quechua y el aimara.

3 (50)

- ● En el programa de hoy entrevistamos a Santiago Biasi, el autor del libro *El clima y su influencia en nuestras vidas*. Buenos días y bienvenido.
- ■ Buenos días, muchas gracias por invitarme.
- ● Señor Biasi, en su libro defiende que la inmigración y el clima en Argentina tienen relación. Es un tema muy interesante. ¿Qué relación tiene la geografía y el clima con la inmigración?
- ■ Las características de las diversas regiones de Argentina atraen a los inmigrantes que vienen de distintos países, principalmente de Italia, España, Siria, Líbano, Alemania e Inglaterra, entre muchos otros. Estas características les recuerdan a sus países de origen.
- ● ¿Y cómo influyen esas características?
- ■ Por ejemplo, los italianos van principalmente a las regiones del centro, que son regiones de clima templado, con diversidad de paisajes y zonas agrícolas y ganaderas, en particular, en La Pampa argentina...
- ● ¿Y los españoles?
- ■ Los españoles viven en las regiones del oeste, en provincias como Mendoza o San Juan, donde hace calor y hay viñedos y olivares.
- ● ¿Y los árabes?
- ■ Los sirios y libaneses prefieren climas más extremos, más cálidos, y paisajes más desérticos, como el norte de Argentina.
- ● ¿Y dónde se encuentran los inmigrantes alemanes?
- ■ Los alemanes, como los ingleses, generalmente viven en el sur, donde nieva y hace más frío.
- ● ¿En la Patagonia?
- ■ Sí, es muy curioso. En esta región vive una comunidad de Gales muy importante que conserva su lengua.
- ● Muy interesante. Muchísimas gracias, señor Biasi.

9 Viajes

Saber viajar

1 B y C (51)

Yago: Tenemos que decidir a dónde vamos de vacaciones. Yo quiero ir a la playa... Podemos ir a Acapulco. Dicen que está muy bien.
Yolanda: Acapulco... No sé..., yo no conozco Guadalajara, por ejemplo. Seguro que es una ciudad interesante. Y no quiero ir a un lugar con playa, yo prefiero ir a una ciudad.
Yago: Pero yo quiero ir a una playa de México... No conozco las playas mexicanas. Además, Guadalajara la conozco. Podemos ir al Caribe... No conozco el Caribe...
Yolanda: Es que yo quiero ir a un lugar con historia. No quiero estar con miles de turistas tomando el sol. Solo conocemos los sitios que están cerca del D. F.: Puebla, Cuernavaca...
Yago: Ya..., por eso. Solo conocemos ciudades sin playa...
Yolanda: ¡Qué difícil! Hay tantos lugares en México...
Yago: ¡Ya lo tengo! ¿Vamos a Playa del Carmen?
Yolanda: ¿Playa del Carmen? Yo no quiero ir a Playa del Carmen, es demasiado turístico.
Yago: Pero está en la Riviera Maya y las ruinas mayas están muy cerca y podemos visitarlas...
Yolanda: Ay, no sé...
Yago: Siempre hago lo que tú dices y esta vez no puedes decir que no. Allí tenemos todo lo que tú quieres y lo que yo quiero. Podemos pasar unos días en la playa y otros días podemos ir de excursión. Podemos alquilar un coche. ¡Yo conduzco!
Yolanda: Bueno..., no es mala idea. No sé..., lo quiero pensar un poco. Mañana te doy una respuesta.

Descubrir

2 (52)

A ● Perdone, ¿sabe dónde está el Templo Mayor?
■ Sí, todo derecho, al final de esta calle.
B ● Perdone, ¿el Templo Mayor?
■ La segunda a la izquierda. Está entre el antiguo colegio de San Ildefonso y la catedral.
C ● Disculpe, ¿el Templo Mayor está cerca?
■ Sí, sí, está aquí al lado, detrás de la catedral.
D ● Disculpe, ¿hay un templo azteca por aquí?
■ Sí, el Templo Mayor. La segunda calle a la derecha.
● Muchas gracias.

Experiencias

3 A y B (53)

- ● Hola, Laura, ¿qué tal el viaje por México?
- ■ Muy bien. Ha sido un viaje fantástico. México es maravilloso y he conocido al chico ideal.
- ● ¡Qué bien! ¿Y cómo se llama?
- ■ Carlos Daniel. Es un chico muy guapo y muy interesante. Ha viajado por todo el mundo, ha estado en España muchas veces...
- ● ¡Qué suerte! ¿Y estudia? ¿Trabaja?
- ■ Ha tenido muchos trabajos, ha hecho varias películas...
- ● ¿Como actor?
- ■ ¡No! Como director...
- ● ¡No!
- ■ Y ha escrito cuatro libros..., y ha ganado dos veces un premio de literatura.
- ● Pero ¿cuántos años tiene?
- ■ ¡Veinte!
- ● ¿Seguro que ha hecho todo eso?
- ■ Bueno, eso es lo que me ha dicho...

10 Educación

Cambios en los sistemas educativos

1 A y C (54)

Entrevistadora: Es un honor tener con nosotros al experto en educación Eduardo Vallejo, que nos habla hoy de los cambios que están ocurriendo en la educación a nivel mundial. Vamos con la primera pregunta: ¿cuál cree que es el cambio más importante en la educación actual?
Eduardo: Creo que la educación está cambiando, principalmente por las tecnologías. Las TIC están revolucionando la forma de enseñar.
Entrevistadora: ¿Eso quiere decir que el rol del profesor está perdiendo importancia?
Eduardo: No, en absoluto; al contrario, el profesor sigue teniendo un papel muy importante, crucial, pero como guía, como facilitador del aprendizaje, y no como transmisor de conocimientos. El profesor debe promover el pensamiento crítico, es decir, los estudiantes deben cuestionar, analizar y criticar antes de tomar una decisión.
Entrevistadora: Está diciendo algo muy interesante, que me lleva a la próxima pregunta: ¿cuáles son los retos principales para este cambio que está sucediendo en la educación actual?
Eduardo: El alumno debe prepararse con diversas herramientas; estas herramientas son capacidades, actitudes o habilidades que ayudan a aprender a vivir en este mundo globalizado. Muchos gobiernos están invirtiendo en los sistemas educativos, pero su contribución debe ser mayor. La educación, en mi opinión, está cambiando positivamente en muchos países, pero, a la vez, está viviendo una crisis en muchos otros aspectos...

Otras formas de educarse

3 A (55)

Acabo de salir de un curso que en menos de un mes me ha cambiado la vida. Me siento muy bien, puedo expresar mis emociones, mis sentimientos; estoy aprendiendo técnicas teatrales y esta clase realmente me ha enseñado muchísimas cosas sobre mí, ¡una verdadera educación emocional y física! Empiezo a sentir un equilibrio en mi vida, ¡estoy muy contenta!

4 A (56)

1 creatividad; **2** deber; **3** alfabetización; **4** Bolivia; **5** nivel; **6** educativos; **7** establecer; **8** iniciativas; **9** cambiar; **10** investigación; **11** innovación; **12** actividades; **13** acrobacia; **14** viajes; **15** acabar; **16** vida

11 Consumo

La moda

3 B 57

1 zapatillas – tenis; **2** bragas – cucos; **3** pendientes – aretes; **4** sudadera – buzo; **5** bañador – vestido de baño; **6** gorra – cachucha

De compras

2 A 58

A ● Hola, ¿le puedo ayudar?
■ Hola, quiero un traje para ir a una boda.
● ¡Ah, muy bien! ¿Cómo lo quiere? ¿Gris, azul marino…?
■ No sé, ¿azul marino?
● Mire, ¿le gusta este?
■ ¿Es muy caro?
● Espere, que miro el precio en la etiqueta. Cuesta 150 euros. ¿Quiere probárselo?

B ● ¿Y si le compramos este casco?
■ ¿No es muy caro?
● Pero somos cinco para el regalo, ¿no? ¿Y si se lo compramos juntos?
■ Vale, tienes razón. Vamos a comprárselo.

C ● ¿Les gusta este vestido?
■ Sí, mucho, es muy bonito.
▲ Sí, me encanta, ¿cuánto cuesta?
● Antes, 60; ahora, 30 euros.
▲ ¡Qué barato!
■ ¿Por qué no te lo pruebas? Seguro que te queda muy bien.
▲ De acuerdo, voy a probármelo.

D ● ¡Me gusta!
■ Sí, pero te queda un poco grande.
● Pero es que me gustan grandes. ¿Me puedes traer una talla más grande? ¡Por favor!
■ Vale, pero a mí me parece demasiado grande…

De segunda mano

4 B 59

rebajas; estilo; algodón; traje; abrigo; regalar; marca; zapatos; cinturón; música; comprar; universidad; mercadillo; número; vestir; moda; hábito

Colombia

1 B 60

Colombia es un país situado en el noroeste de América del Sur. Tiene costas en el océano Pacífico y también en el mar Caribe. Su nombre viene de Cristóbal Colón. Tiene casi cincuenta millones de habitantes, que provienen del mestizaje entre europeos, indígenas y africanos. También hay inmigrantes de Oriente. En Colombia se habla español, que coexiste con más de sesenta lenguas amerindias. Las ciudades más importantes son: Bogotá (la capital), Medellín, Santiago de Cali, Barranquilla y Cartagena de Indias. Escritores como Gabriel García Márquez y Álvaro Mutis, el artista Fernando Botero y los músicos Juanes y Shakira son colombianos. En Colombia se interpretan muchos tipos de música, pero el vallenato y la cumbia, entre otros, son originarios de este país. Colombia es el tercer productor de café del mundo.

12 Trabajo

Profesiones

3 A 61

1 peluquero; **2** abogado; **3** diseñador; **4** médico; **5** policía; **6** bloguero; **7** violinista; **8** piloto; **9** farmacéutico; **10** camarero; **11** bombero; **12** filólogo

3 B 62

1 Paco; **2** Cata; **3** Toni; **4** Pepe; **5** Pili; **6** Gabi; **7** Bibi; **8** Berto

Desarrollo profesional

1 A 63

● Tenemos la primera llamada de la mañana. Hola, buenos días.
■ ¿Hola?
● Hola. ¿Nos dices tu nombre?
■ Fátima, Fátima Rodríguez.
● Muy bien, Fátima. Dinos, ¿qué fue lo más importante que te pasó el año pasado en tu vida profesional?
■ Pues lo más importante fue que aprendí a conducir un autobús.
● ¿Y cómo aprendiste?
■ Me enseñó mi padre… Es que mi padre es conductor de autobuses… ¡Pero después fui a una autoescuela para sacarme el carné de conducir!
● ¿Y ahora estás trabajando como conductora de autobuses?
■ Sí, en la empresa de mi padre. ¡Y estoy encantada!
● Muchas gracias por tu llamada, Fátima. ¡Y enhorabuena!
■ Gracias. ¡Adiós!

1 B 64

● Buenos días a todos, queridos amigos. En nuestro programa vamos a hablar de cosas positivas. A veces nos ocurren cosas que cambian nuestra vida personal o nuestra vida profesional. Por eso, la pregunta de hoy en nuestro programa es: ¿qué fue lo más importante que te pasó el año pasado profesionalmente? Esperamos vuestras llamadas. Tenemos la primera llamada de la mañana. Hola, buenos días.
■ ¿Hola?
● Hola. ¿Nos dices tu nombre?
■ Fátima, Fátima Rodríguez.
● Muy bien, Fátima. Dinos, ¿qué fue lo más importante que te pasó el año pasado en tu vida profesional?
■ Pues lo más importante fue que aprendí a conducir un autobús.
● ¿Y cómo aprendiste?
■ Me enseñó mi padre… Es que mi padre es conductor de autobuses… ¡Pero después fui a una autoescuela para sacarme el carné de conducir!
● ¿Y ahora estás trabajando como conductora de autobuses?
■ Sí, en la empresa de mi padre. ¡Y estoy encantada!
● Muchas gracias por tu llamada, Fátima. ¡Y enhorabuena!
■ Gracias. ¡Adiós!

***

● Vamos con la segunda llamada. ¡Hola! ¡Buenos días! ¿Con quién hablamos?
■ Hola, soy Alberto.
● ¡Hola, Alberto! Cuéntanos, ¿qué fue lo más importante que te ocurrió el año pasado profesionalmente?
■ El año pasado gané el Concurso Internacional de Piano de Santander. Fue el día más feliz de mi vida.
● ¿Y qué hiciste después?
■ Empecé a trabajar en una de las mejores orquestas de Alemania, y ahora estoy viviendo en Berlín.
● ¡Muchas felicidades, Alberto!
■ Muchas gracias.

***

● Pasamos ahora a la tercera llamada de la mañana. Hola, buenos días.
■ Hola, buenos días.
● ¿Cómo te llamas?
■ Lucía.
● Hola, Lucía. Cuéntanos, ¿qué fue lo más importante que te ocurrió el año pasado en tu vida profesional?
■ Pues es que a mí me encanta cocinar y he trabajado en muchos restaurantes…
● ¿Y qué te pasó el año pasado?
■ Que por fin conseguí ver mi sueño hecho realidad.
● ¿Abriste tu propio restaurante?
■ ¡Sí! ¡Se llama Mamá Lucía!
● ¿Y qué tal te va?
■ ¡Muy bien! Pero trabajo muchas horas, ¿eh?
● Sí, claro… Es que el horario de los cocineros es muy largo, pero… ¡enhorabuena, Lucía! Ya lo saben: si quieren comer bien, no dejen de ir a comer a Mamá Lucía. Mucha suerte con tu negocio.
■ ¡Gracias!

Vida laboral

3 A 65

Sofía: Javier, necesito dinero y me gustaría trabajar este verano. ¿Me das ideas? ¿Qué trabajos has hecho tú?
Javier: Trabajé en un restaurante, como ayudante de cocina.
Sofía: ¿Cuándo?
Javier: El verano pasado. Trabajé dos meses: de principios de julio a principios de septiembre.
Sofía: ¿Y ganaste mucho dinero?
Javier: Mucho no, pero me compré una bicicleta y me fui de vacaciones después.
Sofía: Es que yo me quiero comprar una moto. Tengo algo de dinero ahorrado, pero me falta un poco más…
Javier: ¿Por qué no buscas trabajo en alguna tienda, como dependienta? En verano, muchas tiendas necesitan contratar a gente… Pero, ¿tú no has trabajado nunca?
Sofía: Bueno, a veces hago trabajos pequeños, trabajos temporales… Doy algunas clases particulares a niños, y el verano pasado hice de canguro para mi vecina…

13 Salud

El cuerpo humano

3 A 66

Buenos días, hoy te invitamos a realizar un ejercicio de relajación con nosotros.
Debes buscar una silla cómoda, colocar la espalda recta y los pies en el suelo. Si prefieres, puedes cerrar los ojos. Debes llevar la atención a tu cuerpo. Ahora, vas a respirar varias veces para llevar más oxígeno a tu cuerpo. Puedes observar los pies que tocan el suelo: ¿qué sensaciones tienes?, ¿calor, frío, tensión? ¿Cómo están tus piernas?, ¿están relajadas? ¿Y tus rodillas? ¿Y tus pies?, ¿están relajados? Debes observar tu espalda en contacto con la silla: ¿está recta? ¿Cómo está tu estómago? Si está tenso, debes respirar profundamente. ¿Cómo están tus manos? ¿Y tus dedos? Debes

relajarlos, igual que los brazos y los hombros. Si notas alguna tensión, tienes que respirar y relajar esa parte. Después, puedes observar el cuello, la cara; todo debe estar relajado. Ahora sientes todo tu cuerpo y puedes respirar una vez más. Si estás totalmente relajado, puedes abrir los ojos: tu cuerpo ya está preparado para trabajar.

Problemas de salud

1 A 67

1 ● ¡Ay, me duele el pie, creo que me lo he torcido!
■ Pero ¿qué te ha pasado?
● Pues..., jugando al baloncesto...
2 ● ¡Estoy muy mareada!
■ ¿Has desayunado bien?
● ¡Ay, no! Me voy a la cafetería a comer y a beber algo. ¡Me duele la cabeza también!
3 ● ¿Qué te pasa?
■ No sé, me duele mucho el estómago. Creo que tengo un virus...
4 ● ¿Te encuentras mal?
■ Sí, creo que tengo fiebre. Y también tengo mucha tos.
● Seguro que tienes un catarro...
5 ● ¿Te encuentras bien, David?
■ No, ¡estoy agotado! Duermo unas nueve horas y me levanto cansado... ¿Qué crees que me pasa?
● No lo sé, pero debes ir al médico.
6 ● ¿Qué te ha pasado?
■ Me he caído, y me duele mucho el brazo. ¡Creo que me lo he roto!

2 A 68

● Buenos días, ¿qué le pasa?
■ Me encuentro muy cansado, duermo mal, no tengo ganas de comer...
● ¿Tiene mucho estrés últimamente?
■ Pues sí. Estoy estudiando y trabajando y tengo muy poco tiempo libre.
● ¿Y come bien?
■ Pues, la verdad, no, porque no tengo tiempo de cocinar...
● ¿Y café? ¿Toma usted café?
■ Creo que demasiado, sí.
● Bueno, le voy a hacer unos análisis, pero, para empezar, es conveniente cambiar algunas cosas en su vida. Debe cuidar más la comida. Tiene que intentar tomar siempre productos frescos.
■ Sí, sí, de acuerdo...
● ¡Ah!, y debe dejar de tomar café, al menos durante unos meses.
■ Está bien, puedo tomar té, eso no es un problema...
● Muy bien. Además, lo mejor es practicar algún tipo de ejercicio de relajación contra el estrés. Puede hacer yoga, o meditación, pero hay muchas otras técnicas... ¿Por qué no se apunta a algún curso?
■ Sí, tengo amigos que hacen yoga y puedo ir con ellos.

14 Comunicación

La radio y la televisión

1 B y C 69

1 Interrumpimos el programa para informar que este fin de semana se esperan grandes tormentas en la mayor parte del país. Se aconseja a los ciudadanos quedarse en casa el mayor tiempo posible y, sobre todo, no ir en bicicleta ni utilizar medios de transporte públicos ni privados.

2 Ayer tuvo lugar el concierto de Ricky Martin en el Teatro Principal. Al cantante lo acompañaron sus músicos y un grupo de bailarines con los que ya ha trabajado en muchas ocasiones. Presentó su nuevo disco, pero también, a petición del público, cantó algunos de sus éxitos más famosos.

3 Hoy ha llegado la noticia a los medios de comunicación: parece que los avances en la lucha contra la malaria en África están causando efecto. Por primera vez, las víctimas mortales han disminuido y las estadísticas muestran una gran esperanza.

4 El domingo pasado, como sabemos, se enfrentaron los dos grandes rivales del fútbol en nuestra ciudad. El resultado fue un partido emocionante que terminó en un empate de 2 a 2. Hoy, algunos de los futbolistas de ambos equipos se han reunido para hacerse unas fotos para la campaña contra la violencia en el deporte. Un buen ejemplo, ¡sin duda!

Mensajes escritos

1 B 70

1 Es una forma fácil, bonita y divertida de compartir con tus amigos tus momentos más especiales a través de fotos.

2 Sirve para establecer relaciones profesionales y es muy útil para encontrar un trabajo.

3 Es una red social que sirve para publicar y leer mensajes de texto de un máximo de 140 caracteres.

4 Se puede hablar con gente de todas las partes del mundo, ¡y es gratis! Solo tienes que estar conectado a internet.

5 Se pueden colgar fotos, vídeos, decir que te gusta lo que cuelgan tus amigos, incluso tener conversaciones privadas.

Puerto Rico

2 B 71

Puerto Rico es una isla que está en el mar Caribe. Es una de las islas de las Antillas y está situada al este de la República Dominicana y al oeste de las islas Vírgenes. A pesar de su pequeño tamaño, posee diversidad de ecosistemas: bosques secos y lluviosos, montañas, costas y, por supuesto, playas.
Puerto Rico es un Estado libre asociado de los Estados Unidos desde 1952, pero no forma parte de los Estados Unidos. El país tiene un clima tropical, con una temperatura media de entre 20 y 30 grados, aproximadamente.
Cuando los españoles llegaron a la isla, los habitantes de Puerto Rico eran los indios taínos. Por eso a Puerto Rico se le llama también Borinkén, que es una palabra taína. Actualmente, los dos idiomas oficiales son el español y el inglés.
En Puerto Rico, los deportes más populares son el baloncesto y el béisbol. Los boricuas también son grandes amantes de la música, y fueron los que popularizaron la salsa en Nueva York.

15 Medio ambiente

Los recursos naturales

1 A y B 72

Buenos días a todos y muchas gracias por invitarme a participar en esta conferencia.
Como sabemos, y creo que estamos todos de acuerdo, nuestro planeta, como también Venezuela, es rico en recursos naturales. Poseemos grandes bosques, contamos con mucha agua y muchos de nuestros suelos son ricos y apropiados para el cultivo de muchos tipos de plantas. También tenemos recursos no renovables, como el petróleo. Además, tenemos ecosistemas muy diferentes, por eso contamos con una gran riqueza en biodiversidad: animales y plantas de una gran variedad.
Sin embargo, creo que todos conocemos los problemas ambientales que afectan a todo el planeta en este momento, y nuestro país no es una excepción. Estos problemas son el producto de la forma en que la sociedad ha organizado sus recursos naturales.
A continuación, voy a hablar de los principales problemas ambientales que afrontamos.
El primer problema es el crecimiento de la población: cada día nacen más personas en todo el mundo. Estos nuevos habitantes necesitan recursos, como un espacio para vivir, agua, alimento, ropa... Este aumento de población implica problemas ambientales, como la contaminación y la deforestación.
Precisamente, este es nuestro segundo problema: la deforestación. La deforestación es la destrucción del bosque por la acción humana. Esta práctica se realiza con la finalidad de ampliar los terrenos agrícolas por la mayor demanda de alimentos.
Una consecuencia de la deforestación es la contaminación, y este es nuestro tercer problema. La contaminación es un problema ambiental muy grave y se da a todos los niveles; por ejemplo, cada día hay más ríos, lagos o mares que resultan contaminados (principalmente a causa de las aguas residuales de hogares e industrias).
La contaminación también se da por los residuos sólidos. Muchos turistas y habitantes no son conscientes del impacto que generan cuando dejan plásticos, botellas y otros desechos en montañas, bosques, playas, ríos, etcétera.
El aire sufre también de contaminación, por las emisiones de gases tóxicos de las industrias, los automóviles y las petroleras.
El último problema que voy a mencionar es el tráfico de especies. El tráfico de especies amenaza nuestra fauna y flora. Cuando un animal salvaje deja su hábitat para vivir en un zoológico o en la casa de una familia, su biología natural se ve afectada y, normalmente, queda imposibilitado para reproducirse.
Como vemos, nuestro planeta sufre graves problemas ambientales. En Venezuela, poco a poco, estamos tomando conciencia de nuestras acciones y de cómo estas repercuten sobre el ambiente. Pero tenemos que estar convencidos de que depende de nosotros. Tenemos que empezar por acciones concretas, como no tirar basuras en ríos, bosques o parques. Salvar el planeta depende de nosotros. Todos somos parte de la solución.
Muchas gracias. Comencemos con las preguntas...

La educación medioambiental

1 B 73

El cambio ambiental global es la sumatoria de todas las acciones destructivas que el ser humano genera sobre la tierra día a día. Por eso es tan importante que vos participes, porque con pequeños cambios en tu rutina diaria podemos lograr la solución. Participá, sé parte del cambio.

4 A y B 74

Moderador: Bienvenidos al debate sobre las medidas que pueden mejorar el medio ambiente en nuestra ciudad. Hoy contamos con la presencia de dos políticos

locales muy importantes: Pedro Villanueva y Sara Estévez. Muchas gracias por asistir a este debate. Vamos a comenzar con la señora Estévez.
Sara: ¡Muchas gracias! Uno de los mayores problemas hoy en día es el uso de la energía. Por lo tanto, en primer lugar, debemos reducir el consumo de energía eléctrica utilizando energías renovables, es decir, utilizar más la energía solar, desarrollar sistemas para ahorrar energía...
Moderador: Gracias, señora Estévez. Ahora es el turno del señor Villanueva.
Pedro: Yo no estoy de acuerdo con la señora Estévez. Desde mi punto de vista, lo primero es concienciar a la gente con rutinas diarias, como limitar el consumo de agua, reciclar los envases de plástico o de aluminio, utilizar de forma eficiente el automóvil... Es innegable que esto debe ser lo primero.
Sara: Ya, pero es mucho más importante...

16 Migración

Culturas con historia

4 A (75)

- ¿De qué vas a hacer tu trabajo de Antropología?
- Bueno, creo que voy a hacer un trabajo sobre cómo han influido otras culturas en la cultura española.
- Puede ser muy interesante, pero supongo que te vas a centrar en algún aspecto...
- Bueno, no lo tengo claro porque la verdad es que hay influencia de otras culturas en todo. Es que todas las culturas evolucionan a través del contacto con otras culturas y con las migraciones.
- ¿Por ejemplo?
- He pensado que puedo estudiar las influencias de otras culturas en la gastronomía. Por ejemplo, en los postres como el turrón y otros dulces, que son de origen árabe. O, por ejemplo, la pasta... Hay muchos platos que pensamos que son muy españoles, pero son claramente de origen italiano, como los macarrones...
- ¿Y por qué no basas tu estudio en influencias culturales más recientes? Por ejemplo, la música. Hasta los años cincuenta, en España, no se escucha casi música en inglés. Las películas de Hollywood, con Elvis Presley, por ejemplo, o la música inglesa, con grupos como los Beatles, cambiaron los gustos de la gente joven de la época.
- Es que la influencia de la cultura anglosajona está en casi todos los aspectos de nuestra vida diaria, y no solo en España, sino en todo el mundo... El inglés, por ejemplo, lo estudiamos hoy en día en la escuela como asignatura obligatoria.
- Mis padres estudiaron francés en la escuela.
- Y también está presente en las costumbres; por ejemplo, el *Halloween* es una costumbre muy reciente en España, ¿no?
- Es verdad, ahora cada año hacemos una fiesta en la universidad por *Halloween*.
- Creo que en realidad es una tradición irlandesa que los emigrantes irlandeses importaron a Estados Unidos.
- Es que, a lo largo de la historia, cuando un país ha tenido mucho poder económico y político, ha influido en todos los aspectos de la vida de la gente, especialmente, de los países con los que ha tenido contacto. Mírate: ¿qué ropa llevamos los dos?
- Unos vaqueros y una sudadera.
- ¿Lo ves? Seguro que nuestros abuelos no vestían así cuando eran jóvenes...

Antes y ahora

4 A y B (76)

- Buenos días, señora María. ¿Cómo vamos?
- Bien, guapo, bien..., pero un poco cansada de vivir en este barrio. No sabes las ganas que tengo de irme de aquí.
- Y eso ¿por qué?
- Este barrio ya no es como antes, ya no vive gente de aquí. Todos son extranjeros... A mí no me molestan, ¿eh?, pero es que no los entiendo...
- ¿Y por eso quiere irse? Pero si el barrio ahora es mucho más interesante que antes... Es un barrio multicultural... Además, en el Raval todavía hay muchos españoles. El otro día leí en las noticias que más de la mitad de la población del Raval es española.
- Sí, pero no es como antes. Antes conocía a todo el mundo, y ahora este barrio ya no tiene vida.
- ¿Que no tiene vida? ¡Pero si está lleno de vida y de gente!
- Tú lo ves así porque eres joven...
- Hay mucha gente que viene a pasear, a tomar algo en los bares o en las terrazas... ¡Está muy de moda!
- Sí, sí, viene mucha gente..., pero todas las familias que conocía yo se han ido a vivir a otros barrios, y yo también me quiero ir. ¡Incluso mi hija se ha ido a vivir al extranjero..., y yo me he quedado sola!
- Señora María, eso es otra cosa... Usted se siente sola porque se ha ido su hija, pero ahora en el barrio se vive mejor. Ya no hay tanta delincuencia; el barrio es más tranquilo que antes.
- Sí, eso es verdad, pero todavía hay mucha inseguridad. A mí no me gusta andar por el barrio por la noche. Es verdad que no salgo nunca por la noche, porque a las diez o a las once ya estoy en la cama...
- Señora María, ¿le apetece tomar un café? Venga, que la invito.
- Ay, no, gracias, guapo, muchas gracias. Otro día, que ahora me voy a la peluquería y tengo prisa.

Recuerdos

2 (77)

- Ya estamos en Lavapiés. Aquí vivían mis abuelos y, cuando era pequeña, veníamos los domingos a comer con toda la familia.
- ¿Y te acuerdas de dónde vivían?
- Recuerdo que tenían el piso en esta calle, pero no me acuerdo exactamente del edificio. Es que creo que ya no existe...
- Entonces, ¿tu familia es de Madrid?
- La familia de mi padre, sí, pero la de mi madre, no. Mi madre nació en Madrid, pero mis abuelos no eran de aquí.
- Ah, ¿no? ¿De dónde eran?
- Eran gallegos, de un pueblo que está cerca de Santiago de Compostela. Trabajaban en el campo, pero en aquella época la vida en los pueblos era muy dura. En los años cuarenta, y también en los cincuenta y en los sesenta, mucha gente se iba de Galicia. Muchos se fueron a Argentina o a Uruguay, y también a Francia o a Alemania. Otros vinieron a Madrid, o se fueron a Cataluña o al País Vasco.
- Y tus abuelos vinieron a este barrio...
- Sí, vivían en un piso pequeño con mi madre y con dos familias más, que eran del mismo pueblo que ellos, y compartían el baño entre varios vecinos. Ella trabajaba en el mercado, vendía verduras, y mi abuelo era taxista. Recuerdo que los dos trabajaban mucho. Mi abuela se levantaba todos los días muy temprano para ir al mercado, y mi abuelo estaba todo el día en el taxi. Solo descansaba los domingos para pasar el día con la familia.
- ¡Qué vida tan dura!
- Recuerdo que no hablaban muy bien el castellano, porque en Galicia hablaban gallego. Mis abuelos echaban mucho de menos su tierra y, cuando era pequeña, todos los años íbamos en verano a Galicia a ver a la familia. Todavía tenemos la casa en el pueblo y vamos todos los veranos.
- ¿Con tus abuelos?
- No. Murieron hace unos años, pero yo me acuerdo mucho de ellos siempre que paseo por Lavapiés...

4 B (78)

Yo soy uruguaya, pero también me siento un poco italiana y española, porque mis abuelos eran italianos y gallegos. Mi abuelo era muy alto y moreno, y mi abuela, la gallega, era rubia y tenía los ojos azules. Llegaron a Uruguay en los años sesenta, cuando en Uruguay había muchas más oportunidades que en sus países. En esa época había muy poco trabajo en Europa y la gente que podía emigraba a América: a Brasil, a Argentina o a Uruguay... Tengo familia en Brasil y, por supuesto, también en Italia y en España, pero no los conozco personalmente, aunque nos comunicamos por Facebook o por Skype. Mi madre me cuenta que, cuando ella era pequeña, mis abuelos mantenían el contacto con la familia por carta. Escribían una o dos cartas al año y tardaban muchos días en llegar. Recuerdo que, cuando era pequeña, mis padres enviaban casetes a sus primos y a sus tíos, porque llamar por teléfono era demasiado caro. Es que todo es muy diferente hoy en día. Mis padres, ahora, hacen un viaje a Europa cada dos años. Antes, la gente tenía que viajar en barco y tardaba semanas en llegar, y ahora, con el avión, en doce horas ya estás allá. El mundo es cada vez más pequeño.

17 Arte

Pintura

2 C (79)

Es de estilo moderno y con un aire primitivo, con muchos colores. En primer plano, la pintura muestra a una mujer morena, no muy joven. La figura está sentada y se toca la cara con la mano. Tiene los dedos de las manos muy afilados y una expresión muy misteriosa. Destacan las uñas, porque las lleva pintadas de color rojo. En el fondo, un poco claustrofóbico por el tamaño tan reducido de la habitación, se ve una pared con líneas horizontales y verticales de diferentes colores. Me gusta mucho la estética del cuadro; me encanta la combinación de los colores rojo, amarillo y negro. El cuadro transmite movimiento. Tiene un doble perfil, dos caras... Y el personaje mira hacia el espectador y también hacia la derecha. Yo interpreto que el artista quiere decir que las personas tenemos muchas personalidades. El cuadro, aunque es muy moderno, me recuerda a los retratos clásicos.

Literatura

4 B (80)

Abril florecía
frente a mi ventana.
Entre los jazmines
y las rosas blancas
de un balcón florido,
vi las dos hermanas.
La menor cosía,
la mayor hilaba...
Entre los jazmines
y las rosas blancas,
la más pequeñita,
risueña y rosada
–su aguja en el aire–,
miró a mi ventana.

Música

2 (81)

1 (*jazz*); **2** (rock); **3** (clásica); **4** (tango); **5** (hip hop); **6** (salsa)

4 B (82)

- ¿Diga?
- ¡Hola!
- ¿Quién habla?
- Soy yo.
- Lo siento, pero se ha equivocado... ¿Con quién quiere hablar?
- ¿Cecilia? Soy Martín, te llamo para quedar contigo, ¿cuándo nos vemos?
- ¡Martín! Me estaba preguntando cuándo me ibas a llamar... ¡Disculpa! No te he reconocido.
- ¡Qué distraída eres!

5 A (83)

Locutor: El tema en el programa de hoy es la conexión entre la cultura y los gustos musicales. Tenemos a María en el centro de Madrid, ¿María?, ¿estás allí?
Entrevistadora: Sí, Joaquín, y voy a entrevistar a un chico español y a una chica uruguaya... Mario, ¿crees que la cultura tiene que ver con la música que escuchas?
Mario: Yo creo que sí. Si, por ejemplo, como es mi caso, estás acostumbrado a escuchar flamenco porque desde pequeño lo ponían en tu casa, lo cantaban en la calle de tu barrio o era la música que escuchaban tus amigos, creo que es normal; a mí me gusta el flamenco y escucho mucho flamenco..., pero también escucho otro tipo de música.
Entrevistadora: Y tú, ¿qué crees, Carolina?
Carolina: Yo no opino exactamente igual. Yo, por ejemplo, nací en Uruguay, que es la cuna del tango, bueno..., ¡Argentina también! A mi familia le encanta el tango, y a mí ¡no me gusta para nada! Yo siempre escucho música pop en inglés. Es cierto que sí me ha influido mi pasión por aprender inglés... A mí me parece que la cultura influye en muchas cosas, pero en mi caso, con la música, no...

18 Tecnología

Grandes inventos del pasado

2 (84)

Buenos días, queridos oyentes, y bienvenidos, una vez más, a nuestro concurso «Quien sabe, gana».
Hoy, nuestra pregunta vale quinientos euros. Como siempre, vamos a dar cinco pistas, pero ustedes pueden llamar, si creen que tienen la respuesta, antes. Y recuerden, solo se puede llamar una vez.
La pregunta de hoy es: ¿de qué invento estamos hablando?
Pista número 1: se originó como resultado de un concurso realizado en 1860 en los Estados Unidos, cuando se ofrecieron 10 000 dólares para producir un sustituto para la fabricación de bolas de billar. Hasta entonces se utilizaba el marfil, que se extraía de los colmillos de los elefantes.
Pista número 2: fue importantísimo para el desarrollo del cine, que comenzó a finales del siglo XIX.
Pista número 3: desde los años treinta se han inventado muchos tipos, algunos con nombres muy difíciles de pronunciar, como el polietileno, el polipropileno y el cloruro de polivinilo, entre otros.
Pista número 4: uno de los tipos más famosos es el nailon, que se usó para la fabricación de paracaídas durante la Segunda Guerra Mundial, pero también para las medias y otras prendas femeninas.
Pista número 5 y última: en la actualidad, su uso está muy extendido. Se utiliza, por ejemplo, en el envasado de botellas, en bolsas y en muchos objetos de uso diario.
Bueno, vemos que todavía no ha llamado nadie, pero esperamos su respuesta. ¡Suena el teléfono! Buenos días.

Tecnología actual

1 B (85)

Profesor: Chicos, os voy a hacer varias preguntas sobre los orígenes de internet. Escuchad bien las preguntas y sus posibles respuestas porque os voy a preguntar.
Primera pregunta: se considera que la red, tal como la entendemos hoy, comenzó...
A. En el departamento norteamericano de Defensa, en los sesenta.
B. En Silicon Valley, en los años ochenta.
¿Vanesa?
Vanesa: Yo creo que es la *A*, ¿el Departamento de Defensa de los Estados Unidos en los años sesenta?
Profesor: Muy bien. Correcto.
Segunda pregunta: después, se creó la World Wide Web, o sea, *www*, y el inventor fue...
A. El británico Tim Berners-Lee.
B. El estadounidense Lickider, del Instituto de Tecnología de Massachussets.
¿Lucas?
Lucas: Yo creo que fue Lickider.
Profesor: Pues no, fue Tim Berners-Lee, en 1989.
Pasamos a la tercera pregunta: internet empezó a tener un uso público y abierto en...
A. 1993
B. 1978
Manuela, ¿cuál es la respuesta correcta: *A* o *B*?
Manuela: 1993 es muy tarde... Creo que es la *B*: 1978.
Profesor: Muy bien, Manuela. La respuesta correcta es la *B*.
Vamos con la cuarta y última pregunta: el nombre de Google viene...
A. Del dios mitológico Gogol, que era el mensajero de los dioses.
B. Del término matemático *gúgol*, que se refiere al número 1 seguido por cien ceros.
¿Sabes cuál es la respuesta correcta, Mario?
Mario: Viene del término matemático *gúgol*.
Profesor: ¡Exactamente!

La ciencia ficción

2 B (86)

1 **Olga:** Traednos una jarra de agua muy fría.
Robot 1: ¿Con hielo?
Olga: Sí.
Robot 1: Tomad.
2 **Santi:** Ven y hazme un masaje en los pies.
3 **Olga:** Limpiad la casa, recoged la basura y pasad el aspirador. Papá y mamá van a llegar en cualquier momento.
4 **Santi:** Trae el cuaderno de ejercicios y haz los ejercicios de la página 44.
Robot 2: No estoy autorizado.
5 **Olga:** Preparadnos unos bocadillos de tortilla.
6 **Santi:** Decid a nuestros padres que estamos en la cama.
Robot 2: Un robot no puede mentir a la familia.